LE GRAND DÉFI
Bolcheviks et nations
1917-1930

CHEZ LE MÊME ÉDITEUR

DU MÊME AUTEUR

L'Empire éclaté, 1978, Prix Aujourd'hui.
Lénine, la révolution et le pouvoir, 1979, collection Champs.
Staline, l'ordre par la terreur, 1979, collection Champs.
Le Pouvoir confisqué, 1980.
Le Grand Frère, 1983.
Ni Paix, ni Guerre, 1986, Nouvelle édition augmentée, 1987, collection Champs.

DANS LA MÊME COLLECTION :

Leonard Schapiro, *Les Révolutions Russes de 1917*, 1987.

HÉLÈNE CARRÈRE D'ENCAUSSE

LE GRAND DÉFI
Bolcheviks et nations
1917-1930

FLAMMARION

A la mémoire de Jean TOUCHARD

INTRODUCTION

1917-1987. De l'année qui vit l'effondrement du puissant Empire russe, la révolution et la naissance de l'État soviétique à celle où les héritiers de Lénine célèbrent le soixante-dixième anniversaire de ces événements, le temps écoulé se mesure en générations. Le pouvoir soviétique a formé trois générations de citoyens qui n'ont rien connu du monde précédant 1917. Pour elles, la vision du monde, les certitudes, le mode de vie sont ceux que la révolution d'Octobre portait en elle.

A l'heure où l'URSS se prépare à célébrer solennellement ce jubilé, Mikhaïl Gorbatchev, sixième successeur de Lénine, fait le bilan de l'œuvre accomplie. Et au lieu de découvrir à ses compatriotes l'univers radieux que ses prédécesseurs avaient cru jadis entrevoir, il leur propose un bilan négatif. Les deux maîtres mots de son discours, *perestroïka* (reconstruction) et *glasnost'* (publicité [des échecs]), sont empruntés à Lénine. Comme Lénine avant lui, Gorbatchev proclame que son pays a droit à la vérité sur le chemin difficile qu'il lui faudra suivre pour se reconstruire. Comme si les soixante-dix années écoulées n'avaient été qu'une longue suite d'erreurs.

Au chapitre sombre des rêves déçus et des illusions perdues, Gorbatchev constate qu'il faut inscrire les relations entre les nations qui composent l'URSS[1]. La révolution devait effacer leurs différences pour donner naissance, dans un monde neuf, à une communauté humaine nouvelle, forte de ses solidarités de classe. Aux

nationalismes du passé devait succéder l'internationalisme, qui ferait des hommes et des peuples divers une
fraternité véritable. Et pourtant, au lieu de l'internationalisme rêvé, Gorbatchev voit partout dans l'URSS de cette
fin de siècle la montée des nationalismes. A Alma Ata, où
les foules kazakhs se soulèvent contre l'arrivée à la tête de
leur parti communiste d'un dirigeant russe. En Ukraine,
en Géorgie, en Estonie et dans combien d'autres républiques nationales, où les intellectuels des générations éduquées à l'internationalisme proclament leur refus d'un
système qu'ils jugent trop favorable aux Russes, et leur
volonté de voir renaître leurs cultures nationales et leurs
langues. En Asie centrale et au Caucase, où le message de
Khomeiny se propage et fascine parce qu'il dit aux
musulmans leur différence. Partout Gorbatchev discerne
des nationalismes véhéments qui réclament le droit d'expression au nom de la *glasnost'*, et accusent le pouvoir
soviétique de vouloir les russifier sous le masque de
l'internationalisme. Mais les Russes n'échappent pas non
plus à la tentation nationale. Les intellectuels, que le
pouvoir respecte, se penchent sur la culture et l'histoire
de la Russie ancienne plutôt que sur celle de la période
soviétique où ce qui est proprement russe a dû céder le
pas aux symboles de l'internationalisme. Le pouvoir
lui-même contribue à cette revalorisation du passé national russe en autorisant enfin la publication des grands
historiens – Karamzine, Klioutchevski, Soloviev [2] – dont
l'œuvre, durablement interdite, glorifie le peuple russe et
non les peuples que l'Empire conquiert.

En 1922, Lénine mourant lançait un appel solennel à
ceux qui lui succéderaient, les avertissant que rien n'était
plus décisif pour le sort futur de l'État révolutionnaire
qu'une politique nationale conduisant au dépassement
des nationalismes, aussi bien le russe que celui des
peuples jadis dominés.

Soixante-dix ans plus tard, Gorbatchev ne dit pas autre
chose. Le temps écoulé en vain, les générations éduquées
en vain suggèrent que la tâche à accomplir pour abolir les
différences nationales est infiniment plus complexe que
ne l'avait pensé Lénine. Faut-il en accuser le système

d'idées – le marxisme – qui a guidé son action et celle de ceux qui lui succéderont? Ou la réalité à laquelle ils étaient confrontés? Ou les solutions empiriques qu'ils ont adoptées?

Peut-être, avant toute réflexion sur les idées et les options, convient-il de porter un regard sur le problème lui-même, ce monde inextricable des nations de l'Empire dont, de toute évidence, ni le régime disparu en 1917, ni les bolcheviks n'ont jamais mesuré la diversité et la difficulté. De cette réalité mal connue de tous, combien d'évolutions imprévisibles découleront dont l'ancien régime jadis, le pouvoir soviétique aujourd'hui, ont dû payer le prix.

L'Empire russe s'est formé du XVIᵉ au XIXᵉ siècle. Le point de départ est la chute de Kazan en 1552 qui marque la fin du joug tatar sur une Russie jusqu'alors dominée et menacée et qui devient, à son tour, conquérante. Conquête de la Volga quand son débouché Astrakhan est arraché aux Tatars. Extension de l'Empire au siècle suivant en Sibérie et sur la rive gauche du Dniepr. Au XVIIIᵉ siècle, commence la marche vers l'Europe. Pierre le Grand prend à la Suède, au traité de Nystad (1721), en « possessions éternelles » la Livonie, l'Estonie, l'Ingrie, une partie de la Carélie avec Vyborg qui, ajoutées à un semi-protectorat en Courlande et Mecklembourg, transforment la Russie continentale en puissance maritime. En 1772, Catherine II partage la Pologne avec la Prusse et l'Autriche, ce qui ne l'empêche pas, guerroyant avec les Turcs, d'étendre aussi son autorité aux rives de la mer Noire, en Crimée. Le XIXᵉ siècle apporte à l'Empire la Géorgie (1801), la Finlande (1809), le centre de la Pologne (1815), le Caucase et le Turkestan. Cette épopée s'achève en 1895 par la délimitation des frontières avec l'Afghanistan.

Le recensement de population de 1897 permet au tsar de toutes les Russies de connaître le nombre et les particularités de ses sujets. Ils sont 126 368 000 dont 55,7 % ne sont pas russes mais « allogènes » (*inorodtsy*). Tout sépare ces peuples : dimension, histoire, mode de vie. A l'ouest, un groupe compact de chrétiens, slaves en majorité, se divise pourtant autour de clivages religieux et linguistiques, voire politiques, et de l'opposition entre peuple conquérant et peuples conquis. L'orthodoxie, religion de l'Empire, est pratiquée par les Russes, la majeure partie des Ukrainiens et des Biélorusses. Entre Russes et Ukrainiens, le conflit s'installe dès lors que la langue ukrainienne est bannie en 1876. Les Polonais catholiques se rassemblent autour de leur Église pour protester contre la division nationale qui leur a été imposée et le souvenir des soulèvements réprimés. Les Baltes, partagés pour l'essentiel entre catholicisme et protestantisme, tournent le dos au monde slave et regardent vers la culture germanique dont ils se réclament.

Second groupe, à l'est et au sud de l'Empire, celui des peuples turcophones. Installés en Asie centrale, sur la Volga, au Caucase, ils ont en commun un passé prestigieux et leur culture. Ils sont solidaires aussi par le lien puissant de l'Islam avec les iranophones et les montagnards du Caucase. Au Caucase encore, mosaïque de peuples et de civilisations, Géorgiens et Arméniens se réclament de très anciennes cultures, de langues à nulle autre pareilles, d'un christianisme précoce.

La diversité des religions, des langues, des alphabets est aggravée par la variété des modes de vie. Relations humaines, croyances, coutumes diffèrent si complètement d'un bout à l'autre de l'Empire que celui-ci ressemble, en fin de compte, au sommaire d'une histoire des civilisations humaines. La géographie contribue à la diversité des comportements. Le paysan russe s'est battu contre la forêt pour conquérir son espace de vie. Le sédentaire de l'Asie centrale s'est battu pour l'eau, toujours insuffisante; le nomade a dû lutter pour défendre ses espaces de migrations. L'habitat témoigne de ces différences. L'izba de bois correspond à une civilisation des forêts et du froid; la yourte, à une civilisation du mouvement.

Ce qui unit cette diversité, c'est le système politique. L'Empire des tsars a une structure assez paradoxale. D'un côté, il est État centralisé, hiérarchisé, autocratique où l'autorité du souverain – maître des terres et des hommes – est absolue. La tradition étatique mongole a marqué durablement les conceptions politiques des dirigeants russes.

Mais lorsque cet État devient Empire, il ne retrouve pas dans ses nouvelles structures les principes d'organisation qui ont présidé à son existence depuis le XVe siècle. L'espace immense conquis en trois siècles d'expansion est organisé au fur et à mesure des conquêtes, au gré des circonstances, sans qu'une conception impériale claire guide les conquérants. A la fin du XIXe siècle, lorsqu'il prend sa forme définitive, l'Empire juxtapose plusieurs systèmes d'autorité. De l'intégration pure et simple à la Russie à une large autonomie, toute la gamme des relations entre centre et périphérie est mise à l'épreuve.

Les crises politiques – assassinat d'Alexandre II en 1881, révolution de 1905 – ont eu des conséquences immédiates sur la doctrine nationale de l'Empire. Le système longtemps souple, cherchant à différencier ses contrôles et à fonder l'allégeance de ses administrés sur l'autorité, mais aussi sur des concessions, va s'orienter toujours davantage vers l'uniformité et un centralisme croissant. Cette évolution, si elle conduit à la veille de la révolution à la création d'un système politico-administratif plus cohérent, a des effets négatifs pour les relations entre la Russie et les peuples conquis. Les crises à l'intérieur des territoires nationaux se multiplient; une certaine solidarité entre peuples dominés, longtemps inexistante en raison même de leurs différences culturelles et statutaires, commence à se manifester. L'Empire, d'abord conglomérat de peuples dispersés, tend à opposer deux groupes distincts : le groupe russe dominant et les *inorodtsy* – tous également dominés.

Les communications vont jouer, à partir de 1880, un rôle important dans le développement des liens entre la

capitale, centre des décisions, et la périphérie dominée.
Jusqu'alors, la légèreté de l'infrastructure des communications en Russie isolait les territoires éloignés et ne
favorisait pas leur contrôle. La Russie d'Europe, où est
concentrée la quasi-totalité des voies ferrées, n'en possède
alors que 23 000 kilomètres pour 150 000 aux États-
Unis.

A partir de 1880, au contraire, le gouvernement, poussé
souvent par les gouverneurs généraux qui administrent
les possessions éloignées, commence à construire la voie
qui, de Krasnovodsk à Tachkent, traversera l'Asie centrale; au Caucase, Bakou et Batoum sont reliées. Dix ans
plus tard, c'est au tour du transsibérien, et de la voie qui
de Tachkent remonte vers la Russie par Orenbourg. A la
veille de la guerre, le réseau ferroviaire de l'Empire a
presque quintuplé. Mais l'essentiel des liaisons se situe
toujours dans la Russie d'Europe avec 81 000 kilomètres
de voies ferrées, alors que la Sibérie et l'Asie centrale, qui
représentent pourtant les trois quarts du territoire de
l'Empire, n'en comptent encore que 16 000.

Sans doute les voies d'eau ont-elles toujours joué un
rôle considérable dans les communications de la Russie.
Mais pour des raisons climatiques – l'usage des fleuves est
irrégulier en Sibérie, les steppes d'Asie en sont plus ou
moins dépourvues, ou bien encore les fleuves existants, tel
l'Amou-Daria, se perdent dans les sables – les construc-
teurs de voies ferrées ne pensent pas à utiliser conjointement rails et voies d'eau lorsqu'elles existent. Si l'on
ajoute à cela la faible extension du réseau routier et l'état
déplorable des routes, on comprend que l'un des problèmes qui se posent à l'Empire jusqu'à la guerre est celui de
la difficulté des communications, donc du contrôle des
territoires conquis. Malgré cela, le progrès relatif des
communications aura permis de développer par la colonisation – un grand nombre de colons russes émigrent
vers l'Asie centrale et la Sibérie à la fin du siècle – la
présence effective de la Russie aux confins.

Mais le système administratif et la colonisation ne
suffisent pas à intégrer les territoires conquis. Hors la
partie occidentale de l'Empire où la vie urbaine s'est

développée, ailleurs la population indigène est essentiellement rurale. Par là même, elle est coupée aussi bien des colons russes que de l'administration coloniale installée dans des villes, qui ne sont pas des centres de contacts humains. Comment atteindre cette population différente et dispersée autrement que par un contrôle culturel ? Tous les grands Empires ont diffusé dans leurs possessions leur propre culture et ainsi modifié celle de leurs administrés.

L'Empire russe est très tôt conscient de l'importance du contrôle culturel. En 1870, le ministre de l'Instruction publique, D.A. Tolstoï, élabore un projet pour l'instruction des allogènes[3] et définit ainsi sa doctrine : « Le but final de l'instruction donnée aux allogènes vivant dans les limites de l'Empire est incontestablement leur russification (*obrusenie*) et leur fusion avec le peuple russe. » Même si la volonté de russification connaît des variations dans l'espace et le temps, elle ne se démentira pas jusqu'à la guerre. Mais ses résultats sont ambigus. Elle a été, en définitive, plus dommageable pour la cohésion de l'Empire que pour les peuples concernés. La langue russe, l'éducation, l'orthodoxie ont touché dans chaque nation une petite partie de la population, formant une élite russifiée qui jouera un rôle dans la vie publique aux côtés des Russes. Mais la réaction profonde des peuples dominés est l'indifférence lorsque la russification ne les atteint pas, compte tenu de leur niveau culturel, ou bien un sursaut national pour ceux qui sont conscients du projet russificateur. L'accélération du mouvement national dans l'Empire tsariste coïncide entièrement avec le développement du projet de russification.

En 1914, lorsque commence le conflit où sombrera l'Empire, le prix qu'il doit payer pour l'immensité mal contrôlée et la diversité est déjà patent. Les deux faces de l'Empire russe, puissance et précarité, sont inséparables. La Révolution n'aura pas de mal à enrôler les nations frustrées sous sa bannière pour précipiter l'effondrement. Sur les ruines de l'Empire qui ne sut pas répondre au défi national, s'édifie l'État des Soviets qui à son tour, avec ses moyens, doit affronter un même défi.

PREMIÈRE PARTIE

LE DISCOURS

1

Nation, culture et révolution

Le problème national, qui va peser si lourdement et durablement sur l'État fondé par Lénine, a été d'abord l'objet d'un long débat dont les bolcheviks seront en partie prisonniers. Débat sur la nature de la nation, sur l'avenir des nations de l'Empire russe, sur la stratégie des révolutionnaires en matière nationale.

A l'origine du débat, il y eut la pensée des pères fondateurs du marxisme. Mais si cette pensée sert de référence constante à leurs successeurs, elle ne leur a pas donné réellement de fil conducteur pour leur action. Marx et Engels, dont les œuvres sont trop connues pour être développées ici [1], n'ont pas, il suffit de le rappeler, élaboré de théorie nationale cohérente. Ils ont en revanche pris grand soin de comprendre les problèmes historiques concrets posés par les nations. Et légué à leurs héritiers, au terme d'une analyse très riche des réalités de leur temps, deux certitudes et un article de foi. Les certitudes : l'importance du fait national à l'époque du capitalisme, l'aliénation nationale de ceux qui n'appartiennent pas aux classes dirigeantes [2]. Un article de foi : le triomphe du prolétariat résoudra quasi automatiquement le problème national parce qu'il entraînera le dépassement, le dépérissement des nations. Ainsi la nation, chez les fondateurs du marxisme, apparaît-elle essentiellement comme un phénomène temporaire, lié à la période du capitalisme ascendant, à la période de la lutte des classes, donc un phénomène d'importance secondaire. Seule, en

dernier ressort, la classe détermine le processus historique; seule elle est en mesure d'en résoudre les contradictions.

La IIe Internationale, consciente de la force des
tensions nationales à la fin du XIXe siècle, avait précisé
sa position sur ce point au congrès de Londres (juillet-
août 1896), en affirmant qu'elle soutenait le droit des
nations à décider de leur destin [3]. Mais dans le cours de
la même résolution, le congrès insistait sur la solidarité
internationale du prolétariat qui devait transcender et
finalement supprimer toutes les divisions nationales.
Ainsi, fidèle à Marx et Engels, la IIe Internationale,
tout en prêtant attention aux forces nationales qui se
développaient, affirmait que la classe était la force historique fondamentale et que le combat national, lié à
un moment déterminé de l'histoire des classes en lutte,
lui était subordonné.

Au tournant du siècle cependant, cette belle unanimité
se défait, au bénéfice d'une opposition nette entre deux
tendances. Les « marxistes occidentaux » demeurent obs-
tinément attachés à la seule notion de lutte des classes; les
« marxistes orientaux » découvrent chez eux, chaque jour
davantage, le poids et les potentialités de la lutte nationale. Ce second groupe compte à la fois les marxistes de
l'Empire austro-hongrois et les bolcheviks. La pensée
bolchevique devra tenir compte de l'austro-marxisme
parce que celui-ci apporte des réponses originales et
précises au problème de la nation. Elle devra tenir compte
aussi du débat qui se déroule en Russie même, où la
réflexion sur l'avenir des nations a été engagée près d'un
siècle plus tôt par l'intelligentsia libérale russe, et est
reprise à la fin du XIXe siècle et au début du XXe par les
intellectuels des groupes nationaux de la périphérie, qu'ils
se réclament ou non de l'héritage de Marx.

Trois grands axes de réflexion vont dominer le débat,
propre aux sociétés multinationales de l'Est de l'Europe
parce que là, ce qui est en jeu, ce n'est pas la simple
théorie, mais la vision qu'ont les hommes appartenant à
des communautés différentes intégrées dans un même
Empire, de leur identité et de leur destin.

Plus ou moins étrangère à l'univers mental de Marx et Engels[4], la nation s'impose à leurs disciples ou successeurs vivant dans les empires multinationaux et confrontés en permanence à la réalité nationale. Hors de Russie, Kautsky, Otto Bauer, Karl Renner vont les premiers s'attacher à comprendre le phénomène national et partant de là, à définir avec précision les relations entre la question nationale et la dynamique révolutionnaire. Leur réflexion n'a pas seulement enrichi la théorie marxiste, elle a contribué à clarifier les positions des mouvements nationaux de Russie, en quête de projets concrets. Elle a pesé lourdement sur les relations des bolcheviks avec les socialistes nationaux de l'Empire.

Nation et culture nationale

Issu d'une famille tchèque, citoyen autrichien, Karl Kautsky, même s'il vit en Allemagne, ne renie rien de son expérience nationale propre. De là son intérêt constant pour cette question dont il sera le principal théoricien dans la IIe Internationale. Il est le premier marxiste à définir la nation dans un livre au titre significatif, *La Nationalité moderne*[5]. Produit du développement social, la nation est aussi un fait culturel; de tous les éléments qui ont contribué à sa formation, le plus décisif est, pour Kautsky, la langue qui s'impose comme langue commune dans un État commun[6]. L'avenir de la langue nationale est lié au développement de l'économie. L'extension des marchés, trait caractéristique du capitalisme, va de pair avec l'unification linguistique autour des langues les plus parlées, ou avec le développement d'une langue universelle.

Kautsky va ainsi à l'encontre de Marx et Engels dont il juge les idées vieillies et inapplicables; et il affirme que le mouvement ouvrier doit avoir un programme national.

Si, au début du siècle, la plupart des marxistes, dont Lénine, s'abritent derrière l'autorité de Kautsky, c'est pourtant l'œuvre de Renner et Bauer qui pose, de manière complète, le problème national des deux Empires multi-ethniques, et d'abord celui de la disparité des nations qui y coexistent. Ces Empires englobent dans leurs frontières de grandes nations fixées sur un territoire et leur existence est évidente; mais ils comptent aussi des nations dispersées ou très peu nombreuses. Quel principe d'organisation adopter qui satisfasse la volonté nationale de chaque groupe et permette de construire un État viable? Comment conjuguer équité et efficacité? L'équité conduit à privilégier la dimension nationale dans tout projet; l'efficacité à insister sur l'État.

C'est la seconde préoccupation qui a animé Karl Renner. Juriste, il attribue à l'État un rôle important dans l'équilibre et la réalisation des aspirations nationales et s'efforce de définir ce qu'est un État multinational viable. Dans une série de travaux parus au tournant du siècle [7], sous ses divers pseudonymes (Synopticus, Springer) il développe à son tour le lien entre nation et culture mis en avant par Kautsky, et en tire les conséquences quant à l'organisation de l'État: «Avec l'entrée du prolétariat dans la politique autrichienne, la question nationale cesse d'être une question de pouvoir pour devenir une question de culture [8].» L'appartenance à une nation – Renner développe largement le problème complexe des relations nation-État – est une affaire personnelle: «C'est le principe de personnalité, non le principe territorial qui doit servir de fondement à la réglementation [9].» Mais en même temps Renner assigne à l'État un rôle régulateur et a le souci de tenir compte des possibilités d'organisation territoriale, là où elles existent. Dans le *Combat des nationalités autrichiennes pour l'État* [10], il dessine avec précision les traits principaux de cet État combinant deux types d'autonomie, et deux droits des institutions: pour chaque nation, pour la communauté.

Mais plus encore que Renner, qui reste attaché à une recherche de solutions juridiques et institutionnelles, la démarche sociologique d'Otto Bauer fera progresser de manière décisive la réflexion sur la nation et son avenir historique. Elle aura l'influence la plus profonde et la plus durable sur ceux qui dans les États multinationaux cherchent à cette époque à concilier leur volonté d'émancipation nationale et de transformation révolutionnaire, et que rebute souvent l'approche internationaliste ou par trop pragmatique de Marx.

Lorsqu'il écrit *La Question des nationalités et la social-démocratie* [11], Bauer pense à l'Empire austro-hongrois et au conflit entre Tchèques et Allemands, qui pèse sur l'avenir de l'Empire et, de manière plus grave encore, sur celui du mouvement ouvrier. La question nationale a jusqu'alors moins préoccupé Otto Bauer que les problèmes économiques [12]. Mais peut-il assister sans réagir à la division du mouvement ouvrier sur la base des conflits nationaux ? Il voit clairement que la conscience de classe cède ici le pas aux volontés nationales exaspérées. C'est pourquoi il s'engage dans un effort de réflexion, destiné non à fournir des arguments aux nations mais à débarrasser le mouvement ouvrier de l'hypothèque nationale qui obscurcit son jugement et son action.

La définition de la nation d'Otto Bauer est bien connue : « La nation est l'ensemble des hommes liés par une communauté de destin en une communauté de caractères [13]. » Elle mérite cependant d'être explicitée. Le destin commun, c'est avant tout l'histoire commune; la communauté de caractères, c'est en premier lieu la communauté de langue [14].

La nation n'est donc pas pour Otto Bauer un phénomène transitoire lié à une période déterminée de l'histoire des classes en lutte, ou du développement économique, c'est une catégorie permanente dont l'existence a précédé le capitalisme et qui se maintient malgré les transformations économiques; qui enfin, selon toute probabilité, lui survivra. Le rôle du socialisme n'est pas d'ignorer les nations ni de les abolir, mais au contraire, de donner une nation à chaque travailleur. C'est dans cette perspective qu'il reprend la phrase du *Manifeste communiste* : « Les ouvriers n'ont pas de patrie. »

L'effet de la révolution, la première conquête du prolétariat sera de rendre à chaque homme ce que le capitalisme et la bourgeoisie lui ont enlevé : sa patrie. Ici, Bauer s'écarte nettement de l'utopie marxienne où les nations socialistes ne ressentiront plus les différences nationales. Bauer, au contraire, lie les différences nationales et le progrès intellectuel qui, dans le cadre du socialisme, cessera d'être le privilège d'un groupe limité pour devenir le sort commun. Ce progrès intellectuel de la société tout entière aura pour conséquences une croissance des particularités nationales, du sentiment d'appartenance à des communautés nationales différentes, et donc un affaiblissement des solidarités internationales propres aux classes opprimées. Dans la vision de Renner et Bauer, le socialisme intégrera les masses à la nation par le progrès culturel qu'il entraînera comme le capitalisme le fit pour les élites.

Dès lors, tout programme socialiste doit prendre en considération au premier chef la question nationale, afin de préparer les conditions de cette conquête ouvrière, et faire qu'elle ait lieu dans un climat de paix entre les nations et non d'antagonismes internationaux [15].

L'internationalisme prolétarien est ainsi interprété par Bauer dans la perspective d'une cohabitation harmonieuse des nations.

D'une façon plus précise, les austro-marxistes élaboreront, à la suite du congrès de Brünn qui, en 1899, prône la réorganisation de l'Autriche en fédération de nationalités, un programme d'autonomie nationale culturelle extraterritoriale [16]. Ce programme enrichit le système classique d'autonomie territoriale d'un principe nouveau, l'autonomie culturelle personnelle.

Mais comment mettre en pratique l'idée de l'autodétermination personnelle ? L'Empire austro-hongrois, où les nations de cultures diverses sont étroitement mêlées sur un même territoire, témoigne de la difficulté de passer de la théorie aux actes. Pour répondre à ce problème Renner et Bauer ont imaginé de différencier deux niveaux d'organisation politique, celui de l'État, celui du domaine culturel. L'État fédéral doit limiter son domaine de compétences aux questions d'intérêt général strictement définies, tandis que le principe de l'autodétermination personnelle extraterritoriale régit les rapports sociaux. Classée par groupes nationaux, la population doit disposer de représentations séparées pour organiser ses écoles, ses institutions judiciaires et participer aux institutions politiques communes.

Les thèses de Bauer et Renner visent donc à résoudre les difficultés du mouvement ouvrier et celles de l'Empire, où à la faveur de conditions nouvelles, ils considèrent que des réformes sont devenues possibles. La tâche proposée à l'Empire est complétée par celle que Bauer assigne au socialisme : « intégration de tout le peuple à la communauté nationale de culture, conquête de l'autodétermination complète de la nation, différenciation spirituelle des nations, tel est le sens du socialisme [17]. »

Grâce à leur œuvre, le lien nation-culture donne un contenu à l'idée de nation. Tout en prêtant progressivement plus d'attention au problème de l'État, en insistant plus sur l'internationalisme comme l'y convie Kautsky, Otto Bauer prône avant tout que la culture nationale est une donnée permanente et centrale de la dynamique historique. S'efforçant de lier ses préoccupations nationales et internationales, il répète toujours que la culture internationale du prolétariat, si elle existe, doit s'intégrer aux cultures nationales [18]. Le lien entre cultures nationales et culture prolétarienne, l'idée de les équilibrer dans un ensemble cohérent dont les cultures nationales seront l'élément extérieur, visible, inspireront par la suite à Staline, par ailleurs grand détracteur d'Otto Bauer, sa propre définition de la synthèse entre les deux cultures présentes en Russie.

Nation et État fédéral

L'Empire austro-hongrois n'a pas alors l'exclusivité du débat sur l'avenir des nations. Une réflexion similaire se développe dans le mouvement ouvrier russe, dans des conditions fort différentes.

Tandis que l'Empire austro-hongrois est divisé, affaibli par les volontés nationales qui sporadiquement explosent, l'Empire tsariste n'a cessé durant le XIXᵉ siècle de s'étendre territorialement, de placer sous son autorité des nations toujours plus nombreuses et diverses. Autant l'autorité de Vienne est menacée par des peuples luttant ouvertement pour leur indépendance, autant l'Empire des tsars offre alors au monde l'image de la puissance et de la stabilité.

Pourtant, alors même que s'étend cet Empire si puissant, le débat s'engage sur l'avenir des nations qui le constituent. Il sera d'abord le fait des Russes eux-mêmes, bien avant que le socialisme n'ait fait son apparition. Puis il sera repris par les élites des sociétés dominées de l'Empire. Les bolcheviks n'interviendront que tardivement dans une réflexion, qui d'emblée pourtant pose le problème de l'organisation et du système politique de la Russie en liaison avec le problème de la domination imposée par un grand État à des peuples incapables de protéger leur indépendance.

Le problème national est débattu en Russie au début du XIXᵉ siècle – héritage de la Révolution française et des guerres napoléoniennes – par l'aristocratie libérale regroupée en sociétés secrètes qui, le 14 décembre 1825, tentera de mettre fin à l'autocratie. Ce sont les décabristes, en effet, qui les premiers présentent des projets de réorganisation de l'Empire sur des bases fédérales. Le droit des nations à un statut plus équitable sera défendu dans le cadre du combat contre l'autocratie. La libération des nations est alors tenue pour condition décisive d'une réorganisation démocratique de la Russie.

Ce sont les États-Unis qui servent d'exemple aux décabristes, convaincus qu'une organisation fédéraliste de l'Empire est souhaitable. Au vrai, leurs projets fédéralistes confondent décentralisation régionale et autonomie nationale. Il en va ainsi des deux projets les plus élaborés : celui de Dmitriev Mamonov et celui de Mouraviev. Le projet de division de l'Empire en États autonomes met plus ou moins sur le même plan les grandes régions de la Russie, jadis rivales (D. Mamonov envisage de recréer les États de Kiev, Novgorod, Vladimir, etc.) et les États nationaux (Courlande, Finlande, Géorgie, Pologne).

Les décabristes veulent avant tout mettre fin au centralisme de l'État russe, briser l'autorité personnelle de l'autocrate, protéger les individus par des structures médiatrices, locales et régionales. Cette préoccupation anticentraliste est particulièrement évidente dans les deux projets rédigés par Nikita Mouraviev qui va dans le détail des institutions fédérales, espérant concilier ainsi la liberté des individus qui suppose un cadre organisateur restreint et la liberté des peuples qui n'est possible pour lui qu'au sein de formations puissantes.

Le fédéralisme ne fait d'ailleurs pas l'unanimité des décabristes. Pestel s'y oppose en invoquant la diversité nationale de la Russie qui transformerait une entreprise de décentralisation en séparatismes [19].

Ce débat est d'une extrême importance car il annonce les discussions futures sur l'organisation de l'État socialiste et les problèmes auxquels cet État se heurtera. La confusion entre décentralisation administrative et autonomie nationale, la double préoccupation de l'intérêt des groupes particuliers nationaux ou régionaux et de l'intérêt de l'État, la coexistence d'un État fédéral et d'États nationaux, ce sont là des thèmes qui agiteront les bolcheviks à l'aube de leur pouvoir, et qui sont encore au cœur des discussions constitutionnelles en Union soviétique après près de trois quarts de siècle d'existence étatique.

La répression qui s'abat en 1825 sur les décabristes n'emporte pas pour autant leur message. Après eux, Herzen et Bakounine qui s'étaient déjà heurté à Marx dans son combat pour le panslavisme s'efforcent de définir un *fédéralisme anarchiste*. Comme les décabristes, ils se préoccupent de protéger la liberté des individus, de leur donner pour cadre des structures à leur dimension; comme les décabristes aussi, ils veulent étendre ce système à l'ensemble des peuples slaves et organiser les Slaves de manière à préserver leur identité et leur existence nationale, comme iis veulent protéger les individus [20].

Mais à la différence des décabristes, qui imaginaient un État fédéral assez traditionnel, Bakounine remplace l'État par une fédération, slave d'abord et plus tard universelle, dont les fonctions régulatrices n'apparaissent qu'imparfaitement. De plus, le fédéralisme anarchiste tant dans sa variante panslave que dans sa version universelle porte peu d'intérêt aux nations elles-mêmes et au problème des relations inégales entre elles. L'oppresseur, pour Bakounine, c'est l'État quel qu'il soit; l'oppression nationale n'est qu'un corollaire de l'oppression de l'État et la révolution qui met fin à l'existence des États classiques doit mettre fin aux oppressions qui en découlent [21]. Cette approche qui nie ou sous-estime le facteur national explique que le fédéralisme anarchiste, s'il a eu des héritiers dans l'intelligentsia russe, ait eu une faible audience dans les intelligentsias nationales.

A la périphérie de l'Empire, Ukrainiens, Géorgiens, Arméniens vont eux aussi débattre d'un problème qui est celui, immédiat, de leur destin. Leur réflexion, que les événements tumultueux de 1917 effaceront pour un temps des mémoires, est pourtant d'une importance considérable pour les relations des nationalités de l'Empire avec les bolcheviks en 1917 et pour la compréhension de l'état des rapports nationaux en URSS dans les dernières années du XXᵉ siècle. Pour avoir été oubliées, les idées qu'ils ont agitées n'en ont pas moins marqué durablement les consciences et l'histoire, et pèsent sur le présent.

Le mouvement qui se développe dans la partie de l'Ukraine intégrée à l'Empire russe doit beaucoup au romantisme qui pousse les élites des premières décennies du XIXᵉ siècle à s'intéresser à leur histoire, à leur patrimoine culturel, à leur folklore. Autour de quelques centres tels Kharkov ou Kiev, des intellectuels ukrainiens prennent conscience d'une culture qui leur est propre et ne peut dans les structures centralisées de l'Empire s'épanouir librement. Constater ces limites, c'est déjà formuler en termes politiques le problème ukrainien. La création de la Confrérie de Cyrille et Méthode en 1846 en témoigne [22]. Cette société secrète fondée à Kiev par de jeunes intellectuels mêle dans son programme aspirations nationales et volonté d'une transformation politique générale [23]. Si les propositions liées à la seconde aspiration ressemblent fort à celles que présentent tous les intellectuels de l'Empire à la même époque (abolition du servage, égalité sociale, liberté de conscience, liberté de parole, introduction d'un système électoral, etc.), la partie nationale est plus intéressante dans sa précision : indépendance des États slaves au sein d'un grand État, organisation fédérale de cet État avec une assemblée commune formée des représentants de toutes les Républiques sœurs. Deux traits sont ici très remarquables : insistance sur la langue de chaque État et lien entre nation, État et langue nationale; vision ukraino-centriste du fédéralisme slave, puisque la capitale de la fédération devrait être Kiev [24].

Les idées fédéralistes de la Confrérie de Cyrille et Méthode ont été développées avant tout par le grand historien ukrainien Mykola Kostomarov, que la police tsariste accusera à tort de prêcher le séparatisme [25].

En fait, Kostomarov prône le retour à la tradition politique de la *Rus'*, car, estime-t-il, aux origines politiques de la Russie, il y avait une tradition fédéraliste. Les relations entre les principautés médiévales ont été contractuelles, souligne-t-il, et le système d'organisation qui découla de ces accords était si viable qu'on lui doit un équilibre politique et un épanouissement culturel remarquables. La rupture de cet équilibre est due à l'influence mongole sur les princes moscovites qui ont adopté les principes centralistes et hiérarchisés de l'État mongol pour édifier leur puissance. Le « rassemblement des terres russes » n'a été qu'une rupture radicale avec la tradition historique de la Russie prémongole et l'adoption d'un modèle étatique centraliste emprunté aux envahisseurs. Mais Kostomarov, tout en défendant cette version de la Russie kiévienne, contraire au demeurant à l'analyse d'historiens tels que Klioutchevski ou Karamzine [26], est conscient que la dispersion médiévale ne peut servir de modèle à son époque. C'est pourquoi, invoquant Kiev, il donne à son projet fédéraliste un contenu national tout en restant prudent sur le chapitre des relations avec la Russie : « Nous désirerions [...] que le gouvernement ne nous empêche pas, nous autres Ukrainiens, de développer notre langue mais qu'il nous aide au contraire [...]. Pour nous spécialement, nous ne demandons rien d'autre. Nos désirs sont communs à ceux de toute la Russie [27]. »

Les positions de Kostomarov comme celles de la Confrérie de Cyrille et Méthode dont son nom est inséparable souffrent d'une certaine ambiguïté dans leurs intentions. Autonomie culturelle ? Panslavisme ? Sans doute s'efforcent-ils de combiner ces deux aspects, mais ils restent imprécis sur les moyens d'y parvenir.

C'est le mérite du programme fédéraliste élaboré par Dragomanov dans les années 1880 d'avoir traité du problème ukrainien dans sa totalité : Ukrainiens des deux Empires, relations avec la Russie et avec les autres nations de l'Est européen. Réfugié à Genève, Dragomanov est dans son exil mieux placé pour mesurer les problèmes de son pays, enrichir sa vision et s'exprimer avec plus de liberté. Il s'oppose à la fois aux tenants du centralisme et à ceux du séparatisme. L'émancipation des nations, et non de la seule Ukraine ou des nations slaves, suppose une décentralisation du pouvoir et un degré élevé d'autonomie locale [28].

Deux problèmes préoccupent Dragomanov. Le premier est celui de la définition de structures politiques favorables aux nations, et ici il rejoint tous ceux qui avant lui ont opté pour le fédéralisme. Mais aussi, et par là, sa pensée est proche des préoccupations de Bakounine et d'Otto Bauer, il s'inquiète des nationalismes exacerbés et veut donner aux nations les moyens d'oublier leurs antagonismes pour accéder à un internationalisme véritable. Cette dernière préoccupation assigne à Dragomanov une place particulière dans la longue lignée des adeptes du fédéralisme en Russie. Plus qu'au destin immédiat des nations opprimées, Dragomanov pense à l'harmonie, à la fraternité qui doivent régner entre nations. La réunion des Slaves n'est qu'une étape de sa construction et il pense

sa fédération en termes géographiques et non plus seulement de culture ou d'ethnies. Il souhaite promouvoir
l'internationalisme par le système fédéraliste à l'échelle
d'un demi-continent, l'Est européen, parce qu'il sait
combien dans cette région le poison des nationalismes est
vivace et motivé.

Si son but final est la fédéralisation de tout l'Est
européen, peuples slaves et non slaves, ses solutions pour
l'avenir de la Russie et de l'Ukraine sont précises. La
Russie démocratique sera réorganisée en union libre de
vingt régions dont quatre pour l'Ukraine. Cette organisation reposerait sur une cellule de base, la commune
hromada, sur des districts *volost'*, des régions, pour aboutir
enfin à l'État dont Dragomanov reconnaît la nécessité;
chacun des échelons de cette construction ayant ses
institutions et ses compétences. Les institutions de l'État
imaginées par Dragomanov reflètent ses préoccupations
nationales et internationales. Un législatif bicaméral avec
une chambre représentant l'ensemble de la population de
l'État et une autre les unités nationales fédérées. Un
exécutif émanant des unités fédérées et responsable
devant les deux chambres. Ce double pouvoir au sommet
de l'État donne son contenu au fédéralisme de Dragomanov. Il tient les éléments ethniques et culturels pour
importants, mais il refuse de leur laisser envahir l'État.
Une de ses formules résume clairement sa pensée à cet
égard : « L'union libre doit être cosmopolite dans ses buts
et quant à son contenu [...], nationalitaire dans ses formes
et ses moyens [29]. »

Quelle influence Dragomanov a-t-il exercée sur ses
contemporains? Sur ses compatriotes, elle est incontesta-
ble, à tout le moins à travers ses disciples Pavlik et
Franko [30]. Il a contribué à la politisation croissante du
mouvement culturel ukrainien. Mais son œuvre était
aussi connue en Russie et dans les milieux d'émigrés. Si
nulle référence n'y est faite chez Lénine, des historiens
russes et polonais relèvent très tôt l'influence de la pensée
politique ukrainienne [31].

Comment ne pas constater surtout que le projet d'organisation fédérale de Dragomanov, sa définition de

l' « union libre » des nations préfigurent étrangement l'organisation de l'État plurinational soviétique et la définition du compromis culturel de Staline ? Même si le projet de Dragomanov, conçu pour privilégier les destins nationaux, a, dans la variante soviétique, la particularité de les soumettre à la volonté de l'État fédérateur.

Dans l'Empire tsariste de la fin du XIXe siècle, l'idée fédéraliste a connu une grande vogue qui s'est traduite avant tout dans le développement du panslavisme. Mais nul ne souligne alors qu'il y a une contradiction entre la signification du fédéralisme panslave et l'intérêt pour le fédéralisme chez les peuples dominés.

Dans le projet panslave, le fédéralisme ne conduit pas à désintégrer la Russie, ni à la décentraliser, mais plutôt à organiser autour d'elle un monde slave encore épars. Au contraire, le fédéralisme des peuples dominés, et en premier lieu celui des Ukrainiens, est centrifuge. Il a pour finalité de briser le centralisme russe, la prééminence des Russes dans l'ensemble politique existant, au nom du droit de toutes les nations à une existence propre. Malgré la différence de perspective des deux courants fédéralistes, l'un et l'autre ont en commun de prendre en considération la nation, c'est-à-dire le passé commun, la langue, la culture, le sentiment d'appartenance à un groupe déterminé. Par là, ces courants fédéralistes s'opposent au marxisme qui refuse d'accorder un rôle historique à la nation. Par là aussi, ils marquent les courants politiques qui agitent les minorités de l'Empire tsariste, qu'ils soient ou non marxistes, et leur confèrent une coloration fédéraliste.

Fédéralisme ou socialisme ?

L'agitation politique qui se développe dans l'Empire au tournant du siècle se traduit pour les nationalités par une certaine hésitation entre les domaines de revendications qui s'ouvrent devant elles. L'émancipation passe-t-elle par une participation au mouvement révolutionnaire grandissant partout? Ou bien chaque nation doit-elle s'émanciper seule, en privilégiant ses droits nationaux?

La confusion entre volontés nationales et intérêts de classe, qu'Otto Bauer a si justement vue dans l'Empire austro-hongrois, est aussi vive en Russie. Les élites nationales qui adhèrent au socialisme hésitent partout entre diverses exigences : séparation complète de la Russie, aménagement de statuts nationaux dans un État fédéral démocratique, ou encore refus de séparer l'émancipation nationale et le progrès social.

Si les intellectuels ukrainiens ont été fédéralistes, en Pologne c'est l'affrontement entre des positions contraires. L'échec de l'insurrection de 1863 y a découragé pour un temps les rêves d'indépendance. Le socialisme polonais naissant en 1892 ne fait guère place à l'idée d'un État polonais reconstitué, mais il se divise lorsqu'il s'agit de définir les relations entre Polonais et Russes. Rosa Luxemburg, et avec elle le Parti social-démocrate ouvrier du royaume de Pologne et de Lituanie fondé en 1900, plaident pour une solidarité des classes ouvrières des trois grands Empires. L'intérêt des ouvriers polonais est pour le SKDPL de participer au développement économique et aux luttes sociales en Prusse, en Autriche, et en Russie [32]. A cette conception centraliste, les socialistes rassemblés par Kulcziski opposent un projet fédéral, car ils estiment que la solidarité des travailleurs doit avoir pour finalité une émancipation nationale autant que sociale. Celle-ci suppose un cadre approprié, un État démocratique fédéral où toutes les nations entrent de leur plein gré, sur une base d'égalité réelle [33].

Les premières années du XXᵉ siècle sont aussi celles du débat national en Géorgie. Le succès du marxisme y est d'abord rapide et le socialisme géorgien est dominé par les mencheviks. Noé Jordania, leur chef de file, plaide que les exigences nationales coïncident avec la lutte sociale, car elles ne peuvent être satisfaites isolément. Le changement qui modifiera la situation des peuples dominés, c'est la transformation démocratique de l'Empire russe. Dans ce cadre politique nouveau, les rapports entre nations seront automatiquement résolus [34].

Pourtant, cette position correspondant au marxisme le plus orthodoxe est rapidement ébranlée. Elle l'est d'abord à l'intérieur du parti social-démocrate, qui se divise sur la question nationale. Ceux qui sont convaincus qu'elle doit être prioritaire et séparée des autres problèmes quittent le parti pour former un nouveau groupe, *Sakartvelo*, qui deviendra quelques années plus tard le Parti socialiste-fédéraliste, revendiquant pour la Géorgie l'autonomie au sein d'un État fédéral russe [35].

Les sociaux-démocrates ne peuvent alors maintenir leur refus de poser en termes nationaux la question de l'avenir géorgien. L'existence des socialistes-fédéralistes leur impose un ajustement de leur position. De plus, Noé Jordania à maintes reprises a ressenti, au sein des organisations social-démocrates, la difficulté des relations entre les divers dirigeants nationaux. Ainsi, pressé par sa propre expérience, par l'évolution qui se dessine au sein de la social-démocratie autrichienne, par la crainte de voir ses troupes se détourner de lui au profit des thèses des socialistes-fédéralistes, le menchévisme géorgien modifie progressivement sa position initiale pour adopter la thèse austro-marxiste d'une autonomie culturelle extraterritoriale [36]. Vers 1910, le succès des idées de Bauer est grand en Géorgie, et les groupes socialistes discutent passionnément ses ouvrages qui circulent au Caucase en traduction russe [37].

Autonomie politique dans un État fédéral ou simple autonomie culturelle ? C'est aussi le débat des socialistes arméniens. Le parti *Dašnak* [38] qui domine à cette époque la vie politique arménienne exige selon les circonstances l'une et l'autre.

Au Caucase où les groupes nationaux ont un cadre territorial précis, leur existence nationale doit être organisée dans une république démocratique entrant volontairement dans l'État fédéral russe. A l'intérieur d'une république de Transcaucasie, la décentralisation administrative et l'autonomie culturelle doivent assurer à chacun

des peuples qui la composent une complète égalité des
droits.

Les positions des partis socialistes nationaux de l'Empire se sont ainsi précisées et rapprochées dans les années
précédant la guerre. Aucun socialiste n'envisage sérieusement un éclatement de l'Empire et l'indépendance.
L'évolution de l'Empire, après 1907, dans le sens d'un
conservatisme et d'une volonté russificatrice croissante,
donne des arguments irréfutables à ceux qui considèrent
la révolution politique en Russie comme un préalable
absolu à une nouvelle conception des relations entre
nations. Mais, et là les socialistes nationaux se séparent
presque tous de la social-démocratie, au-delà de la révolution politique russe, ils veulent assurer aux groupes
qu'ils représentent une existence nationale autonome.
C'est pourquoi l'idée fédérale est si fortement ancrée dans
les programmes des partis nationaux, prêts à lutter aux
côtés des sociaux-démocrates russes pour la révolution,
mais en même temps séparés d'eux quant aux perspectives postrévolutionnaires.

Le succès des thèses d'Otto Bauer dans les partis
nationaux témoigne qu'après une période d'hésitation sur
les moyens les plus sûrs de garantir les droits de chaque
groupe ethnique, les élites politiques nationales se sont
orientées vers un compromis, où le socialisme apparaît
comme la voie la plus sûre vers la création d'un État
fédéral. Le changement est ici d'importance et la distance
qui sépare socialistes nationaux et socialistes russes doit
être soulignée.

Au XIXe siècle, les idées romantiques, le respect de
l'histoire, des traditions, la certitude que chaque groupe
national a une spécificité absolue et précieuse prévalent et
divisent les élites des nations dominées en deux groupes
distincts. Pour l'un, seuls existent la nation et son intérêt
ultime; pour l'autre, le progrès social est la condition de
la libération des nations autant que des hommes. Les
mouvements nationaux et les mouvements socialistes

poursuivent des voies différentes vers des buts différemment explicités. Dans les années précédant la révolution,
cette vision simple disparaît au profit de conceptions plus
complexes dont l'ambiguïté pèsera sur l'avenir.

Partis généralement des positions marxistes classiques –
hostilité au fédéralisme comme à l'autonomie culturelle
au nom des intérêts communs transnationaux des classes
travailleuses –, les partis socialistes nationaux en viennent
finalement à défendre l'idée fédérale, considérant que
l'acquis premier de la révolution sociale doit être la
restauration des droits nationaux. Cette évolution s'est
faite insensiblement, d'autant plus que la défense d'un
programme fédéral dissimule longtemps l'importance
décisive et définitive accordée ici au fait national. Le
socialisme, qui pour Marx porte en lui la suppression des
différences entre nations, est vu de plus en plus fréquem-
ment à la périphérie comme la voie la plus sûre vers la
restauration des droits nationaux. Par là, les socialistes
nationaux s'écartent insensiblement du PSDOR. Ils
s'écartent aussi de manière plus voilée d'Otto Bauer, dont
la préoccupation majeure était de libérer la lutte sociale
des pesanteurs nationales et non de substituer les intérêts
des nations aux intérêts de la classe ouvrière. L'idée d'un
État fédéral, au-delà de la révolution sociale qui est en
1914 le programme de la majeure partie des socialistes
nationaux, réconcilie incontestablement aspirations nationales et aspirations socialistes, mais elle inverse les
finalités et les moyens. A travers le programme fédéral,
c'est la nation en tant que finalité qui recouvre ses droits
et s'impose.

2

Lénine : organisation et stratégie

Comme l'austro-marxisme et plus encore que lui, la social-démocratie russe a été contrainte dès sa naissance de prendre position sur le problème national.

Le problème national, c'est avant tout pour les bolcheviks celui des différences profondes qui séparent la classe ouvrière russe et les masses non russes. « Dans le domaine politique, écrit Lénine, la différence est dans le fait que les ouvriers des nations dominantes ont une position privilégiée comparée à celle des travailleurs de la nation dominée [...]. Dans le domaine idéologique ou spirituel, la différence est que les travailleurs des nations dominantes ont toujours appris à l'école et dans la vie quotidienne à mépriser et ignorer les travailleurs des nations opprimées [1]. »

Le prolétariat juif entre assimilation et particularisme

Est-ce la perception de cette inégalité qui conduit Plekhanov à introduire dans le programme du Groupe pour la Libération du travail élaboré en 1880 un paragraphe réclamant « une égalité totale pour tous les citoyens, sans distinction d'origine religieuse ou nationale [2] » ? Plus vraisemblablement, Plekhanov retrouve ici l'idéologie égalitaire qui depuis 1789 imprègne tous les mouvements

révolutionnaires. Mettant sur le même pied les discrimi-
nations religieuses et nationales, il témoigne qu'il s'attaque à ce qui différencie les hommes et non à une
différence spécifique – celle qui sépare les nations. En
cela, Plekhanov est fidèle au marxisme qui rejette toute
forme d'oppression et d'inégalité au nom d'une différence. Cette clause est absente en revanche du premier
programme du Parti social-démocrate ouvrier russe
(PSDOR), en 1898, où l'on ne trouve nulle mention de
l'égalité nationale.

Cependant, à son IIe congrès, le PSDOR inclut la
question nationale dans son programme et ce changement s'opère sous la pression du Bund (Union générale
des ouvriers juifs de Lituanie, Pologne et Russie créée en
1897). C'est cette pression constante qui contraindra
Lénine à prendre position sur les relations entre nations,
aussi bien pour l'organisation de son parti que pour les
projets d'avenir. Le rôle décisif joué ici par le Bund
s'explique par l'ancienneté et les particularités sociales et
culturelles de l'organisation ouvrière juive, qui est au
début du siècle l'organisation la plus puissante de l'Empire. La communauté juive de Russie est divisée alors
entre partisans du sionisme et partisans de l'assimilation.
A ceux qui ne voient d'issue que dans un retour en
Palestine, les partisans de l'intégration répondent que le
socialisme, fondé sur la solidarité de la classe ouvrière,
doit permettre aux Juifs d'échapper à l'oppression qu'ils
associent au régime politique russe. Ainsi changement
politique et intégration des Juifs sont-ils liés, et le
mouvement socialiste juif se développe-t-il d'abord dans
une perspective assimilationniste. Sa création a été favorisée par les conditions de vie essentiellement urbaines de
la communauté juive [3] et sa concentration dans l'ouest de
l'Empire où l'industrialisation est la plus rapide [4]. Le
prolétariat juif de ces régions est caractérisé par deux
traits : son haut niveau de développement intellectuel et
sa dispersion dans des entreprises peu importantes et, par
là même, moins soumises au contrôle policier [5].

Dès 1895, le mouvement ouvrier juif avait révisé très
profondément ses options. Jusqu'alors, il avait voulu

s'intégrer à la classe ouvrière russe, travaillant à rapprocher ouvriers juifs et russes, à effacer ce qui les sépare. Si l'on utilise le yiddish au sein des organisations ouvrières juives, c'est pour des raisons pratiques, pour atteindre l'ensemble de la classe ouvrière. Pourtant, le premier intellectuel qui découvre publiquement les difficultés du projet assimilationniste, la nécessité de mettre sur pied des organisations séparées est un jeune Juif assimilé, Martov (Iouli Ossipovitch Tsederbaum). S'adressant à des Juifs de Vilno, il affirme que les intérêts des travailleurs juifs et russes ne sont pas identiques, que les Juifs ne peuvent se fier aux ouvriers russes pour les défendre, qu'ils doivent agir dans une double perspective – lutte de classes et lutte d'émancipation nationale –, ou tout leur effort sera vain; et qu'il faut pour y parvenir créer des organisations juives [6].

Cet avertissement est d'autant mieux entendu que l'antisémitisme devient dans l'Empire une réalité quotidienne et croissante.

Lorsqu'il est créé en 1897, dans ce climat difficile, le Bund est d'abord destiné à dépasser les différences au sein des classes ouvrières juives et russes. Arkadi Kremer, l'un des fondateurs, conçoit l'égalité nationale non comme finalité du mouvement mais comme moyen d'assurer l'unité de la classe ouvrière [7]. Cette perspective internationaliste marque les premiers pas du Bund.

En 1899, lors de son IIIe congrès, le Bund discute de la nécessité d'ajouter dans son programme à l'exigence de l'égalité entre individus une clause concernant l'égalité des nations. L'idée est rejetée : comme le PSDOR, le Bund craint d'affaiblir la solidarité des travailleurs par la reconnaissance d'intérêts particuliers [8]. Mais le débat n'est pas clos. L'austro-marxisme offre aux dirigeants du Bund la solution au problème des Juifs de l'Empire russe. L'autonomie culturelle extraterritoriale convient parfaitement à une communauté dépourvue de territoire propre, dispersée et cependant unie par une langue, une culture, des traditions morales et matérielles. Pour le Bund le concept de nationalité doit s'appliquer au peuple juif. La Russie multinationale doit devenir une fédération de nationalités, leur accordant à toutes une autonomie totale, sans tenir compte de leur concentration géographique [9]. Dans les années qui suivent, pour renforcer sa position, le Bund traduit en russe les principaux ouvrages autrichiens sur la question nationale, traductions largement diffusées dans l'Empire. Plus encore, ses principaux théoriciens, Medem et Kossovsky [10] publient alors des essais sur la question nationale dont l'influence est considérable. Le Bund reprend aussi à son compte les thèses autrichiennes sur l'organisation d'un parti multinational. Il prétend représenter le prolétariat juif, réclame la réorganisation du PSDOR sur une base fédérale, et veut y participer comme organisation autonome.

Les problèmes ainsi posés au PSDOR sont graves. L'organisation centralisée – même si parfois les positions de Lénine sont jugées excessives par ses collègues – fait l'unanimité chez les socialistes russes, qui pensent aux conditions politiques particulières de la Russie, à la discipline qu'impose la clandestinité. La transposition du modèle autrichien à la Russie n'entraînera-t-elle pas l'affaiblissement, voire la disparition, d'une organisation qui n'en est encore qu'à ses débuts? La réaction des dirigeants du PSDOR traduit leur inquiétude – hilarité ou colère selon les cas. Mais aux yeux des socialistes russes, les bundistes ne sont de toute façon que les tenants d'un « chauvinisme non marxiste ». Plekhanov traduit le sentiment général en proposant d'exclure l'organisation juive [11]. Condamné, le Bund continue par ses exigences à troubler les esprits. C'est pourquoi lors de son IIe congrès, le PSDOR tente de lui donner satisfaction sur la question des droits nationaux, mais reste intraitable dès qu'il s'agit des problèmes liés à l'organisation du parti. Trois articles sont ajoutés ainsi au programme du PSDOR :

– l'auto-administration pour les régions ayant un caractère spécifique par leur mode de vie et la composition de leur population (article 3);

– l'introduction des langues indigènes à égalité avec la langue officielle dans les établissements d'enseignement et les institutions administratives locales (article 8);

– le droit de toutes les nations à l'autodétermination (article 9).

Bien que très en retrait sur les exigences du Bund, ces trois articles ne sont pas acquis à l'unanimité [12]. Les deux premiers, qui impliquent la reconnaissance – dans certaines limites – de l'autonomie culturelle, sont votés par les mencheviks. Le troisième dont le contenu n'est pas précisé (les conditions d'exercice de l'autodétermination sont passées sous silence) est au contraire soutenu par Lénine et ses partisans.

Le débat ouvert en 1899 par le Bund engendre une double opposition : entre le Bund et le PSDOR, et au sein du PSDOR. Le second est révélateur des clivages idéologiques à l'intérieur du parti.

Mencheviks et Bolcheviks : un divorce progressif

En théorie, bolcheviks et mencheviks ont été d'accord, jusqu'aux semaines précédant la guerre, dans leur hostilité aux deux directions fondamentales de l'austro-marxisme : fédéralisme et autonomie culturelle extraterritoriale. Cependant, les mencheviks s'écartent progressivement de la position rigide adoptée par les socialistes au début du siècle. S'ils restent toujours hostiles à l'idée fédérale [13], ils admettent pourtant des solutions concrètes assez proches de l'autonomie culturelle extraterritoriale. Au IIe congrès du PSDOR en 1903, lorsqu'on débat du problème national, la scission n'est pas encore acquise, mais c'est sur les questions d'organisation et sur la conception léniniste du parti que se fait le clivage. Il est déjà clair que ceux qui vont devenir les mencheviks ont des positions fortes dans certains groupes périphériques. Lorsque, en Géorgie, Noé Jordania expliquera à ses compatriotes la scission, les comités socialistes locaux le suivront dans son soutien au groupe menchevik et refuseront de reconnaître la représentativité du Comité unifié – *Soiuznoi Komitet* – autour duquel les bolcheviks s'efforcent d'organiser un rassemblement des socialistes géorgiens [14]. Cet épisode ainsi que le rapprochement progressif des mencheviks avec l'aile droite de la IIe Internationale, expliquent leur évolution. Même Plekhanov, qui a longtemps affirmé que les marxistes ne devaient pas sortir du « cadre de la critique systématique des arguments nationalistes [15] », répondra, au congrès de Stockholm, à un délégué du Bund qui l'interroge sur le contenu du concept d'autodétermination : « Le droit à l'autodétermination des nations implique aussi le droit à la séparation, c'est-à-dire à la création d'un État particulier si la majorité du peuple impose une telle solution [16]. »

Cependant, en 1903, les mencheviks sont encore très éloignés de l'idée d'autodétermination et d'autonomie culturelle. Lénine, pour sa part, développe, entre 1894 et 1903, sa réflexion sur la question nationale. A cette époque, il s'intéresse peu au débat théorique dans les milieux socialistes, et même à l'austro-marxisme. Son attention se porte sur des problèmes concrets : les revendications du Bund et les mécontentements nationaux dans l'Empire. Dès avril 1894, dans *Quels sont les amis du peuple ?*, il envisage que « les travailleurs de Russie » pourraient renverser l'absolutisme par un « soulèvement de toutes les forces démocratiques [17] ». L'alliance des forces démocratiques étant un préalable à la révolution bourgeoise.

Trois ans plus tard, il précise sa pensée en indiquant ce que sont les forces démocratiques : « Dans la lutte démocratique, politique [...] la classe ouvrière russe ne peut rester isolée. Aux côtés du prolétariat, se tiennent tous les éléments oppositionnels de la bourgeoisie ou des nationalités ou des religions et des sectes qui sont persécutés par le gouvernement absolutiste. » Lénine accepte cette alliance parce qu'il tient que l'évolution historique est imprévisible : « A moins d'être un doctrinaire, on ne peut affirmer que l'apparition de telle ou telle question nationale sur la scène politique est impossible [18]. » Mais il en précise les limites : « Il s'agit d'un soutien contre un ennemi précis; les sociaux-démocrates admettent cette alliance pour hâter la chute de l'ennemi commun, mais ils n'attendent rien pour eux-mêmes de ces alliés temporaires et ne leur concèdent rien [19]. » Pour que l'alliance

soit utile, encore faut-il proposer un projet aux mouvements nationaux. Ce sera l'autodétermination nationale
que Lénine définit.

L'autodétermination, telle que la conçoit la social-
démocratie, ne heurte pas les principes fondamentaux du
socialisme, c'est-à-dire les intérêts du prolétariat; elle se
définit en fonction de ces intérêts et en dépend : « La
social-démocratie a pour tâche fondamentale et principe
d'aider à l'autodétermination non des peuples ou des
nations mais des prolétariats de chaque nationalité. Nous
devons toujours et inconditionnellement lutter pour l'unification la plus étroite des prolétariats de toutes les
nationalités et seulement dans des cas individuels, exceptionnels, nous pouvons avancer et soutenir activement des
demandes pour la création d'un nouvel État de classe, ou
le remplacement de l'unité politique d'un État par des
liens fédéraux plus lâches [20]. » L'autodétermination est
donc en 1903 un moyen de réaliser l'alliance des forces
capables de provoquer l'effondrement de l'Empire tsariste, alliance nécessaire compte tenu de la faiblesse de la
classe ouvrière. Mais il n'assigne pas d'avenir précis aux
nations.

Tout en reconnaissant le droit à l'autodétermination,
Lénine reste imprécis sur son contenu. Comme tous les
socialistes, il pense que les oppressions nationales dispa-
raîtront lorsque le prolétariat aura triomphé. Les nations
libérées de leurs oppresseurs, de leurs frustrations n'auront plus de raison d'exister.

Nécessaire au stade de la lutte pour la révolution
démocratique bourgeoise, l'autodétermination est aussi
un moyen de repousser l'alternative austro-marxiste, le
fédéralisme. Ainsi en 1903, Lénine, comme Renner et
Bauer, reconnaît l'existence des forces nationales. Et
contrairement à eux, il rejette l'idée fédérale. Il ne
l'accepte ni pour l'État, ni pour le parti de la révolution
car son unité est fondamentale. C'est sur ce point crucial
que sa position, adoptée par le PSDOR, entraînera une
rupture avec le Bund. La vraie préoccupation de Lénine
c'est le parti, instrument de la lutte révolutionnaire.

Ce parti ne peut être, dans les conditions russes, que

centralisé et hiérarchisé. Introduire dans le parti le principe national, c'est miner son efficacité. Mais c'est aussi, et peut-être est-ce le plus grave, porter atteinte à sa spécificité, dans un État multinational où il est le seul symbole de l'unité des travailleurs. Lénine se refusera toujours – et c'est la pierre angulaire de sa pensée – à accorder une priorité à la diversité quelle qu'elle soit, fondant sa position sur l'unité de la classe ouvrière, instrument privilégié de l'histoire à l'époque de l'effondrement du capitalisme.

Analysant les positions qui se heurtent alors, le social-démocrate géorgien Ouratadzé note : « Ce qui sépare dans ce débat les bolcheviks des mencheviks, c'est que les premiers ont pour préoccupation fondamentale de construire une organisation solide, tandis que les seconds se préoccupent avant tout d'élaborer une tactique juste [21]. »

Entre ces deux préoccupations, l'inquiétude du Bund est quelque peu négligée. Déçu de cette incompréhension, le Bund se retire du PSDOR [22], rompant pour un temps tous liens avec lui. Il le rejoindra au congrès de Stockholm en 1906, où le parti rétablit son unité.

La réintégration du Bund dans le PSDOR se fait dans l'ambiguïté. Aucune des difficultés qui en 1903 divisaient les socialistes n'est résolue. Le Bund avait réaffirmé dans sa IVe conférence, en 1905, son attachement au principe de l'autonomie culturelle extraterritoriale. Le PSDOR de son côté s'en tient fermement à la position adoptée en 1903, qu'il juge inutile de soumettre à une nouvelle discussion.

Lénine, lui, analyse longuement les inconvénients de l'autonomie culturelle et notamment de la « séparation scolaire accordée aux intéressés » qu'il juge intolérable [23].

Lénine refuse que l'école serve à approfondir les différences nationales, alors qu'elle devrait être un instrument d'éducation internationaliste. Hormis l'éducation, il entrevoit un second danger. L'école en véhiculant des cultures nationales conduit tout naturellement à une perpétuation des différences enseignées dans la vie active. Comment les travailleurs élevés différemment passeraient-ils soudain d'un cadre national à un cadre international? Ils seraient au contraire enclins à reconstituer dans leur milieu professionnel les clivages scolaires. Ainsi, à l'internationalisme prolétarien opposant tous les travailleurs de toutes nationalités à la classe dirigeante conçue comme groupe uniforme et uniformément oppressif, se substituerait immanquablement une solidarité nationale des travailleurs et des couches dirigeantes unis par la conscience nationale acquise à l'école. L'autonomie culturelle est donc pour Lénine aux antipodes des intérêts du prolétariat. Elle conduit à son éclatement.

La fermeté de Lénine ne suffit pas à désarmer les partisans des thèses austro-marxistes qui s'efforcent de faire progresser leurs idées dans deux domaines : revendication autonomiste dans l'État, prise en compte des différences nationales dans l'organisation du parti.

En réintégrant le PSDOR, le Bund a obtenu une reconnaissance implicite de sa spécificité. Ses dirigeants luttent pour arracher au parti une organisation décentralisée et la reconnaissance du programme d'autonomie culturelle. Lénine le combat impitoyablement, rejetant chaque demande, chaque argument. Son acharnement contre le Bund s'explique non seulement par ce qui les sépare mais surtout parce que progressivement le Bund sort de son isolement, tandis que ses idées gagnent d'autres groupes nationaux. Les Ukrainiens notamment, hantés par le recul de la culture nationale ukrainienne, sont séduits par l'idée d'autonomie culturelle [24].

Les exigences des socialistes ukrainiens placent Lénine dans une position bien plus difficile que ne l'avaient fait celles du Bund. En effet, Lénine ne peut répondre aux Ukrainiens que leur nation n'existe pas; il ne peut leur vanter les mérites de l'assimilation [25]. Mais il accusera leur porte-parole Lev Iourkevitch de se comporter en « bourgeois étroit d'esprit et stupide [26] ».

Si les Ukrainiens posent le problème en termes de vie culturelle autonome, les sociaux-démocrates du Caucase se battent sur l'organisation du parti et la redéfinition du programme national de la social-démocratie. Ouratadzé

souligne dans ses Mémoires la popularité des écrits de
Renner et de Bauer au Caucase [27]. Chaumian s'efforce de
faire comprendre à Lénine l'opposition que suscite parmi
ses compatriotes la défense par les bolcheviks de l'usage
d'une langue unique dans l'État [28].

Mais c'est le problème du parti qui va opposer les
bolcheviks et les sociaux-démocrates caucasiens au congrès de Londres (1907), dans un des plus graves conflits
sur la question nationale que le parti ait connus après
celui qui, en 1903, a entraîné le départ du Bund. Conflit
entre les sociaux-démocrates arméniens – qui exigent et
imposent qu'on les autorise, comme le Bund, à former
une organisation propre au sein du PSDOR – et les
« internationalistes » du Caucase conduits par Noé Jordania. Conflit entre les thèses rigides de Lénine et la
Commission d'organisation du PSDOR qui accepte le
compromis voulu par les Arméniens. Est-ce une défaite
pour Lénine? Non, car il s'est tenu à l'écart du débat,
jugeant peut-être trop compliquées les rivalités caucasiennes.

Des débuts du socialisme russe à 1912, le débat national
a été freiné par des préoccupations organisationnelles au
détriment d'une réflexion stratégique plus poussée. 1912
marque la rupture. Après le temps de torpeur et de
désillusion qui a succédé aux espérances nées de la
révolution de 1905, la vie politique reprend ses droits, et
avec quelle force! Le problème national revient au centre
des débats et des propositions. Les nations ont montré en
1905 qu'elles étaient un élément décisif des changements
en Russie. Elles en tirent argument pour leurs exigences.
Tous les partis politiques, et d'abord les socialistes, ont
appris qu'il faudrait compter avec elles. Tous élaborent
des programmes nationaux.

Le Parti socialiste révolutionnaire (SR) a manifesté très
tôt un intérêt pour la question nationale. Dès 1905, il
inscrit à son programme la revendication pour l'égalité
des droits civils et pour une large autonomie fondée sur la
volonté d'appliquer au mieux le principe fédéral [29]. Conscient de l'ampleur du problème national, le parti SR reste
cependant, malgré son fédéralisme officiel, divisé sur les

solutions concrètes qui s'imposent. Le programme affirme le droit des nations à l'autodétermination. Mais, nombreux sont ceux qui considèrent que l'exercice de ce droit est impossible compte tenu de l'importance économique des régions en cause. Donner aux nations le droit de s'autodéterminer risque fort d'affaiblir les chances d'une transformation sociale radicale en Russie. En 1910, une organisation juive affiliée au parti SR, le SERP engage le parti dans un grand débat sur la question nationale [30]. Tchernov, tout en restant réservé sur la possibilité d'aboutir à une solution générale, et en considérant que des solutions locales seraient plus réalistes, affirme son soutien à l'idée de l'autonomie culturelle extraterritoriale, particulièrement indiquée dans des régions où divers groupes nationaux sont imbriqués [31]. Ainsi, en 1912, la position des SR se précise : ils acceptent l'État fédéral et l'autonomie culturelle.

Il en va de même des mencheviks, attentifs aux aspirations de leurs propres organisations nationales, qui, tout en rejetant l'idée fédérale, tendent à accepter l'autonomie culturelle extraterritoriale. En août 1912, une conférence réunit à Vienne l'aile droite du parti menchevique où participent côte à côte les dirigeants les plus brillants du parti, Martov, Axelrod, Trotsky, et les dirigeants des organisations non russes (Bund, partis sociaux-démocrates letton, caucasien ainsi que des représentants du parti socialiste polonais et du parti social-démocrate lituanien). A cette conférence, dite « des liquidateurs », une commission où siègent Martov, Trotski et Berg du Bund s'efforce d'élaborer un programme national [32]. Malgré l'opposition de Plekhanov qui n'accepte que l'autodétermination, l'idée de l'autonomie culturelle progresse dans le groupe menchevique.

Au terme de cette évolution, le 10 décembre 1912 à la Douma, le député menchevique géorgien Akaki Chenkeli demande la création « des institutions nécessaires au libre développement de chaque nation ». Cette demande, qui ignore délibérément le principe de la discipline du parti, exaspère Lénine. De Cracovie, en janvier 1913, il exige que le parti adresse un blâme à Chenkeli et que l'on fasse enfin taire les exigences des bundistes et des sociaux-démocrates caucasiens. Il devient urgent en effet, dans la mesure où le parti tout entier se trouve impliqué dans de telles prises de position, de porter un coup décisif à tous ceux qui se réclament des idées véhiculées par le Bund [33].

Le « merveilleux Géorgien »

Contre Otto Bauer et ses disciples, Lénine mobilise Staline. Pourquoi ce choix? Qu'attend-il au juste de son travail?

En 1912, Lénine a longuement réfléchi sur les écrits des austro-marxistes et lu un grand nombre d'ouvrages consacrés à la question nationale, aux minorités de l'Empire russe et tout d'abord aux Juifs et aux Ukrainiens. Ses notes de lecture témoignent de l'attention qu'il prête alors à ces problèmes [34]. Mais il a préféré confier la polémique à un bolchevik directement impliqué dans les problèmes nationaux. Pourquoi n'avoir pas fait appel à Chaumian qui avait déjà consacré des travaux à la question nationale [35] et débattu de ces problèmes avec Lénine? Parce que, au début de 1913, Chaumian est au Caucase alors que Staline se trouve à Cracovie. De plus Staline défend vigoureusement contre les mencheviks géorgiens la position des bolcheviks [36]. Lénine charge Staline de dépouiller toute la documentation existante (Staline ignorant l'allemand disposera à Vienne du concours de Boukharine et Troïanovski pour exécuter ce travail) et écrit à Gorki : « Nous avons ici un merveilleux Géorgien qui est en train d'écrire un long article " éclairant " la solution prolétarienne de la question nationale [37]. »

Le but de l'article commandé à Staline est clair. Il s'agit d'un travail polémique destiné à remettre de l'ordre dans la social-démocratie russe et à accélérer les processus de rupture sur une base régulière. Lénine ne peut en effet, en 1912, exclure à son gré ses adversaires, car il se heurte à l'Internationale que les querelles internes des socialistes russes indisposent profondément [38]. Fidèle à sa méthode, il veut démontrer l'erreur de ses adversaires. Staline, peu rompu aux débats idéologiques et connaissant mal Lénine, a considéré que son entreprise allait au-delà d'une utilisation des notes de lecture de Lénine, au-delà d'un simple règlement de comptes avec le Bund et ses sympathisants. Ceci explique la nature de cet ouvrage qui se présente comme une contribution fondamentale à la pensée marxiste.

L'article de Staline, *Le Marxisme et la question nationale* [39], est divisé en trois parties nettement tranchées. La première est consacrée à une discussion générale du concept de nation, la seconde critique les positions de l'austro-marxisme, la troisième traite du problème de l'autonomie culturelle dans la perspective du mouvement socialiste de la Russie.

A la définition austro-marxiste de la nation, « agrégat de peuples liés dans une communauté de caractère par une communauté de destin » (Bauer), indépendante du sol (Renner [Springer]), Staline répond par une condamnation. Les austro-marxistes, écrit-il, ont confondu la *tribu,* « unité ethnique » et la *nation,* « communauté constituée historiquement, indépendamment des données ethniques [40] ». Et il poursuit : « La nation est une communauté stable, historiquement constituée, communauté de langue, de territoire, de vie économique et de formation psychique qui se traduit dans la communauté de culture [41]. »

Pour Staline ces critères de la nation sont inséparables. Qu'un seul vienne à manquer et la nation n'existe pas. C'est le cas de la Suisse, État trinational qui par là même n'a pas de nation. Tel est aussi le cas des Juifs – voici la polémique voulue par Lénine – qui ne possèdent pas les attributs de la nation et dont le destin est d'être assimilés par les nations au sein desquelles ils vivent [42]. Discutant le concept de nation sur un plan général, Staline oppose à la conception « quasi mystique » des austro-marxistes une conception historique. La nation est, dit-il, une formation globale de l'époque du capitalisme ascendant qui lui est liée, et donc non permanente.

Face à ce phénomène historique, que doit-être l'attitude du mouvement ouvrier ? Fidèle à Lénine et contre Otto Bauer, Staline propose une réponse dialectique. La question nationale n'est pas un tout, elle a deux aspects : les droits nationaux démocratiques que le mouvement ouvrier doit défendre, c'est-à-dire le droit à l'autodétermination ; les intérêts de la classe ouvrière qui sont prééminents. C'est à la lumière des intérêts de la classe ouvrière que doit être fixé le droit à l'autodétermination [43]. Le programme socialiste en matière nationale passe par le droit à l'autodétermination, à l'égalité civique, à l'autonomie régionale, à la protection des langues des minorités et de leurs systèmes scolaires particuliers [44].

Staline combat la position austro-marxiste sous ces deux aspects. En défendant le maintien de l'État multinational, les austro-marxistes, écrit-il, ignorent le droit à l'autodétermination des peuples, et réduisent les droits politiques aux droits culturels. D'autre part, en érigeant la nation en catégorie permanente, l'austro-marxisme perpétue les préjugés nationaux et la division nationale du monde contre la vocation internationaliste et unificatrice du prolétariat [45]. Staline dénonce les effets concrets de l'austro-marxisme dans l'Empire russe, où son influence sur le Bund et les sociaux-démocrates caucasiens a conduit à l'affaiblissement du parti, au clivage du prolétariat selon des lignes nationales.

L'article de Staline mérite commentaire. Il est fidèle à Lénine dans la critique de l'austro-marxisme et l'acceptation du principe de l'autodétermination. Cependant, au chapitre des critiques on ne peut qu'être frappé par un certain nombre d'erreurs de Staline qui ne viennent pas des notes de lecture de Lénine. L'erreur incombe de toute évidence au disciple seul. Quant au programme, les propositions de Staline ne coïncident pas en tous points avec celles de Lénine. Il insiste sur l'autodétermination sans jamais en préciser le contenu concret alors que Lénine est déjà engagé dans la réflexion sur ce point.

Sur le plan de la polémique contre les thèses autrichiennes, Staline n'apporte aucun élément qui n'ait déjà figuré dans les débats antérieurs. En revanche, ses erreurs sont inédites. Erreurs mineures : décrire la Suisse comme un État trinational; affirmer qu'au début du XIXᵉ siècle, l'Amérique du Nord était connue sous le nom de Nouvelle-Angleterre. Erreurs plus importantes dans l'analyse des positions austro-marxistes.

En reprochant à Bauer d'avoir confondu nation et tribu, en l'accusant de négliger le cadre historique du développement de la nation, Staline témoigne d'une lecture trop rapide de Bauer, ou de mauvaise foi. Bauer a toujours insisté sur la nécessité de considérer la nation dans son développement historique [46]. Plus encore, il écrit que le « caractère national » n'est pas un facteur isolé, qu'il faut toujours prendre en compte les forces économiques et les données historiques qui en ont marqué le développement.

Sur le programme austro-marxiste Staline multiplie aussi lacunes et erreurs. Il affirme notamment que le congrès de Brünn a adopté l'idée de l'autonomie culturelle extraterritoriale [47], alors qu'il s'est limité à une position territorialiste. Du reste, Lénine en tirera argument contre les partisans de l'austro-marxisme en Russie, soulignant que même à Brünn, l'idée de l'extraterritorialité n'a pas été retenue [48]. Acharné à confondre les bundistes et ses compatriotes, Staline affirme qu'il est impossible d'introduire l'idée de l'autonomie culturelle extraterritoriale en Russie, parce que le régime autoritaire de l'Empire enlèverait toute réalité aux institutions du système préconisé [49]. Il oublie ici délibérément que tout le projet de Renner-Bauer se fonde sur une perspective démocratique; que Renner a même envisagé un système destiné à prévenir une intervention excessive de l'autorité centrale en développant un appareil administratif régional. De surcroît, les partisans de cette thèse dans l'Empire russe ne le proposent pas comme solution pour réformer l'Empire, mais comme programme de transformation fondamentale du système politique russe.

Plus que ces erreurs, il faut retenir les aspects « personnels » du travail stalinien. La définition stalinienne de la nation est étrangère à la pensée de Lénine. Communauté *stable,* pour Staline, alors que Lénine a toujours souligné son aspect transitoire. Staline met en lumière, tout en s'efforçant de les nier, la stabilité et la permanence du fait national. Certains des critères de la nation définis par lui ont un caractère durable, même si l'histoire les a forgés et les transforme : la *culture nationale*, la *psychologie nationale* ou encore la *communauté de vie psychique*. La *communauté de caractère* d'Otto Bauer et la *communauté de vie psychique* de Staline sont de même nature. Elles désignent l'identité des nations développée au fil des siècles et non uniquement à l'étape du capitalisme ascendant. Quant à l'idée de *culture nationale*, Lénine la condamnera toujours, comme « concept bourgeois ».

Enfin, sur l'autodétermination, pierre angulaire du système proposé par Lénine, les vues de Staline sont différentes aussi. Il ne débat pas de l'autodétermination dans *Le Marxisme et la question nationale*. En revanche, dans un texte daté de la même année, et traitant de l'autodétermination, il écrit qu'elle implique des solutions variées telles l'autonomie et la fédération [50], solutions que Lénine condamnera peu après.

La lecture de ce texte révèle aussi des inflexions par rapport à la position marxiste classique et à la vision du problème qui domine encore la social-démocratie. Staline est le premier dans le PSDOR à savoir la gravité et la permanence du problème national.

A bien lire Staline, on constate que ce qui le différencie de Lénine – formulations précisant la nature du fait national, insistance sur sa capacité à durer – doit beaucoup à Renner et à Bauer. Il en va de même des solutions retenues : l'autonomie et la fédération appartiennent à leur système de pensée. Chargé de combattre les austro-marxistes, Staline a pour partie repris leurs idées. Issu du Caucase où comme dans l'Empire austro-hongrois un enchevêtrement national extrême a renforcé les conflits nationaux, le développement d'un mouvement d'émancipation proprement national a impressionné Staline comme les austro-marxistes. De là vient sans doute qu'il ait attribué au fait national une dimension que Lénine, pourtant si attentif au réel, s'est toujours refusé à lui reconnaître [51].

Lénine et la gauche : désaccord tactique

L'austro-marxisme ne pose pas seulement des problèmes concrets au PSDOR, il a rejeté certains théoriciens vers le marxisme le plus strict, en dépit de la situation russe et de ses particularités. Cette orientation a marqué les débats sur la question polonaise, et divisé profondément les socialistes polonais.

Au début du siècle, Rosa Luxemburg, partant d'une réflexion sur l'évolution économique de la Pologne, constate que la lutte pour l'indépendance n'a plus de signification, ou plutôt qu'elle aurait des conséquences négatives. Le développement économique des États qui ont absorbé la Pologne constitue un facteur historique positif, qui ne doit pas être remis en question par des luttes nationales inutiles. En outre, Rosa Luxemburg constate que ce qui justifiait le soutien de Marx à l'idée de l'indépendance polonaise – l'absolutisme russe – appartient presque au passé. La Russie a virtuellement dépassé le stade de l'absolutisme. La constitution, aussi restreinte et mal appliquée soit-elle, porte en germe des changements ininterrompus. Le développement du mouvement ouvrier dans l'Empire est remarquable. Dans ces conditions, la tâche des socialistes n'est en aucun cas de favoriser un mouvement national – préoccupation bourgeoise – contre un État en voie d'évolution démocratique. Pour Rosa Luxemburg, les intérêts de millions de travailleurs pèsent plus que ceux d'un groupe restreint de Polonais.

Contre Rosa Luxemburg et ses amis, dont il partage fondamentalement les vues, Lénine ne peut se contenter de polémiques et d'accusations. En effet, il est et sera toujours d'accord avec l'aile gauche du parti pour qui le rôle du prolétariat est de dépasser, par la solidarité de classe, tous les différends nationaux. Mais il est, depuis 1905, convaincu que la classe ouvrière russe a besoin d'alliés pour renverser le pouvoir; que les aspirations nationales peuvent soit l'aider dans cet effort, permettant à une classe ouvrière peu nombreuse dans un pays encore à majorité paysanne d'imposer son hégémonie, soit au contraire renforcer tout mouvement politique qui leur serait favorable, et par là même freiner la classe ouvrière. En accord sur le fond avec Rosa Luxemburg, Lénine pense qu'elle se trompe sur le plan stratégique. Le programme qu'il s'efforce de définir part de deux préoccupations : ne pas introduire la nation dans l'idéologie de la classe ouvrière, créer une alliance temporaire des mouvements nationaux et de la classe ouvrière.

La réflexion de Lénine vise à la fois la gauche et l'austro-marxisme. Mais la réponse qu'il fait à l'une et a l'autre ne se situe pas sur le même plan. Dans le programme qu'il va développer au cours des deux années qui précèdent la guerre, c'est le souci de séparer la *fin* (l'unité de la classe ouvrière effaçant les diversités nationales) des *moyens* (l'utilisation momentanée de ces diversités) qui domine toujours. Pour l'atteindre il ne débat pas du fait national en général mais des questions nationales dans les conditions spécifiques de l'Empire russe. Il n'élabore pas non plus de théorie globale de la nation, mais s'efforce de définir un programme national qui préserve l'hégémonie du prolétariat. Les concessions de Lénine à la nation sont temporaires, limitées et conditionnelles.

Le droit à l'autodétermination des peuples

Jusqu'en 1914 Lénine précise et affine ses idées sur l'autodétermination nationale, qu'il tient pour seule possibilité d'obtenir des mouvements nationaux un soutien décisif à la révolution en Russie. S'il ne s'intéresse pas plus qu'auparavant au fait national proprement dit, Lénine, et c'est là un fait nouveau, s'efforce de donner à cette époque un contenu concret au principe qu'il a toujours défendu.

Le droit à l'autodétermination, « c'est le droit à la sécession et à la formation d'un État indépendant [52] », écrit-il en 1913, allant ainsi très au-delà des positions de la IIe internationale pour qui la sécession n'est qu'une des variantes de l'autodétermination. A ses adversaires qui l'accusent de retenir l'attention des nationalités opprimées sur la question nationale et de les détourner des tâches du prolétariat, Lénine répond par un texte décisif : *Sur le droit des nations à l'autodétermination* [53]. Dans ce texte, et dans tous ceux qu'il consacre à la même époque au problème national, Lénine rejette l'idée que la lutte pour l'autodétermination détourne les masses de la lutte centrale, celle du prolétariat, en partant du raisonnement de Marx à propos de l'Irlande, et de la situation concrète du prolétariat russe. Pour Lénine, on ne peut rejeter la lutte pour l'émancipation nationale sur la bourgeoisie et affirmer qu'elle ne concerne pas le prolétariat. Il s'agit au contraire d'une revendication spécifique du prolétariat, qui doit combattre pour l'émancipation nationale parce qu'il est l'adversaire de toute forme d'oppression. Ici, Lénine insiste sur le rôle joué par la reconnaissance du principe d'autodétermination dans la révolution et le développement de l'internationalisme, et, à l'inverse de ses adversaires de gauche, il lie internationalisme et reconnaissance des aspirations nationales, en fondant sa position sur trois arguments :

– Reconnaître le principe de l'autodétermination, c'est résoudre les difficultés d'un État multinational en pacifiant les rapports entre les divers éléments prolétariens des groupes nationaux, donc à l'intérieur du parti. Cette reconnaissance débarrasse le parti des rancœurs nationales et le met en meilleure posture pour représenter tous les éléments ouvriers de l'État multinational [54].

– Ce programme assure à la classe ouvrière et à son parti, dans la période prérévolutionnaire, le concours des mouvements nationaux non prolétariens, donc renforce le parti et accélère le cours de la révolution.

– C'est enfin un moyen de combattre le nationalisme

et d'éduquer le prolétariat dans un esprit internationaliste. Le corollaire de l'autodétermination, c'est l'égalité
nationale dont ni les prolétaires de la puissance oppressive, ni ceux de la puissance opprimée n'ont jamais eu
conscience. Pour Lénine, le principe a donc une valeur
pédagogique. Le prolétariat dominant, c'est-à-dire grand-
russe, doit soutenir les droits des petites nations à s'autodéterminer. A l'inverse, les masses des petites nations
doivent voir dans ce soutien à leur cause les prémices
d'une attitude réellement internationaliste, qui contri-
buera à résoudre les problèmes de l'État multinational
après la prise du pouvoir.

L'acharnement de Lénine à défendre le principe de
l'autodétermination est donc stratégique, mais il est aussi
fondé sur une préoccupation internationaliste. Lénine est
hanté par la conscience du chauvinisme de la nation
dominante et en craint les effets pour l'avenir.

Lénine semble se rapprocher ainsi des thèses d'Otto
Bauer. En réalité, il refuse d'entériner le fait national à la
manière d'Otto Bauer. Il ne consent surtout pas à
admettre le fondement des idées d'Otto Bauer, c'est-à-dire
la *culture nationale*. Il dénoncera toujours dans ce concept
une arme de la bourgeoisie, car la culture nationale est,
dit-il, obligatoirement la culture des classes dirigeantes. Il
n'accepte qu'une seule culture, « la culture internationale
du mouvement ouvrier mondial [55] ». Sans doute recon-
naît-il, se référant au bundiste Libman, que toute culture
internationale doit avoir des traits nationaux spécifiques.
Il y a, pour Lénine, « dans chaque culture nationale, des
éléments de culture démocratiques et socialistes, car
chaque nationalité a un prolétariat et des masses exploitées, dont les conditions de vie produisent inévitablement
une idéologie démocratique et socialiste. Mais dans chaque nationalité, il existe aussi une culture bourgeoise (et
dans la majorité des cas, elle est encore archiréactionnaire
et cléricale) qui ne se manifeste pas seulement dans la
forme, mais *est* généralement la culture de la société
foncière des clercs et de la bourgeoisie [...]. Si nous
proclamons le slogan de la culture internationale du
mouvement ouvrier mondial, nous ne prendrons dans

chaque culture nationale que ses éléments démocratiques et socialistes [56] ». « Ce n'est pas notre affaire de proclamer et de tolérer le slogan de la culture nationale [57] », conclut Lénine.

Sur le contenu et la forme de la culture internationale des travailleurs, Lénine est plus imprécis. Il reconnaît que la culture n'existe pas indépendamment des formes nationales, et notamment de la langue, et qu'elle s'exprime obligatoirement par le canal des cultures nationales. Sur ce point, il s'est d'ailleurs montré peu soucieux de développer sa pensée et, contrairement à Staline, il fait peu de place dans son analyse de l'auto-détermination aux problèmes culturels. Il retient des rapports entre nations les aspects économiques et idéo-logiques plutôt que culturels. S'il discute, ou mieux, s'il condamne les cultures nationales, c'est parce que cette démarche lui permet d'aboutir logiquement à la con-damnation de l'autonomie nationale culturelle. Cela témoigne encore des réticences de Lénine à prendre en considération le problème de la nation et de ses attri-buts. Aussi, dans ses thèses sur l'autodétermination des nations, est-il hanté par la volonté de maintenir la nation dans un cadre étroit et temporaire, et d'en neu-traliser le concept politique grâce au concept de culture internationale.

Pourquoi opte-t-il pour la solution extrême, celle de la séparation? Quelles formes doit revêtir le droit d'autodé-termination pour ceux qui ne choisissent pas la sépara-tion?

La préoccupation centrale de Lénine est de maintenir l'unité du mouvement ouvrier avant la révolution, puis l'unité de l'État prolétarien, quand la révolution sera accomplie. Il a mené toute la bataille contre l'austro-marxisme pour préserver l'unité du parti. L'éducation internationaliste des travailleurs dans le cadre de l'auto-détermination ne peut être l'œuvre que d'un parti cen-tralisé, combattant les tendances à la diversité. Depuis 1903, Lénine n'a cessé d'affirmer que le parti est porteur de l'idée unitaire du prolétariat: il ne peut, sans être défiguré, fonder son organisation sur des critères natio-

naux comme ceux de la langue [58]. L'unité du parti, son
centralisme, son essence prolétarienne garantissent que
l'alliance avec le mouvement national servira en dernier
ressort la cause de la classe ouvrière et cette cause
seulement [59]. C'est aussi pour cela que Lénine n'admet
que deux options dans le cadre de l'autodétermination
nationale, la séparation complète ou l'adhésion à un État
prolétarien unitaire, et rejette les possibilités intermédiaires – fédéralisme ou autonomie.

Il admet la séparation au stade du capitalisme et dans
le cours de la révolution socialiste, mais à contrecœur,
comme « une exception au principe général du centralisme démocratique, une exception nécessaire à cause
de la situation de la Russie [60] ». « D'une manière générale, la séparation n'entre nullement dans notre programme [61] », écrit-il. Il reviendra sur cette idée à de
multiples occasions. Il voit les avantages d'un appel aux
sentiments nationaux avant la révolution, pour renforcer
le prolétariat et désagréger l'État impérial. Il sait la
nécessité d'utiliser encore cette arme dans le cours de la
révolution pour respecter les promesses faites aux mouvements nationaux et les neutraliser. Mais il souligne
toujours qu'en dépit des nécessités du combat révolutionnaire et des promesses faites alors, la séparation
n'est pas à ses yeux une bonne solution; le droit de
sécession n'est acceptable et viable que parce qu'il est
accompagné de son contraire, la liberté de s'unir. Parce
que le prolétariat de la puissance dominante défendra le
droit des nations dominées à se séparer de lui, celles-ci
auront, dans le cours de la révolution, tendance à opter
pour la solution alternative, la liberté de choisir l'union,
jadis imposée par la force. En d'autres termes, à ceux
qui l'accusent de perpétuer par son programme les
querelles nationales, Lénine répond qu'il les supprime
en offrant à chaque nation la possibilité de choisir sa
voie. Pouvant exercer pleinement ce choix et ayant
constaté leur liberté, les nations dominées perdront l'en-
vie de s'en servir et, de la sorte, la victoire de la classe
ouvrière coïncidera avec le dépassement de la nation.
Mais cette coïncidence ne se réalisera pas spontané-

ment, par la seule vertu de la révolution, mais à la suite
d'une évolution fondée sur la confiance réciproque que
la stratégie de l'autodétermination aura permis de faire
naître.

DEUXIÈME PARTIE

L'ENJEU NATIONAL

1

Les nations « manipulées »

Lénine a toujours cru qu'une guerre entraînerait l'effondrement de l'Empire russe et que la révolution se fraierait un chemin à travers ses ruines, grâce aussi aux conflits nationaux. En revanche, il n'a pas imaginé que les puissances attachées à l'affaiblissement de la Russie pourraient, elles aussi, vouloir tirer profit des conflits nationaux contre l'Empire, sans doute, mais également, à l'occasion, contre tout système politique lui succédant.

Jusqu'en 1914, les nations ont été un problème intérieur de la Russie. Dès que la guerre commence, elles deviennent une question de politique internationale dont les Empires centraux d'abord puis les alliés après la révolution s'efforceront de jouer. Cette évolution, inattendue pour les bolcheviks, a contribué à accroître leurs hésitations et leurs dissensions, elle va aussi marquer les relations entre les nationalités et le pouvoir issu de la révolution.

La guerre pose aux nationalités un problème inédit, celui de leur loyauté envers l'État russe. Sans doute, lorsqu'il s'agit de nations éloignées du champ de bataille, sans liens culturels ou historiques avec les adversaires de la Russie, le choix est-il limité. C'est le cas des peuples du Caucase. La loyauté se traduit alors par l'oubli momentané des dissentiments et des revendications et par la participation à l'effort de défense. Mais la question est beaucoup plus aiguë pour les peuples liés aux belligérants (la minorité allemande, par exemple, que le gouvernement envisage un temps d'éloigner vers l'intérieur des terres), pour les peuples placés dans une position stratégique vulnérable (les Baltes), enfin pour ceux qui sont partagés entre divers belligérants; la fidélité au dominateur signifie lutter contre des frères intégrés à l'Empire adverse (c'est le cas de la Pologne).

Quelle Ostpolitik: révolution ou démantèlement de la Russie?

En août 1914, la question des loyautés nationales paraît recevoir une réponse claire. On assiste dans tout l'Empire à un sursaut apparent de patriotisme et de solidarité. A la session spéciale de la Douma qui vote le 8 août les crédits de guerre [1], tous les députés des nationalités proclament leur fidélité à l'Empire. Ce témoignage d'unanimité doit cependant être nuancé. Il a pour seul théâtre la Douma, où la représentation des nationalités a été considérablement réduite [2]. De plus certains dirigeants nationaux qui ne sont pas membres de la Douma n'hésitent pas à proclamer leur intérêt à une défaite de la Russie [3].

Parce qu'elle est divisée et qu'elle est le premier champ de bataille, la Pologne retient l'attention de tous les belligérants. Son avenir est débattu dès le début du conflit. Le grand-duc Nicolas, commandant en chef des forces armées russes, promet l'autonomie aux Polonais [4]. Au même moment, l'Autriche, dont les troupes progressent à travers la partie russe de la Pologne, affirme que sa conquête est définitive. Les dirigeants allemands quant à eux s'interrogent sur les sentiments des Polonais de l'Empire russe à l'égard du pouvoir central.

En Pologne, les partis nationaux réagissent diversement. Les nationaux-démocrates de Dmowski [5] applaudissent l'engagement du grand-duc Nicolas. Pilsudski prend au contraire position, au nom du parti socialiste polonais, pour les Empires centraux. Le 6 août, il lance la légion polonaise sur Kielce, situé en territoire russe, et décrète que là commence la Pologne indépendante. Puis il crée à Cracovie un Comité national pro-autrichien, actif à l'étranger. Ses représentants en Suisse récoltent des fonds et recrutent des volontaires pour la légion polonaise [6]. En janvier 1915, on crée à Vevey avec l'accord du président de la Fédération helvétique, G. Motta, un Comité pour les victimes de guerre en Pologne [7] qui compte bientôt 174 sections dont 117 aux États-Unis. Soutenu par des hommes aux noms prestigieux tels le pianiste Paderewski ou l'écrivain Sienkiewicz, le Comité s'appuie sur les intellectuels polonais émigrés, collecte des fonds importants, surtout aux États-Unis où Paderewski sert d'ambassadeur itinérant.

Mais ces activités sont simples en regard du problème crucial qui se pose : la définition d'une politique à l'égard des belligérants. De quelle Pologne est-il question ? Pour quelle Pologne future ? Les dirigeants du Comité pensent qu'aucune des parties engagées dans la guerre ne pourra résoudre le problème et qu'il faudra internationaliser la question polonaise.

A Lausanne, Jan Kucharzewski, fondateur du groupe La Pologne et la guerre, proclame que la Pologne doit devenir un État-tampon entre les grandes puissances, indépendant. Les relations entre les organisations polonaises sont compliquées, marquées par la méfiance, mais elles se complètent. Les austrophiles prévoient l'effondrement de la Russie et la nécessité de s'appuyer sur l'Autriche pour en tirer profit. Les russophiles et les « ententistes » espèrent que leur loyauté sera reconnue s'il y a victoire de l'Entente. Cependant, seules l'Autriche et la Russie sont directement intégrées dans les calculs polonais et dans les contacts pris en 1915, tandis que la Prusse est oubliée.

Le débat sur l'avenir de la Pologne engage, malgré son apparente confusion, les partis nationaux polonais. Leur activité contraint les sociaux-démocrates à prendre part à la discussion et à se prononcer aussi sur l'avenir de leur patrie. D'une manière générale, ils sont hostiles à son indépendance, mais ils ne sont pas unanimes.

Les Ukrainiens émigrés se manifestent aussi sous l'impulsion des Autrichiens. En août 1914, des émigrés venus d'horizons politiques divers fondent à Vienne, avec le concours financier des Empires centraux, l'Alliance pour la libération de l'Ukraine qui dit représenter tous les partis ukrainiens. Son programme combine la révolution nationale qui doit conduire à une Ukraine démocratique, et la réforme agraire. Mais en un mois l'Alliance éclate et le Parti social-révolutionnaire ukrainien, au programme identique, la remplace. En dépit de leurs conflits, les Ukrainiens bénéficient jusqu'en 1915 de l'aide des Empires centraux. Ils cherchent aussi le contact avec d'autres groupes nationaux organisés en Suisse. Mais ils ne trouvent pas d'écho et les sociaux-démocrates géorgiens de Genève publient dans la presse une lettre les rejetant [8]. Les relations des Ukrainiens avec les Russes sont plus ambiguës. Si Trotski et Manuilski attaquent violemment l'Alliance ukrainienne [9], celle-ci peut en revanche se prévaloir de contacts positifs avec Lénine qui s'intéresse alors à l'Ukraine. Mais au début de 1915, ce dernier rompt avec le chef de l'Alliance, le socialiste Marian Bassok-Melenevski [10].

Très vite cependant, l'Autriche se détourne des Ukrainiens, car sa politique ukrainienne l'a mise en difficulté avec les Polonais austrophiles, profondément hostiles aux Ukrainiens. Dès l'été 1915, où les armées des Empires centraux progressent en Pologne, les Autrichiens décident de jouer la carte polonaise et de gagner la sympathie de la population dans un territoire qu'ils entendent conserver. Dès lors, les Ukrainiens deviennent des gêneurs. Privés d'appui à Vienne, les dirigeants de l'Alliance ukrainienne décident de se transporter à Constantinople.

Jusqu'alors, seule l'Autriche a prêté attention aux visées nationales des minorités de l'Empire russe. La Prusse continue à ignorer ce problème, n'en voyant qu'une seule dimension, celle des frontières. Le 9 septembre 1914, le chancelier allemand déclare : « La Russie doit être repoussée aussi loin que possible des frontières allemandes et sa domination sur les peuples non russes doit prendre fin [11]. » Mais au début de la guerre, cette déclaration a la valeur d'un vœu pieux. L'unité de l'Empire russe, attestée par l'élan de 1914, paraît encore bien établie.

L'offensive allemande de 1915 change tout. La chute de Lvov en juin ouvre la période des succès austro-allemands. Le 31 juillet, les Autrichiens s'emparent de Lublin, tandis qu'au même moment leurs alliés occupent Windau et Mitau. En août, la progression allemande s'accélère, jalonnée par la prise de Varsovie le 5 août, de Kovno le 18 août, de Brest-Litovsk le 25 août, de Grodno le 2 septembre, enfin de Vilno le 19 septembre où l'offensive s'arrête. En quelques semaines, la Prusse et l'Autriche ont conquis la Pologne, la Lituanie et une partie de l'Ukraine.

Les pertes territoriales de la Russie sont considérables. Les gouvernements prussien et autrichien sont confrontés à deux questions. Les nationalités de l'Empire russe ont-elles un rôle à jouer dans le conflit? Peuvent-elles contribuer à la victoire des Empires centraux? Faut-il les intégrer dans les plans politiques des états-majors? Pour l'avenir, que faire des nations conquises? Quelle solution servira le mieux les intérêts et la force des Empires centraux?

Les événements militaires de l'été 1915 vont modifier la stratégie allemande plus que celle de l'Autriche, consciente de longue date des possibilités offertes par la présence de peuples dominés aux frontières occidentales de la Russie. Les calculs allemands ont jusqu'alors suivi un itinéraire différent. Lorsque l'Allemagne constate que la Russie ne signera en aucun cas une paix séparée, elle mise sur une désagrégation de l'Empire, qui passerait dans un premier temps par la révolution.

Mais la progression en territoire polonais ouvre des perspectives nouvelles. La Pologne ne pourrait-elle être la mine qui ferait exploser tout l'Empire? La réorientation de la politique allemande n'est ni immédiate ni improvisée. Le revirement sera provoqué par l'attitude du gouvernement russe et les débats des Polonais.

En Russie, les revers militaires poussent le gouvernement à agir pour s'assurer la fidélité des Polonais. Le
1ᵉʳ août 1915, le Premier ministre Goremykine annonce à
la Douma que la Pologne aura un nouveau statut,
l'autonomie politique, alors qu'elle était si étroitement
incorporée à l'Empire [12].

Allemands et Autrichiens entrevoient les conséquences
possibles de cette déclaration. L'autonomie promise peut
faire basculer les Polonais des territoires occupés vers
Petrograd; elle peut aussi troubler gravement les Polonais
des Empires centraux. L'inquiétude les pousse alors à
ouvrir un débat de fond sur l'avenir de la Pologne.

Mais les promesses russes n'ont pas ému les Polonais de
l'Empire, convaincus que la Russie a perdu la guerre et
que ses promesses de réformes ne seront pas tenues [13].
Méprisant l'autonomie à l'intérieur de la Russie, les
nationaux-démocrates polonais dirigés par Dmowski s'interrogent sur les intentions des Empires centraux. Ils sont
conscients que ceux-ci, en cas de victoire, refuseront
d'abandonner les territoires conquis et que leurs velléités de changement ne concernent que la partie russe de
la Pologne, aussi longtemps qu'elle sera sous dépendance russe. Ne faisant ainsi confiance ni aux Austro-
Allemands ni aux Russes, les nationaux-démocrates en
concluent que le respect des droits nationaux polonais
passe par une aide extérieure, celle de l'Entente. C'est
des États de l'Entente et de leur victoire que les partisans de Dmowski attendent un règlement complet – et
non des solutions partielles – du problème polonais.
Pour eux, la question polonaise ne sera réglée de
manière satisfaisante que si elle est enlevée aux parties
intéressées, internationalisée, comprise dans les réorga-
nisations territoriales de l'après-guerre. Sans doute les
socialistes polonais n'acceptent-ils pas que le destin de
la Pologne soit lié à la victoire militaire de l'Entente [14].
Mais l'audience des thèses des nationaux-démocrates est
assez étendue pour inquiéter les Empires centraux. Il
faut un projet non seulement pour utiliser les Polonais
contre la Russie, mais aussi pour freiner leur orientation « pro-ententiste ».

Autrichiens et Allemands ne peuvent, au demeurant, suivre une voie identique. Les Autrichiens sont conscients qu'une politique manipulant les nations de l'Empire russe peut avoir dans l'Empire austro-hongrois des répercussions redoutables. C'est pourquoi ils restent en retrait des initiatives allemandes. L'Allemagne, au contraire, forte de son unité, s'engage à l'été 1915 dans une politique d'agitation nationale très concertée. Elle pense que l'agitation des minorités tout autant que les combats précipiteront l'effondrement russe. Trois nations semblent se prêter particulièrement à ce dessein : les nations polonaise, finlandaise et ukrainienne, dont les politiciens allemands vont utiliser les rancœurs.

Complots d'émigrés

C'est en Suisse, centre de toutes les émigrations, que le projet allemand va se déployer. Les Polonais y sont nombreux – 2 047 personnes, presque la moitié de l'émigration russe – et très actifs [15]. Mais les Allemands, méfiants envers les Polonais, se tournent vers d'autres groupes nationaux. Cette méfiance est due sans doute à la volonté des nationaux-démocrates de lutter pour l'indépendance et d'internationaliser le débat. Les Allemands considèrent au contraire que le problème polonais ne doit pas leur échapper car il s'agit pour eux d'une affaire intérieure. Par ailleurs, le poids des Polonais dans le parti bolchevique a pu aussi inciter les Allemands à la prudence. Les thèses révolutionnaires ne doivent pas trouver d'écho dans les Empires centraux. A trop soutenir les Polonais, quelles que soient leurs orientations, ne risque-t-on pas en fin de compte de propager les idées bolcheviques hors de la Russie grâce à la solidarité polonaise croissante?

Le soutien aux Ukrainiens et aux Baltes a moins d'implications. Tel est du moins le raisonnement du ministre allemand à Berne, G. von Romberg, qui fut l'instigateur de cette politique [16]. Romberg est à l'origine très hostile aux socialistes et particulièrement à Lénine. Les tentatives de ce dernier pour rapprocher socialistes russes et allemands l'inquiètent. D'instinct, il est aussi très méfiant à l'égard des Polonais. Avant même les succès allemands de l'été 1915, Romberg met sur pied un réseau d'agents, issus des divers groupes nationaux et qui doivent les noyauter. Trois hommes y joueront un rôle décisif : l'Ukrainien Stepankowski, l'Estonien Kesküla et le Lituanien Gabrys. Kesküla fut le premier à prendre contact avec Romberg en septembre 1914, pour s'enquérir des intentions allemandes à l'égard des nationalités, en particulier des Estoniens, dans l'hypothèse d'une victoire des Empires centraux.

Malgré l'imprécision des vues allemandes d'alors, Kesküla obtient des subsides pour préparer une révolution nationale dans l'Empire. Telle est du moins la tâche que s'assigne Kesküla. Ses relations avec Romberg étaient ambiguës. Kesküla, qui a participé à la révolution de 1905 dans les rangs bolcheviques, insiste sur ses liens avec eux, voire avec Lénine. Romberg a pu voir en lui un informateur capable de le renseigner sur Lénine [17].

Piètre informateur, Kesküla propose un plan de soulèvement général des nationalités de l'Empire et s'appuie sur les Ukrainiens. On assiste ici à un curieux chassé-croisé. Tandis qu'à Vienne les Autrichiens abandonnent la cause ukrainienne au profit des Polonais, la politique allemande, peu intéressée par la Pologne, s'appuie sur les Ukrainiens. L'Alliance ukrainienne, qui vient de déménager à Constantinople, reçoit des encouragements de Berlin, pendant qu'en Suisse, Romberg introduit dans le petit groupe d'émigrés travaillant avec lui autour de Kesküla un Ukrainien, Stepankowski [18].

Tout comme Kesküla, Stepankowski a des idées précises. Il veut créer un Comité national ukrainien de tendance modérée. Romberg le soutient d'autant plus que son conservatisme contrebalance fort opportunément l'Alliance ukrainienne attachée à la révolution sociale. A Berlin le ministère des Affaires étrangères est d'abord réservé, mais à l'été 1915 Romberg, seul à proposer une politique précise, obtient une grande liberté d'action. La Suisse devient alors le véritable centre de la politique allemande des nationalités. Depuis 1914 Keskülä plaide pour la création d'une organisation des nationalités de l'Empire. Les obstacles ne manquent pas, en raison des oppositions entre les divers groupes nationaux; mais le principe séduit les Allemands, car il donne un fondement sérieux à leur politique. L'entrée du Lituanien Gabrys dans le cercle des agents de Romberg, en août 1915, va faire progresser ce regroupement.

Gabrys [19], fondateur de l'Union des nationalités installée à Paris dès le début de la guerre, a adopté au fur et à mesure de l'avance allemande en Lituanie une attitude de plus en plus favorable à l'Allemagne [20]. Son hostilité à la Russie va jusqu'à lui faire envisager comme solution ultime l'incorporation de la Lituanie à l'Allemagne. En 1915, il s'installe en Suisse pour faciliter ses contacts avec les Allemands et agir plus librement sur les autres mouvements nationaux en exil. En septembre il réunit à Fribourg les représentants des mouvements nationaux lituaniens et lettons et propose une fédération lituano-lettone [21].

Le regroupement des mouvements nationaux autour d'un but commun n'est pas le seul projet proposé au gouvernement allemand pour briser l'Empire russe. Il faut y ajouter le plan de Parvus [22] qui s'intéresse aux organisations socialistes nationales de l'Empire.

Installé en Turquie après la révolution de 1905, Parvus y découvre l'Alliance ukrainienne, les oppositions nationales en Russie et imagine de rapprocher mouvement national et révolution sociale. Le programme qu'il propose à Berlin, le 9 mars 1915, comporte deux grandes idées étroitement liées : révolution sociale en Russie et division de l'Empire en petits États indépendants. Dans l'immédiat, et pour préparer les mouvements nationaux à agir, il multiplie les propositions : convocation d'une conférence des chefs des émigrations pour débattre de la question nationale; création d'un Parti social-démocrate russe unifié, incluant les sociaux-démocrates juifs, ukrainiens, finlandais et lettons; promesse d'indépendance nationale à l'Ukraine, éventuellement à la Finlande et aux nationalités du Caucase.

Ces propositions sont accueillies avec hostilité par de nombreux sociaux-démocrates. Trotski dénonce violemment les excès de sa germanophilie et Alexinski le traite d' « agent stipendié des Empires centraux [23] ». Ses rapports avec Lénine sont controversés. Les deux hommes se rencontrent à Berne en 1915. Lénine rompt rapidement avec Parvus et empêche Boukharine de collaborer avec lui. Mais Parvus continue à entretenir des relations suivies avec un homme qui est à cette époque très proche de Lénine, J. Furstenberg Hanecki, du Parti social-démocrate du royaume de Pologne et Lituanie.

Le projet de Parvus a une certaine audience à Berlin, comme en témoigne l'argent dont il dispose. Romberg par contre y est très hostile. Il refuse d'associer les bolcheviks à la révolution nationale de la Russie, convaincu que seule la lutte nationale écarte la menace d'une révolution sociale dont les retombées internationales sont imprévisibles.

Les volontés d'indépendance s'affirment : organisations et projets

A l'automne 1915, l'Union des nationalités prétend établir une carte générale des nationalités de l'Europe, qui sera largement diffusée (10 000 exemplaires prévus pour le premier tirage) et qui posera le problème des nations dominées ou soumises à un statut inégal, à l'échelle européenne. La réaction des Allemands est très vive. Il leur faut éviter qu'il y soit fait mention de l'Alsace-Lorraine, pour qu'elle ne se trouve pas en position de revendiquer son indépendance. Cette carte menace aussi l'Empire austro-hongrois. Les Empires centraux vont-ils, dans leur hâte à briser l'Empire russe, ruiner les fondements de leur propre puissance et les chances d'une victoire militaire ? Stepankowski [24] insiste sur le fait que l'Union s'intéresse à tous les Empires et à tous les opprimés. Le conflit est momentanément résolu par un compromis. La carte sera publiée par étapes. La première étant consacrée à l'Empire russe [25].

Ce conflit montre aux Allemands que l'Union des nationalités est un cadre trop large pour leurs desseins. Le plan de Kesküla d'une organisation qui se consacrerait aux seuls problèmes de l'Empire russe s'impose.

En avril 1916, le gouvernement allemand annonce officiellement qu'aucun des territoires conquis ne reviendra sous la domination de la Russie [26]. Dès lors se pose la question de leur futur statut. Au même moment, Milioukov conduit une délégation parlementaire russe en Angleterre, en France et en Italie. Cette délégation compte aussi trois députés non russes qui n'ont qu'une préoccupation : donner la plus grande publicité au problème de l'avenir des nations de l'Empire [27].

Milioukov doit prendre position. Car le centre d'intérêt du voyage a été déplacé des relations de la Russie avec ses alliés à ses relations avec les nations dominées. Il déclare alors que la Pologne fait partie de la Russie, mais qu'il est souhaitable de lui accorder l'autonomie, avec un statut plus ou moins semblable à celui de l'Irlande [28]. S'il adopte le principe de l'autonomie, Milioukov précise que le problème relève de la souveraineté russe, qu'il doit être réglé par la Russie et ne sera en aucun cas internationalisé, ce qui heurte les Polonais et nombre de ses interlocuteurs des pays de l'Entente [29].

Le voyage de la délégation parlementaire russe en Europe est un échec pour la Russie. Ses responsables politiques ont pu mesurer l'évolution des émigrés qui à l'idée d'autonomie, encore populaire en 1914, substituent celle d'indépendance. Ils découvrent aussi que dans les milieux dirigeants occidentaux, l'idée progresse que, dans certains cas, la Russie ne peut pas et ne doit pas régler seule les problèmes nationaux. Mais les dirigeants allemands tirent aussi les leçons de ce voyage. Ils voient la faiblesse internationale et les divisions intérieures de la Russie. Ceci leur suggère de pousser à fond leur avantage et de proposer des solutions là où la Russie a perdu toute audience.

Au printemps 1916, le gouvernement de Berlin informe Romberg qu'il est intéressé à l'exploitation des divisions nationales à l'intérieur de l'Empire russe et prêt à accueillir favorablement un plan organisant les aspirations autonomistes. Deux projets concrets surgissent au même moment. Gabrys propose à Romberg de créer en Suisse une « Ligue des petites nations de Russie », qui représenterait les minorités et rendrait publiques leurs aspirations. En Allemagne, un Balte, le baron von der Ropp, veut monter une campagne d'opinion à l'échelle mondiale centrée sur « les atrocités tsaristes envers les allogènes ». La réponse de Berlin est immédiate. La Ligue des peuples allogènes doit être créée sans délai, et les moyens financiers ne lui manqueront pas.

Mais sa position restera toujours inconfortable. Les émigrés, particulièrement les Lituaniens, s'inquiètent de dépendre de la volonté allemande et du succès militaire de l'Allemagne. Ils souhaitent prendre appui sur les deux camps. L'état-major allemand, et particulièrement Ludendorff, s'exaspèrent de ces réticences. A Berlin, on considère que c'est à l'Allemagne seule que reviendra le soin après la guerre de régler le sort des minorités de Russie. Les rivalités entre émigrés de divers groupes nationaux qui se dénoncent mutuellement à Berlin contribuent à développer l'hostilité de l'état-major à leur égard et à paralyser la Ligue.

Son principal, et probablement unique, succès sera la conférence de Lausanne qu'elle saura largement contrôler.

Cette conférence tenue en juin 1916 est passée inaperçue de l'opinion mondiale et a été mal comprise par les gouvernements. Elle marque toutefois une étape essentielle de l'histoire du mouvement national dans l'Empire, un aboutissement de la politique où l'Allemagne s'est engagée à la suite de Romberg. La conférence de Lausanne a été organisée par l'Union des nationalités qui avait tenu à Paris, en 1912 et 1915, deux conférences. A l'issue de la conférence de 1915, l'Union des nationalités a lancé un appel à toutes les nationalités opprimées de

l'Europe pour qu'elles débattent en commun de leurs
problèmes [30]. A cette époque, l'Union semble être un
instrument impartial des revendications nationales dont
les effets menacent tous les États multinationaux.

Premier forum mondial des nations dominées, la Conférence de Lausanne suscita d'emblée des inquiétudes
dans les deux camps. Si les dirigeants de l'Empire russe,
conscients des mouvements qui agitent leurs confins, ont
craint d'y être mis en accusation, les Empires centraux ne
sont pas moins méfiants devant ce rassemblement d'un
genre inédit. Pour la Prusse, le danger d'y voir soulever le
problème de l'Alsace-Lorraine, d'y voir inscrire leur
conquête de 1870 au chapitre des territoires à émanciper
est une éventualité inacceptable. Pour l'Empire austro-
hongrois, c'est le sort de toutes les minorités qui pourrait
s'y trouver posé, ce qui contribuerait à renforcer leurs
revendications. Seules la France et l'Angleterre n'envisagent pas alors d'être victimes des débats de Lausanne et
espèrent que les Empires centraux en souffriront plus que
leur allié russe. C'était ignorer gravement la manipulation
des nationalités à laquelle s'étaient livrés en Suisse les
agents allemands et leur volonté de tourner ce forum à
leur avantage. Au terme de débats houleux où les groupes
nationaux représentés ne se contentèrent pas d'attaquer
leur propre oppresseur mais s'entre-déchirèrent en fonction d'options confuses, le bilan qui pouvait en être fait
révèle l'utilité des manœuvres préparatoires de l'Allemagne et sa grande aptitude à jouer du mécontentement
national. Les Empires centraux sortaient indemnes de ce
forum dont la tonalité fut avant tout antirusse, et secon-
dairement hostile au colonialisme français et anglais. Les
délégations représentant les minorités de l'Empire russe,
si elles n'adoptèrent pas une ligne commune – leurs
revendications allaient de la demande d'égalité pour tous
les peuples de l'Empire à l'exigence extrême d'indépendance –, furent unanimes à dénoncer la Russie comme
« Empire esclavagiste », coupable d'avoir « assassiné des
nations ». Sans doute des représentants des Empires
français et anglais ont-ils tenté de mêler leur voix à celle

des peuples de Russie et voulu élargir les débats au problème colonial proprement dit. Si la Conférence de Lausanne n'est pas devenue une tribune de l'anticolonialisme et le premier lieu d'expression des pays colonisés, c'est fort curieusement parce que les agents de l'Allemagne ont freiné cette évolution. Ils ont fait pression, tout au long de la Conférence, sur les délégués pour que seul l'Empire russe soit attaqué. Non par souci de ménager leurs ennemis franco-anglais, mais pour éviter une mise en cause générale des États impériaux qui eût inévitablement été néfaste à l'Empire des Habsbourg.

Les sociaux-démocrates, seuls émigrés de l'Empire à n'avoir pas pris part à la Conférence dont le thème – le problème national – leur semblait dénué d'intérêt et dépassé par l'histoire, n'ont pas ignoré cette coalition d'intérêts ambiguë dont la Russie fut l'unique victime. Trotski a considéré que les nationalités étaient un jouet pour les deux parties : instrument de politique étrangère pour les Empires centraux, destiné à leur faciliter les voies de la victoire; instrument contre-révolutionnaire pour la France et l'Angleterre qui cherchaient à concentrer l'attention des masses sur un faux problème, pour les détourner d'une humeur révolutionnaire partout en progrès.

La confusion des débats, la faiblesse des résultats tangibles ne peuvent dissimuler l'importance de la Conférence de Lausanne. Elle a eu pour première conséquence de montrer que le mouvement national en Russie n'était pas une invention d'esprits égarés ou d'émigrés extrémistes, mais la tendance profonde de peuples nombreux. Le soulèvement des tribus kazakhs contre la conscription que le pouvoir impérial prétend leur imposer la même année, qui fait entrer en dissidence définitive une partie de l'Empire russe, vient au même moment confirmer les enseignements de la Conférence de Lausanne. Deuxième conséquence, non moins grave pour la Russie, la démonstration que ce que l'on pouvait tenir comme courants isolés de mécontentement, constituait en fait une tendance commune à tous les peuples de Russie. L'idée d'une solidarité des opprimés, et partant d'une solidarité dans la lutte, va pouvoir se frayer un chemin en Russie après Lausanne. Elle va impressionner Lénine qui y trouvera un encouragement à sa volonté de mettre les nations au service de la Révolution. Elle va aussi conduire l'Allemagne à ajuster sa politique encore hésitante à la réalité nationale. Enfin, il serait injuste d'oublier que la Conférence de Lausanne est la première ébauche du grand mouvement de solidarité des opprimés qui va, tout au long du XXe siècle, se développer en un puissant courant d'idées et d'actions. C'est cette solidarité des opprimés, pour la première fois manifestée à Lausanne, qui annonce le marxisme tiers-mondiste de Sultan Galiev, de la Conférence de Bakou, puis de Mao Tsê-tung. L'idée que la lutte de classes n'est pas le seul lien historique entre les hommes de diverses nations, mais qu'il faut y surimposer un autre clivage, planétaire, celui qui sépare les « peuples prolétaires » parce que opprimés en tant que peuples et les peuples oppresseurs, prend racine en 1916 dans la paisible cité suisse. Et, près de quarante ans plus tard, le forum de Bandoeng fera écho aux thèmes avancés sur les bords du lac Léman durant la Première Guerre mondiale.

La Pologne entre Allemagne et Russie

A Lausanne la Pologne a été au cœur de tous les débats. Pour toutes les nations libres ou dominées, son cas est un test. C'est pourquoi la politique allemande se concentre alors sur la Pologne. Dès août 1916, les Empires centraux admettent la nécessité de fixer définitivement le statut de la Pologne occupée. Mais l'hypothèse d'une paix séparée avec la Russie [31] retarde ce débat.

Le 5 novembre 1916, la question revient à l'ordre du jour. Les Empires centraux annoncent par une déclaration commune le rétablissement de l'État polonais. Au vrai, cet État polonais est singulièrement réduit tant sur le plan territorial qu'en termes de souveraineté. Tel quel, il pose de nombreux problèmes à la Russie, mais aussi à ses promoteurs.

Le nouvel État polonais est limité à la partie russe de la Pologne. Sa souveraineté est restreinte car les Empires centraux s'adjugent le droit d'en définir la forme politique – une monarchie héréditaire et constitutionnelle [32] – et les pouvoirs. L'État polonais n'est maître ni de sa politique extérieure ni de ses forces armées placées sous contrôle allemand. Pour les Empires centraux, si la proclamation de l'État polonais croupion a un inconvénient – elle réduit considérablement les chances d'une paix séparée –, elle présente aussi des avantages. La Russie, qui n'a pas tenu ses promesses d'autonomie, se trouve ainsi en position de faiblesse face à toutes ses nationalités : leur sort ne peut être réglé dans le cadre russe, c'est le sens de la démonstration. Les forces armées austro-allemandes trouvent dans le nouvel État une réserve d'hommes estimée à environ trois divisions. La frontière russe se trouve enfin éloignée de l'Allemagne ainsi que l'avait souhaité le chancelier allemand dès le début de la guerre.

Mais la Russie n'est pas seule à ressentir la création du nouvel État comme un affront. Cette décision heurte d'autres nations de l'Empire sans faire l'unanimité des Polonais. Les Lituaniens ont toujours dit qu'ils ne voulaient pas d'une grande Pologne où leurs droits nationaux seraient oubliés. La Russie, s'interrogent-ils, n'aurait-elle pas mieux garanti leurs intérêts [33] ? Pour apaiser les Lituaniens les Allemands leur donnent des assurances qui par contrecoup inquiètent la Pologne. On plaide à Berlin que le statut de la Pologne n'est pas définitif, que la question des frontières reste ouverte, qu'à l'heure des décisions ultimes, les intérêts lituaniens seront pris en considération – déclaration trop tardive pour apaiser les Lituaniens, trop précise pour ne pas troubler les Polonais. De surcroît, les milieux politiques polonais et la population sont loin d'être enthousiastes, loin d'accepter comme un fait définitif les restrictions austro-allemandes.

Les Empires centraux ont restauré un État polonais qui

ne tient pas compte des volontés réelles des Polonais qu'ils ignorent d'ailleurs, n'ayant consulté au préalable que quelques personnalités isolées [34]. La décision du 5 novembre est accueillie avec de grandes réserves tant par les partisans de l'Entente que par les socialistes polonais. Les premiers n'acceptent pas un État polonais croupion. De l'initiative austro-allemande, ils retiennent qu'un État dominateur ne peut régler le problème des nations qu'il domine. Les Austro-Allemands ont créé un précédent qui s'applique à eux tout autant qu'à la Russie, et démontré que les problèmes nationaux exigeaient des règlements internationaux. Les nationalistes polonais en viennent à espérer qu'une victoire de l'Entente conduira à la constitution d'une Pologne véritable et souveraine. Ainsi, en voulant donner satisfaction même partiellement aux aspirations nationales polonaises, les Austro-Allemands, loin de s'attirer des sympathies en Pologne, ont contribué à orienter les nationalistes vers l'Entente.

Les socialistes polonais pour leur part, malgré le coup porté à l'Empire russe, ne sont pas plus enclins à applaudir à l'indépendance de la Pologne. S'ils relèvent avec satisfaction que non seulement la Russie, mais « tous les impérialistes qui défendaient bruyamment les droits des nationalités » ont été gagnés de vitesse par la décision des Empires centraux dont les motifs sont purement égoïstes, cette décision a été prise au détriment des intérêts réels des Polonais qui sont sociaux [35].

Le Bund s'indigne de la création d'un « État polonais qui contribuerait au développement du chauvinisme et de l'antisémitisme ainsi qu'à l'affaiblissement de la solidarité prolétarienne [36] ». La social-démocratie doit en toutes circonstances, dit-il, s'opposer à la formation de nouveaux États nationaux, cadres de l'oppression nationale et non de la libération des nations. L'opposition à l'État polonais réconcilie même alors les frères ennemis du socialisme polonais, le Parti social-démocrate du royaume de Pologne et de Lituanie et le Parti socialiste polonais de gauche qui publient une déclaration commune soulignant que cette pseudo-indépendance réduit la Pologne au « rang du Sénégal en en faisant un État pourvoyeur de régiments coloniaux pour la Prusse et l'Autriche [37] ».

La suite des événements n'a justifié ni les craintes des socialistes polonais, ni les espoirs austro-allemands, quant à l'apport militaire de la Pologne. Quelques centaines d'hommes à peine se sont sentis suffisamment intéressés à la défense du nouvel État pour s'engager dans les rangs de l'armée allemande [38]. On est loin des divisions espérées.

En définitive, la principale conséquence de la décision austro-allemande aura été de donner au problème polonais une dimension internationale. Elle aura aussi multiplié les dissentiments parmi les alliés de l'Entente, dont la solidarité est déjà très entamée par les rumeurs constantes de négociations séparées.

Le 15 novembre, à la Douma, un député polonais résume bien la situation. Il relève l'hostilité assez générale à la création unilatérale d'un État qui n'est en fait qu'un protectorat allemand, mais constate que la Russie ne pourra recréer ce qui existait avant guerre. L'Empire multinational a vécu [39].

Conscient des conséquences de la décision austro-allemande, le gouvernement russe tente de reprendre l'initiative. Mais le faisant de manière tardive et maladroite, il aggrave sa défaite. Il affirme que la démarche des Empires centraux est illégale donc nulle. Le sort de la Pologne a été fixé au début de la guerre, l'autonomie lui a été promise et lui sera accordée dans le cadre de l'Empire. Cette déclaration, loin de satisfaire les Polonais, les dresse encore plus contre la Russie. L'autonomie est en 1916 une exigence dépassée. Et l'époque des statuts accordés est révolue.

Mais c'est surtout dans les rapports avec l'Entente que la déclaration russe a eu des conséquences imprévues. Les gouvernements français, anglais et italien l'ont prise au pied de la lettre et dit leur soutien. Par là même, ils ont pris position sur la question polonaise qu'ils placent ainsi sous leur responsabilité commune. C'est une victoire des Polonais, mais une grave défaite pour la Russie [40].

Dans ce concert de protestations la décision austro-allemande a cependant trouvé des échos favorables au sein de la Ligue des peuples allogènes, dont le bureau salue la déclaration du 5 novembre comme un écho à la conférence de Lausanne.

L'indépendance polonaise donne un nouvel essor aux activités de la Ligue qui appelle Berlin à agir de même avec la Lituanie et l'Ukraine[41]. On trouve cette demande dans le *Bulletin des nationalités de Russie* publié à Berne, qui privilégie d'ailleurs les aspirations des Ukrainiens. L'orientation pro-ukrainienne du bulletin provoque dès son premier numéro de vives réactions des Polonais et des Lituaniens qui assaillent la Ligue de protestations. Les Polonais trouvent que le bulletin fait une place trop limitée à la question polonaise, les Lituaniens[42], que la position ukrainienne est trop favorable à la Russie.

Les années 1914-1916 ont été décisives pour l'évolution du problème national. Sans doute, à la fin de 1916, l'Empire russe reste-t-il encore, malgré ses revers militaires et ses pertes territoriales, puissant en apparence et unitaire. En fait, ce n'est déjà plus un Empire. Il est en cours de désintégration. Les nations de l'Empire, qui en 1914 limitaient leurs exigences à l'autonomie culturelle et politique, avancent désormais des projets séparatistes, exceptionnels auparavant.

L'évolution ne se fait pas partout au même rythme. Le séparatisme est une exigence des nations qui par leur situation stratégique ont été l'enjeu de la politique allemande de désintégration nationale de la Russie. A la périphérie centro-asiatique de l'Empire, la prise de conscience est plus lente. Mais la différence entre une Pologne qui rejette toute limitation de souveraineté et le Turkestan ne doit pas être surestimée. La politique allemande d'agitation des émigrés et de « restauration », même partielle et factice, de l'État polonais a eu des conséquences bien plus durables que ne l'imaginaient ses promoteurs.

En premier lieu, elle a créé des solidarités entre les nations dominées. Solidarités précaires et conjoncturelles sans doute et que neutralisent souvent des rivalités traditionnelles. Mais le sentiment d'une communauté de destin se développe. Les nations les plus attardées sont elles aussi conscientes qu'en Pologne un précédent a été créé qu'il leur appartient d'exploiter, pour exiger des droits identiques à ceux des Polonais. A cet égard, la conférence de Lausanne a été très importante car elle a étendu aux dimensions de l'Empire les revendications particulières, isolées, des groupes nationaux.

Deuxième conséquence : les problèmes nationaux prennent alors une dimension internationale. Avant 1914, la plupart des dirigeants nationaux liaient le problème de l'émancipation à un changement du système politique russe. En 1916, ils sont convaincus qu'un changement politique intérieur ne suffira pas à garantir leur statut et que c'est auprès d'autres nations qu'il faut chercher protection. Non pas auprès d'une seule nation – la Pologne fait en 1914 la même expérience que la Géorgie avait faite au XIX siècle, à savoir que la protection requise se transforme aisément en protectorat –, mais auprès de plusieurs nations qui s'équilibrent. L'exigence d'un arbitrage international qui se développe dans les mouvements nationaux de Russie rejoint une évolution semblable des grands États européens.

P. Renouvin et J.-B. Duroselle ont souligné la répugnance des gouvernements de l'Europe d'avant-guerre à se mêler ouvertement des affaires intérieures des autres États [43]. Chaque État tient alors suffisamment à sa souveraineté pour hésiter à ébranler celle d'autrui. Après la guerre au contraire – et la crise intérieure de l'Empire russe y aura fortement contribué –, l'idée d'une protection internationale du statut des minorités s'impose [44]. Dès 1916, certains peuples de l'Empire russe rêvent de cet arbitrage international et s'efforcent de l'imposer à tous les États qui à un moment donné s'intéressent à leur sort. En devançant la Russie dans l'affaire polonaise l'Allemagne, même si elle poursuivait de tout autres buts, aura fait avancer le sort des petites nations dans cette direction.

2

Les nations : un levier pour la révolution

Dans les années précédant la guerre, la polémique entre Lénine et ses collègues austro-marxistes et luxemburgistes reste limitée au domaine théorique, ou aux problèmes d'organisation du parti. Pour Lénine, la Russie en est encore au stade du capitalisme, de la révolution bourgeoise, et le sort des nations n'est pas près d'être réglé. La guerre a bousculé ces perspectives tranquilles. Lénine est convaincu que le conflit peut accélérer le cours de l'histoire et ouvrir la voie à la révolution. La question nationale prend alors un relief nouveau dans sa stratégie. Son attitude face à la guerre, sa volonté d'utiliser les nations pour précipiter l'effondrement de son pays vont diviser la social-démocratie russe et l'opposer à la majorité des sociaux-démocrates européens. Mais il n'hésite plus, tant est grande sa certitude que le conflit qui déchire l'Europe va en modifier radicalement les données politiques.

★
★ ★

Le débat : guerre et nations

La guerre, Lénine l'espère et n'ose y croire [1]. En 1913, il écrit à Maxime Gorki : « Une guerre entre la Russie et l'Autriche serait très profitable à la révolution. Mais il y a peu de chances que François-Joseph et Nikki nous fassent ce plaisir [2]. »

Pourtant la guerre éclate. Après une brève arrestation à Cracovie, Lénine arrive à Berne où il retrouve de nombreux sociaux-démocrates russes, qu'il scandalise par son défaitisme révolutionnaire [3]. Plekhanov qui croit à la nécessité de défendre la patrie ne le comprend pas. Même Trotski est loin de partager ses conceptions extrêmes. Il veut une guerre « sans vainqueurs ni vaincus ». Inlassablement, Lénine plaide sa thèse. La défaite de la Russie impériale et de son armée responsable de l'oppression de la Pologne, de l'Ukraine, de nombreuses nationalités est nécessaire aux intérêts de la classe ouvrière [4]. Ces thèses qu'il répète à Berne, Lénine les inscrit dans une résolution qu'il envoie à Kamenev afin qu'elle soit lue à la Douma par les députés bolcheviques. Leur arrestation prématurée les empêche d'obéir aux injonctions de Lénine. Mais il est hors de doute que dans le sursaut patriotique de l'automne 1914, cette position n'aurait servi qu'à discréditer son auteur, même auprès des nationalités que la guerre rassemble un moment autour de la Russie.

Lénine a pourtant raison de lier le problème national au débat sur la guerre. L'attitude des grandes puissances le conforte. L'autodétermination des nations est, dès le début de la guerre, un slogan de toutes les puissances contre leurs adversaires. Les puissances de l'Entente, les Empire centraux, Wilson plus tard se veulent champions des nations opprimées et proclament leur intention d'aider à leur libération. L'autodétermination nationale est en 1914 un des maîtres mots de la politique mondiale. Les sociaux-démocrates qui, pour la plupart, se solidarisent avec leur pays [5], peuvent-ils éviter de prendre position sur ce point ? Peuvent-ils abandonner aux gouvernements qu'ils ont toujours combattus le monopole de l'émancipation nationale ?

Pourtant, à l'exception des bolcheviks, les socialistes seront incapables de s'adapter à une situation inattendue pour eux.

La social-démocratie allemande s'accroche aux idées émises un demi-siècle auparavant – et dans de tout autres circonstances – par Marx et Engels sur la nécessité des grandes formations historiques, pour ignorer en 1914 le problème national et rejeter les idées de Lénine. Le Labour Party anglais qui soutient le gouvernement britannique, les sociaux-démocrates de l'Empire austro-hongrois, solidaires du bellicisme impérial, partagent cette attitude. Cette adhésion du socialisme aux positions les plus patriotiques indigne Lénine qui lance une attaque magistrale contre cette confusion des valeurs. Les premières victimes en sont Kautsky et les dirigeants de la IIᵉ Internationale qui ont ouvert la voie du « social-patriotisme [6] ».

Dans le *Manifeste sur la guerre*, publié le 1ᵉʳ novembre 1914, analysant la situation des divers belligérants et leurs buts, Lénine constate que, s'il ne peut décider de l'issue la plus favorable au prolétariat mondial, s'agissant du prolétariat russe il est clair que la défaite de l'Empire servira sa cause et hâtera la révolution [7]. Il s'efforce d'imposer cette idée à la conférence de Zimmerwald en septembre 1915, mais se heurte à une majorité attachée à l'idée de « paix à tout prix », et divisée sur les moyens d'y parvenir, alors que pour lui, le but est de faire déboucher la guerre sur une guerre civile [8]. Il combat le compromis adopté : le prolétariat européen est appelé à lutter pour la paix sans indemnités ni annexions, sur la base de l'autodétermination des nations [9] ; et au slogan la *paix à tout prix* il oppose celui de la *guerre civile* [10].

Lénine et l'autodétermination des nations

Dans ce débat sur la guerre, la question nationale prend une acuité nouvelle. Lénine, fidèle aux vues qu'il a exprimées jusqu'en 1914, insiste plus encore sur le droit à la sécession. En septembre 1914, il affirme la nécessité de démanteler l'Empire, en lui enlevant toutes ses régions périphériques [11]. Il y revient peu après dans un article où il analyse comment les prolétaires russes retrouveront leur fierté nationale [12].

L'insistance de Lénine à mettre l'accent sur les luttes nationales alors même qu'il envisage une victoire possible du prolétariat désempare la plupart de ses compagnons et provoque un conflit sérieux dans le parti bolchevique. Pour nombre de ses partisans, l'hypothèse d'une révolution sociale rapide enlève toute signification à l'idée de l'État national. Moins que jamais, pensent-ils, les marxistes ont à se préoccuper de conflits nationaux.

Lénine doit ainsi affronter la gauche polonaise dans un débat qui rappelle étrangement celui des années d'avant-guerre avec Rosa Luxemburg. En novembre 1915, il trouve en face de lui un groupe où dominent Boukharine, Piatakov et Evgenia Bosch, qui l'accusent de divertir le prolétariat de ses intérêts de classe et de l'affaiblir. Pour Boukharine et Piatakov l'autodétermination a, en Europe, deux applications possibles : l'annexion d'un territoire au cours d'une guerre; la désintégration d'un État existant. Dans les deux cas, le prolétariat en sera victime. Dans le premier, l'autodétermination se confondra avec la défense de la patrie et servira des intérêts contre-révolutionnaires; dans le second, elle détournera le prolétariat de ses tâches de classe et brisera son unité au profit de revendications bourgeoises [13].

De fait, les bolcheviks de gauche n'acceptent l'idée de l'autodétermination que dans les pays coloniaux, où la révolte des masses populaires de ces pays permet d'affaiblir les couches dirigeantes de la métropole. Mais il faut préciser qu'il ne s'agit pas de socialisme ni de devoirs socialistes; les forces en lutte ne sont pas le prolétariat mais la bourgeoisie nationale qui apporte une aide objective au prolétariat métropolitain en affaiblissant leur ennemi commun [14].

Radek publie en avril 1916 une série de thèses qui renforcent ce point de vue [15]. Pour Radek, l'analyse de la situation mondiale impose deux constatations : l'oppression nationale se développe partout; les intérêts nationaux et ceux de la classe ouvrière ne coïncident pas en dernier ressort. Le socialisme doit en tirer des conclusions stratégiques. Il doit lutter partout contre la politique impérialiste d'annexion et la politique d'oppression nationale qui en est le corollaire. Mais il ne doit pas soutenir des luttes pour l'établissement de nouvelles frontières ou pour la récupération de frontières modifiées par l'impérialisme.

Comme Rosa Luxemburg, Boukharine et Piatakov, Radek reconnaît que son raisonnement concerne l'Europe et qu'on ne peut l'étendre aux colonies. Aussi propose-t-il à son parti deux slogans : en Europe, liquidation des États nationaux; ailleurs, liquidation des colonies [16].

Que faire de l'autodétermination au stade du socialisme? Ici la réponse de Radek est négative. Si la société capitaliste est par définition oppressive, le socialisme est la négation de l'oppression. L'autodétermination n'a aucune signification au stade du socialisme car les classes responsables de l'oppression nationale y sont supprimées. Il est aussi saugrenu de juxtaposer socialisme et autodétermination que capitalisme et autodétermination.

Ces deux propositions impliquent une méconnaissance profonde de la nature de la société socialiste aussi bien que de la société capitaliste. Dans celle-ci, les intérêts nationaux ne peuvent être protégés; dans celle-là, ils n'ont plus à l'être. A cette critique de fond des positions de Lénine, Radek en ajoute une autre, tactique. Nul thème plus que le thème national ne divise le prolétariat et ne détourne son énergie de son but fondamental [17].

Lénine combat sans cesse pour ses vues. A travers la polémique de 1914-1915, il révèle ses préoccupations tactiques : ne pas affaiblir la position du parti bolchevique face aux autres partis de l'Empire russe, en lui ôtant son programme national; limiter la revendication nationale à ceux qui sont opprimés. Il n'y a pas encore ici d'innovation par rapport aux textes qui ont précédé la guerre. Lénine réfléchit au problème national dans le cadre de l'Empire russe et élabore pour ce cadre des propositions concrètes.

En 1916, sa position se modifie profondément. Dans *La Révolution socialiste et le droit des nations à l'autodétermination* [18], publié en avril 1916, Lénine propose pour la première fois une analyse du fait national à l'échelle planétaire qui distingue trois situations :

    – les pays capitalistes avancés de l'Europe occidentale et les États-Unis d'Amérique, où les mouvements bourgeois progressistes nationaux ont depuis longtemps accompli leur tâche;

    – les deux Empires multinationaux de l'Est européen où la lutte nationale est à l'ordre du jour. La tâche du prolétariat dans ces pays... ne peut être achevée sans qu'il défende le droit des nations à l'autodétermination;

    – enfin dans les pays coloniaux et semi-coloniaux dont la population atteint un milliard de personnes, les mouvements démocratiques bourgeois en sont à leurs débuts. Les socialistes doivent non seulement demander la libération inconditionnelle et immédiate des colonies mais soutenir leur révolte, au besoin par la guerre révolutionnaire [19].

    Cette mondialisation du problème national sert Lénine contre ses collègues, et sert l'avenir de son mouvement. Dans le débat d'idées il adopte une position cohérente et solide en reliant problème national et impérialisme, en introduisant dans le mouvement révolutionnaire l'étape de la lutte pour le droit des nations opprimées. De plus, alors que l'agitation nationale s'étend partout et non seulement dans l'Empire russe, il présente un projet global qui occulte le caractère particulier et historiquement attardé de la Russie, et assigne à son pays une place centrale dans le mouvement révolutionnaire mondial.

Les conditions de l'autodétermination : qui représente la nation ?

    Ayant précisé les devoirs des socialistes à l'égard des mouvements nationaux, Lénine s'efforce aussi de définir ce qu'est le droit à l'autodétermination, c'est-à-dire les conditions de son exercice, ses finalités et ses limites.

    Le droit à l'autodétermination ne doit pas être une formule creuse. Traitant en 1913 des conditions de son exercice en Russie, Lénine proposait alors le recours au suffrage universel [20]. Mais ce principe aussitôt énoncé, il y ajoutait des clauses qui en limitaient la portée : le droit à l'autodétermination n'est pas un droit universel; il s'applique dans des cas précis liés, en Russie, à la réalité géographique. La sécession n'est possible qu'aux nationalités périphériques mais non à celles qui sont enclavées dans le territoire russe. A ces dernières quel avenir proposer? Le refus d'une solution fédérale, l'impossibilité matérielle d'une séparation leur interdisent toute revendication autre que l'autonomie telle qu'elle est inscrite dans le programme du parti, qui se réduit d'ailleurs au rejet des discriminations nationales et au droit à un développement des cultures nationales, dans une conception internationaliste. Ainsi la première difficulté du projet léniniste d'autodétermination est qu'il ne peut s'appliquer qu'à un nombre restreint de nations.

Une autre difficulté non moins importante découle de la décision d'appliquer le principe d'autodétermination. Dès 1913, Lénine s'est nettement exprimé sur ce point [21]. C'est au parti qu'il appartient « dans chaque cas concret » de décider si l'on peut ou non appliquer le principe d'autodétermination. Le choix du parti comme instance suprême de décision et conscience des masses en dernier ressort, s'il semble logique, contredit cependant d'autres remarques de Lénine qui suggèrent que la volonté des nations doit être décisive. Citant en exemple la Norvège, Lénine écrivait : « La décision est venue de la région intéressée. Quand la Norvège s'est séparée de la Suède, la Norvège seule l'a décidé [22]. »

Ignorer le droit des intéressés à décider librement de leur sort est aux yeux de Lénine une « tricherie ». Mais cela n'est pas une indication claire de ce qu'il faut faire car Lénine n'a jamais précisé qui incarnait *réellement* la volonté de la petite nation décidée à s'émanciper. Est-ce une institution nationale ou le parti qui incarne les travailleurs? Lénine met l'accent sur la responsabilité du parti, qui doit régler chaque cas « en se plaçant du point de vue des intérêts du développement général de la société et des intérêts de la lutte de classes du prolétariat pour le socialisme [23] ». Mais ici encore, un doute subsiste quant aux instances du Parti qui ont à décider. Organisations régionales? Parti tout entier dont la vocation est centralisatrice et unificatrice, qui doit rassembler et non diviser? Enfin, quels sont les critères de jugement du parti? A quelle volonté nationale doivent-ils répondre? A celle du prolétariat ou de la nation tout entière? Ou encore des partis nationaux quels que soient ceux qui incarnent les mouvements nationaux? A ces questions difficiles, Lénine répond soit par une dérobade en forme de plaisanterie, soit encore en assurant ses interlocuteurs que le parti ne peut se tromper.

Si les conditions de la séparation restent floues, les préférences de Lénine sur l'application du principe sont en revanche très claires. Il répétera toujours que l'autodétermination « n'est qu'une exception à notre prémisse générale de centralisme [...] ». « La séparation ne fait nullement partie de notre plan [24]. » Lénine rejette l'idée de fédéralisme, incompatible à ses yeux avec les intérêts du prolétariat à toutes les étapes – capitalisme, dictature du prolétariat, socialisme – et contraire aux intérêts socialistes car il affaiblit l'intégration économique et s'oppose au centralisme démocratique. Si Lénine admet que dans certains cas très limités la solution fédérale puisse être préférable à la solution de l'oppression des nations [25] après la révolution, la bonne solution est l'union fondée sur le centralisme démocratique.

Cette position est renforcée par le caractère inégalement définitif des deux options que propose Lénine : séparation ou union. Le droit à la séparation, même acquis dans des conditions parfaitement légales, est toujours révocable. Ce choix, en effet, est fait par la bourgeoisie ou un prolétariat dont la conscience de classe est atténuée. Lorsque le prolétariat se trouve en position de force, il est naturellement conduit à s'autodéterminer en fonction de ses intérêts de classe et à s'unir à l'État prolétarien dont il a été séparé. Par contre, l'union réalisée dans le cours de la révolution est irrévocable, car elle relève d'un choix où les intérêts de classe ont dominé. Comment pourrait-elle être remise en cause?

Si l'autodétermination s'exerce de façon correcte, elle

doit déboucher sur un grand État centralisé. Déjà au stade du capitalisme, le grand État est un facteur favorable, et peut-être même indispensable à la révolution prolétarienne [26]. Après la révolution, il s'impose. Fondé sur la libre adhésion de ceux qui le composent l'État national doit les assimiler et devenir un « État centralisé, à langue unique [27] ». Lénine s'exaspère des tendances nationalistes des sociaux-démocrates non russes. A l'Ukrainien Lev Iourkevitch, qui veut « développer la culture nationale dans les masses ukrainiennes », Lénine réplique que « l'assimilation est un progrès [28] », la solution à tous les problèmes nationaux, et en premier lieu au plus complexe, le problème juif. L'étape finale de l'évolution nationale, l'un des principaux buts du socialisme [29], c'est la fusion de toutes les nations, qui a non seulement un sens économique mais aussi politique et ethnique [30]. Mais, ajoute Lénine, il s'agit d'un processus lent et complexe et l'on ne peut ni forcer les nations ni ignorer leurs volontés. C'est la reconnaissance des droits des nations qui seule permet de dépasser un jour la conscience nationale.

L'insistance de Lénine sur le fait national apparaît bien ainsi comme un choix tactique, fondé sur une analyse des conditions où se développe la révolution russe; c'est, malgré les critiques que lui ont faites ses adversaires de gauche, un choix qui condamne la nation à une disparition rapide.

Cette théorie de l'autodétermination allait être mise dès 1917 à l'épreuve des faits, à la fois comme arme dans la lutte pour la destruction de l'Empire et la prise du pouvoir, et comme solution aux aspirations des nations. Les faits allaient prouver la justesse des calculs tactiques de Lénine, mais en même temps mettre en lumière les contradictions que portait sa théorie et le contraindre à repenser cette théorie en fonction des exigences concrètes.

3

Autodétermination nationale,
autodétermination prolétarienne

De la théorie à la pratique

Pendant de longues années, Lénine a approfondi sa réflexion sans pour autant pouvoir vérifier ses hypothèses.

En 1917 la révolution le plonge dans le réel, le contraint à vivre le problème national et non plus seulement à le penser.

En février 1917, la fin de la monarchie soulève un espoir immense dans tous les groupes sociaux de Russie et les nations. La révolution s'étend aux confins de l'ancien Empire, et les nations attendent du Gouvernement provisoire l'émancipation. Mais le Soviet de Petrograd se contente le 25 avril de se prononcer pour l'autonomie nationale culturelle, projet dépassé par les événements et la montée des passions. Les hommes de février sont paralysés par la guerre qui ne s'accommode pas d'une dislocation nationale et par leur légalisme qui veut que tous les problèmes graves soient suspendus jusqu'à ce qu'une Assemblée constituante légalement élue se prononce. Cet attentisme déçoit puis exaspère les nations. Dès l'été, elles se détournent de la révolution qui n'a su satisfaire leurs ambitions et s'engagent dans une aventure solitaire qui, tantôt déborde la révolution, tantôt essaie de se tenir à l'écart des grands bouleversements de Russie. L'échec national du Gouvernement provisoire est patent. Il est d'autant plus grave que les partis politiques qui détiennent le pouvoir sont précisément ceux qui dans le passé avaient inscrit le fédéralisme dans leurs programmes.

Conscient du désarroi national, Lénine impose pour la première fois ses thèses à son parti, et réussit ainsi à gagner les nations contre le Gouvernement provisoire. Jusqu'alors, il prônait, en solitaire, le droit à la sécession. A la VIIe conférence du parti, réunie en avril, le débat est d'envergure. Le rapporteur de la question nationale, Staline, défend le droit à la sécession mais en même temps il le nuance. Il affirme que le parti *doit* reconnaître le droit des nations à se séparer de la Russie. Mais, ajoute-t-il, « le droit des nations à la séparation ne doit pas être confondu avec l'idée que les nations doivent *obligatoirement* se séparer [...]. Nous avons de notre côté le devoir de prendre position, pour ou contre le droit de séparation, en tenant compte d'abord des intérêts du prolétariat, et de la révolution prolétarienne ».

Et encore : « En ce qui me concerne, je serai par exemple opposé à la séparation de la Transcaucasie en raison de la situation qui prévaut en Transcaucasie et en Russie, et de certaines données de la lutte prolétarienne. »

Piatakov et Derjinski s'opposent avec violence à Staline, affirmant que la séparation sert uniquement les intérêts de la bourgeoisie qui l'utilisera pour écraser les révolutions. Lénine intervient à son tour pour dire que le refus de reconnaître le droit à la séparation place les bolcheviks sur les positions du chauvinisme grand-russe. Finalement, le parti se range à ces arguments et adopte les thèses de Staline par 56 voix contre 16 et 8 abstentions. Ces thèses comportent quatre points : le droit à la sécession, une autonomie régionale étendue pour les nations qui ne se séparent pas de la Russie, des lois garantissant les droits des minorités, l'unité du parti.

Sans doute les bolcheviks se gardent-ils bien de préciser deux points : quand l'autodétermination sera-t-elle mise en route ? Lorsque la paix sera faite, ou aussitôt qu'ils auront le pouvoir de décider ? Et surtout, à quelles nations s'appliquera le droit d'autodétermination ?

Malgré ces silences prudents, l'adoption des idées de Lénine par les bolcheviks modifie profondément les données de la vie politique russe.

Après la prise du pouvoir, en octobre, les bolcheviks sont directement confrontés au problème national. Jusqu'alors ils en ont débattu, ils ont utilisé les nations pour porter un coup décisif à leurs adversaires et s'emparer d'un pouvoir qui, comme l'a montré Soukhanov, leur a été acquis par vacance d'autorité plus qu'ils ne l'ont conquis. Le parti bolchevique a admis en avril le droit à la sécession parce qu'il en a entrevu les potentialités explosives. Mais rien des idées antérieures des bolcheviks, rien de leur internationalisme n'a été modifié par ce qu'ils tiennent pour concession tactique à la situation du moment; concession qui les engage peu au demeurant, puisqu'ils sont en avril fort loin du pouvoir.

En octobre tout bascule car ils sont maîtres du jeu et ils doivent prendre des décisions. Les positions nationales adoptées quelques mois plus tôt pèseront sur la situation qui se crée.

Le passage a été très brutal. En quelques mois, la Russie a connu la fin de l'Empire et deux révolutions. Après des années de stagnation et d'attente, l'histoire a soudain adopté un rythme très rapide auquel le Gouvernement provisoire a été incapable de s'adapter. Les bolcheviks, comme les adversaires qu'ils ont vaincus, doivent très brutalement faire face aux événements et ajuster leurs idées, leurs espoirs et les promesses qu'ils ont faites aux situations qui leur échappent. Les théories élaborées dans la paix des bibliothèques, au bord du lac Léman, ont-elles quelque rapport avec la situation russe d'octobre 1917?

Comment concilier l'idée ancrée au cœur de chaque bolchevik d'une révolution prolétarienne mondiale qui déborde et efface les frontières nationales, et la promesse faite aux nations de mettre la révolution prolétarienne au service de leur émancipation? Comment concilier un principe intangible du marxisme et des prises de position tactiques, à l'heure où la révolution a triomphé? Les bolcheviks ne peuvent, en octobre 1917, dissocier leur idéologie (*idéologie utopique* pour utiliser les catégories de Mannheim) et leurs promesses, car ils sont à l'origine de l'une et des autres.

L'histoire passée des révolutions montre souvent que les théoriciens, lorsque leurs idées triomphent, cèdent la place aux hommes d'action qui deviennent hommes d'État. Les bolcheviks, longtemps théoriciens, ont dû devenir instantanément hommes d'État; ils le sont restés, et le restant ont dû combiner tout à la fois leur idéologie et leurs concessions au réel.

La guerre, « accoucheuse de révolutions », a déclenché aussi une explosion nationale dont Lénine n'avait pas prévu toutes les implications. L'internationalisation des problèmes nationaux n'a pas seulement affecté la situation de l'Empire, elle pèse à partir de 1917 sur les relations entre bolcheviks et nations. Il ne s'agit plus de savoir si l'autodétermination doit être demandée par une classe sociale déterminée ou par l'ensemble de la société concernée, dès lors que les nations qui veulent s'autodéterminer peuvent en appeler à des États étrangers pour les soutenir. L'intérêt des puissances pour les nations de Russie, l'écho que reçoit partout, jusqu'en Amérique, leur volonté d'émancipation nourrissent cette volonté et contribuent à lui donner un tour plus radical.

L'autodétermination que Lénine propose pour n'avoir pas à s'en servir provoque la désintégration totale de l'espace de l'Empire. Les bolcheviks sont réduits au territoire russe, amputé de territoires économiquement et stratégiquement importants, et soumis à un véritable état de siège. Les yeux fixés sur les pays industrialisés d'Europe dont il attend qu'ils s'embrasent à leur tour au feu révolutionnaire, Lénine n'en est pas moins conscient de la nécessité de protéger l'espace bolchevique; puis, la révolution se faisant attendre, d'organiser les rapports de l'État bolchevique avec les nations qui se sont émancipées, sous peine d'être submergé. Les premières années du pouvoir bolchevique sont ainsi dominées par la prise de conscience d'un processus révolutionnaire qui a échappé à toutes les prévisions. Pour s'étendre, la vague révolutionnaire, dès lors que la révolution européenne n'a pas suivi, doit avoir un point de départ assuré et stable, ce qui n'est pas le cas du petit État soviétique en butte à toutes les exigences et à toutes les hostilités.

La montée constante des volontés nationales, leur intégration dans une politique internationale dirigée contre l'État bolchevique appellent des réponses auxquelles Lénine et ses compagnons ne sont pas préparés. Quelle politique adopter lorsque l'exigence d'autodétermination est tantôt un problème interne, tantôt un problème international ? Il est aisé pour l'historien qui déchiffre après coup la trame des événements d'y retrouver un dessein clair, une politique cohérente. Mais pour écrire l'histoire il faut sonder honnêtement les intentions de ceux qui l'ont vécue. Leur action a-t-elle été inspirée de leurs idées, de leurs analyses antérieures ? A-t-elle été infléchie par le réel ? Les bolcheviks ont-ils gardé le contrôle du problème national ? Ou bien ont-ils été à la traîne des événements, s'efforçant de résoudre au jour le jour les difficultés, de limiter les désastres ?

Ce n'est pas le lieu ici de refaire l'histoire de la désintégration nationale de la Russie, qui a été décrite de façon inégalable par R. Pipes [1]. C'est à partir de là, dans un Empire en miettes, que l'on situera l'action de Lénine.

Les autodéterminations « protégées »

Dès février 1917, les deux nations capables de revendiquer une indépendance totale l'ont fait. Polonais et Finlandais avaient eu, dans l'Empire déjà, une situation particulière due à leur passé national, leur structure sociale et leur expérience politique. Lénine en était conscient, mais il espérait que les solidarités de classe l'emporteraient dans la révolution sur les tendances centrifuges [2].

L'indépendance polonaise était un fait acquis en octobre 1917 [3]. La guerre, l'occupation allemande avaient résolu le problème polonais sans initiative russe. D'une certaine manière, tous ceux qui ont eu la responsabilité de la Russie après la chute de l'Empire, du Gouvernement provisoire à Lénine, ont accepté cette solution parce que depuis plus d'un demi-siècle, la question polonaise était internationalisée. Cependant, Lénine montre ici sa capacité d'adaptation aux réalités. Que l'indépendance polonaise ait été le fruit de la politique allemande, il l'admet. Mais à partir de l'été 1918, pour reprendre l'initiative, il proclame qu'il y a un lien étroit entre la volonté bolchevique d'émancipation des nations et l'autodétermination de la Pologne [4].

Les Finlandais ont fait preuve d'une même volonté d'indépendance, mais les bolcheviks ont été réticents à leur accorder le droit de séparation. La Finlande semble être, à l'automne 1917, en situation révolutionnaire, au sens où Lénine l'entend. Un parti social-démocrate bien organisé, soutenu par l'armée russe encore stationnée en territoire finlandais, semble capable d'orienter l'autodétermination dans la voie de l'union et non de la séparation. Admettre la séparation, c'est donner l'avantage à la bourgeoisie finlandaise sur le prolétariat qui existe. L'attitude à adopter ici a divisé les bolcheviks. Le *Sovnarkom* (Conseil des commissaires du peuple, que préside Lénine) répond à la demande de séparation du gouvernement finlandais, par le décret du 18 décembre 1917 [5] qui reconnaît l'existence de l'État finlandais indépendant, procédure escamotée en Pologne. Mais Staline est intervenu dans le débat du Comité exécutif central (VCIK), qui devait approuver le décret, pour souligner l'aberration de cette reconnaissance. Ayant à choisir entre les aspirations de la bourgeoisie et celles du prolétariat, ce sont, dit-il, les premières que l'État soviétique a privilégiées. C'est pourquoi, l'indépendance finlandaise à peine reconnue, les bolcheviks vont y encourager une autre autodétermination, celle de la classe ouvrière. Le 15 janvier 1918, un Conseil des représentants du peuple s'empare du pouvoir à Helsinki, avec le concours de l'Armée rouge qui y stationne. Le gouvernement révolutionnaire dirigé par l'ancien président de la SEIM, Kullervo Manner, compte quatorze ministres, dont Edvard Gilling aux Finances, Eero Hayjatainen à la Guerre, Otto Kuusinen à l'Éducation, Irjo Sirola aux Affaires étrangères.

Ce gouvernement proclame la République socialiste des travailleurs de Finlande et signe le 1er mars 1918 un traité d'amitié avec l'État soviétique [6]. Ce dernier a accueilli la révolution finlandaise avec d'autant plus d'enthousiasme qu'elle s'inscrit dans la chaîne de révolutions attendue à l'ouest de la Russie. A la veille du « coup d'Helsinki », Lénine déclarait devant le congrès des cheminots [7] : « Une révolution est sur le point d'éclater en Finlande. » Et quelques jours plus tard, il conclut devant le IIIe congrès panrusse des Soviets : « Il n'y a pas longtemps, la presse bourgeoise braillait sans cesse que nous détruisons l'État russe, que nous ne savons pas gouverner, que c'est pour cela que toutes les nationalités se séparent de nous – la Finlande, l'Ukraine, etc. Nous nous taisions, convaincus que nos principes, notre action démontreraient mieux que des mots nos véritables buts et nos espoirs. Nous avions raison, nos idées ont triomphé en Finlande [8]. »

Le rôle des bolcheviks dans la révolution finlandaise est clair. Lénine et son commissaire aux Affaires étrangères Trotski répètent sans cesse leur intérêt pour un nouveau modèle de pouvoir prolétarien [9]. Mais le gouvernement Mannerheim que la Russie avait reconnu par le décret du 18 décembre réagit à l'action des bolcheviks en appelant l'Allemagne à l'aide. En quelques semaines, grâce à l'intervention allemande, la République socialiste des travailleurs de Finlande est anéantie et ses dirigeants s'exilent à Moscou.

L'échec de la révolution finlandaise est le premier d'une série qui s'étendra à l'Allemagne – à Berlin et en Bavière –, à la Hongrie, à l'Autriche. Première des cinq révolutions extérieures soutenues par la Russie entre 1918 et 1920, la révolution finlandaise s'effondre pour des raisons internationales, mais aussi intérieures.

L'intervention allemande y a joué un rôle décisif, brisant le gouvernement révolutionnaire puis rétablissant

l'autorité du gouvernement Mannerheim. Mais la faiblesse et l'inconséquence des socialistes finlandais sont
aussi causes de cette évolution. Le parti communiste
finlandais ne sera fondé qu'en août 1918, une fois les
espoirs de revenir au pouvoir évanouis. Les révolutionnaires d'Helsinki étaient en fait des sociaux-démocrates
attachés à la légalité, à la démocratie et au formalisme
parlementaire, et par là même incapables de lutter contre
leurs compatriotes renforcés d'une aide extérieure.

Le cas finlandais illustre bien les perplexités des
bolcheviks à cette époque. En quelques semaines, ils
acceptent une autodétermination à contrecœur, puis
encouragent une révolution qui la remet en question, et
enfin constatent l'échec de la révolution et des fausses
manœuvres qui y ont conduit [10]. La Finlande devra son
indépendance non à l'attachement de Lénine aux principes qu'il a lui-même formulés et qu'il n'hésite pas à
trahir, mais à la puissance allemande. Cette expérience
marquera durablement les relations futures entre les deux
pays. Elle apprendra aussi à d'autres nations que l'autodétermination, pour aboutir, doit recourir à l'appui d'un
État tiers.

Les relations des bolcheviks et des pays baltes en sont
aussi une illustration, même si les trois États baltes n'ont
conquis leur indépendance qu'après de longs détours.
L'Estonie et la Lettonie ont vu se succéder en octobre
1917 des gouvernements soviétiques balayés par l'avance
militaire allemande, puis des gouvernements nationaux
après l'effondrement allemand de novembre 1918. En
Lituanie, en février 1918, un gouvernement national
proallemand est mis en place; avec la défaite allemande,
le problème du pouvoir est posé. Les bolcheviks évoluent
alors de l'idée de l'autodétermination nationale à une
autodétermination réservée aux travailleurs et expérimen-
tée partiellement en Finlande, quelques mois plus tôt.
Staline y insiste dans un long article publié par la
Pravda [11], et la pratique en témoigne. Ce fut le cas en
Estonie où le départ des troupes allemandes permet
l'instauration d'une république soviétique nommée Commune des travailleurs d'Estlandie. Elle est reconnue par la

RSFSR le 7 décembre 1918 [12] et le *Sovnarkom* décide de l'aider militairement et financièrement [13]. Il en va de même en Lettonie où un Gouvernement des députés ouvriers, paysans sans terre et streltsy sous la présidence de Stoutchka, est formé le 4 décembre 1918, qui proclame l'indépendance de la République [14]. Comme la Commune d'Estlandie, elle est reconnue et assistée par la Russie [15].

Cependant, comme les précédents gouvernements d'Estonie et de Lettonie, les gouvernements soviétiques auront une existence éphémère sous la pression anglaise. La flotte anglaise, présente dans la Baltique, soutient la restauration de gouvernements nationaux bourgeois dans les deux pays. La guerre civile interdit aux bolcheviks d'intervenir car Ioudenitch utilise les États baltes comme base de son action. Quand enfin les bolcheviks remportent la victoire, les deux États sauvegardent leur indépendance. Il est difficile d'y provoquer de nouvelles révolutions, de les intégrer de force à la Russie, l'Angleterre ne l'accepterait pas. De plus les bolcheviks ne peuvent invoquer ici la sécurité de la RSFSR. L'hostilité que les projets panrusses de Ioudenitch ont provoquée dans ces deux États témoigne qu'aucune menace ne pèse sur l'État des Soviets depuis les rives de la Baltique. Enfin, l'État soviétique songe déjà aux nécessités du commerce extérieur [16]. Riga et Tallin pourront éventuellement servir d'intermédiaires entre la RSFSR encore isolée et les puissances capitalistes.

Mais surtout, il faut considérer qu'au moment où la RSFSR reconnaît, par les traités de paix de février et août 1920 [17], la souveraineté des États baltes et leurs frontières, Lénine croit à l'imminence d'une nouvelle vague révolutionnaire. Découragé en 1919 par les échecs subis en Hongrie et en Allemagne, il entrevoit l'année suivante un nouvel élan des révolutions. Contre l'avis de nombre de ses collègues [18], alors qu'il avait été hostile à l'aventure berlinoise, il décide de transformer la guerre en Pologne en guerre révolutionnaire. S'attendant à un déferlement révolutionnaire sur toute l'Europe [19], Lénine considère qu'il ne peut distraire des forces pour reconquérir les

États baltes dont les régimes bourgeois sont de toute façon condamnés.

Plus encore qu'en Estonie et Lettonie, le sort de la Lituanie a été lié à la situation internationale. Le gouvernement national soutenu par les Allemands s'effondre avec eux, faisant place à un Gouvernement révolutionnaire provisoire présidé par Mitskevitch-Kapsukas [20], reconnu par la RSFSR le 22 décembre 1918 [21]. En février 1919, l'union de la Lituanie et de la Biélorussie est proclamée. Un gouvernement commun est installé le 27 février à Vilno [22]. Cette union prend tout son sens à la lumière des liens fédératifs existant entre la RSFSR et la Biélorussie. Ainsi, sans qu'il y ait eu reconquête de la Lituanie, celle-ci entre dès le début de 1919, comme les deux autres États baltes, dans une alliance extrêmement étroite avec la RSFSR.

Mais là encore, le contexte extérieur – la guerre russo-polonaise – va arrêter ce rapprochement. Quand les troupes polonaises prennent Vilno, la République soviétique de Lituanie-Biélorussie cesse d'exister. Lorsque l'armée polonaise recule, la Lituanie n'est pas disposée à retomber dans l'orbite soviétique et la RSFSR doit reconnaître par le traité de paix de juillet 1920 son droit à l'indépendance [23].

La Pologne, la Finlande et les États baltes sont à partir de 1920 des États souverains, dont l'indépendance ne sera plus contestée par l'État soviétique, jusqu'au moment où les conditions internationales lui permettront de remettre en question les traités et les statuts de cette époque. A l'exception de la Pologne qui a su se soustraire immédiatement et sans retour à l'influence des bolcheviks, les autres États ont acquis leur indépendance, plus qu'ils ne l'ont conquise, grâce à une pression internationale continue. C'est l'occupation allemande, la guerre polonaise, la volonté anglaise qui imposent aux bolcheviks de les laisser interpréter à leur guise l'autodétermination. Les bolcheviks ont d'ailleurs varié au gré des circonstances, affirmant que l'autodétermination appartient aux nations lorsque celles-ci sont assez fortes, ou soutenues de l'extérieur pour imposer cette interprétation, ou découvrant les volontés des travailleurs doivent l'emporter lorsqu'il semblait possible de peser sur la politique intérieure des États nationaux et de soutenir des gouvernements révolutionnaires.

Ils ont surtout espéré que la révolution européenne, dont leur offensive en Pologne devait être le détonateur, enlèverait le moment venu toute signification aux indépendances acquises. En août 1920, après avoir échoué à porter la révolution en Pologne, quand l'heure du repli est venue, Lénine analyse encore la situation en termes internationaux. Il lui faut trouver un *modus vivendi* à l'ouest, assurer la sécurité des frontières soviétiques et entamer des négociations commerciales. Ces ambitions imposent que les pays capitalistes ne soient pas effrayés par une politique de reconquêtes territoriales. De plus, Lénine espère que l'autodétermination, reconnue plus qu'accordée, créera entre la RSFSR et le monde capitaliste une zone-tampon d'États bien disposés envers l'État soviétique : un glacis protecteur pour la révolution.

L'autodétermination proclamée par Lénine a ainsi fonctionné aux frontières occidentales de la Russie parce que les conditions internationales l'ont imposée. Tandis que la révolution européenne tardait, les puissances du continent secouraient les nations avides d'indépendance, espérant que ce glacis les protègeraient de la révolution.

Les autodéterminations éphémères

L'Ukraine et la Finlande ont souvent été placées par les bolcheviks dans une même catégorie. Avant 1917, Lénine dit qu'il reconnaît à l'Ukraine comme à la Finlande le droit à l'indépendance [24]. Mais en janvier 1918 il est déjà plus nuancé : « Nos idées triomphent maintenant en Finlande et en Ukraine[25]. »

A y regarder de plus près, on constate que l'analogie n'a existé qu'un temps, et que la situation confuse de l'Ukraine a favorisé les changements de position des

bolcheviks. Le 19 novembre 1917, la *Rada* d'Ukraine a
instauré la république sans user pour autant du droit de
séparation [26]. Les idées fédéralistes développées à la fin du
siècle par l'intelligentsia ukrainienne semblent triompher.
Mais progressivement, une dissociation s'opère au sein
des forces politiques ukrainiennes. Tandis que la *Rada*,
effrayée du chaos russe, proclame le 28 janvier 1918
l'indépendance [27], le Ier congrès des Soviets d'Ukraine,
réuni le 12 décembre 1917, dénonce les tendances petites-
bourgeoises de la *Rada* et se réclame de la République
soviétique d'Ukraine, « partie intégrante de la République
fédérative de Russie [28] ».

Dans un télégramme au *Sovnarkom*, le gouvernement
soviétique ukrainien installé à Kharkov dit « l'identité des
intérêts des peuples russe et ukrainien [29] ». Il impose son
autorité sur les principales villes d'Ukraine, réduisant sans
cesse le domaine de la *Rada*. Ainsi l'autodétermination
des classes laborieuses, aidée il est vrai par les troupes
bolcheviques, semble avoir prévalu très vite sur les
volontés purement nationales. On comprend l'optimisme
de Lénine à cette époque. Mais là encore, la situation
internationale va bouleverser les relations entre Petrograd
et les Ukrainiens. Incapables de résister à la pression
bolchevique, les dirigeants de la *Rada* font appel aux
Empires centraux. A Brest-Litovsk, où Trotski discute des
conditions de paix, des représentants de la *Rada* revendiquent le droit de négocier séparément et concluent le
9 février 1918 une paix séparée. La République ukrainienne fondée par la *Rada* en novembre 1917 est reconnue par les Empires centraux [30]. Mais, au même moment,
l'Armée rouge prend Kiev et le gouvernement de la *Rada*
dont c'est la capitale fuit à Jitomir. En fait, la République
d'Ukraine a cessé d'exister. La rupture des pourparlers de
Brest-Litovsk bouleverse encore une fois la situation. Les
troupes allemandes progressent en Ukraine, prennent
Kiev, mettent fin au gouvernement soviétique ukrainien.
Après des années d'hésitation l'Allemagne se prononce
pour le séparatisme ukrainien, qui prive la Russie de
régions riches et les ouvre à la pénétration allemande [31].
Le traité de Brest-Litovsk contraint la Russie à recon-

naître l'indépendance ukrainienne. Le sens de l'autodétermination a changé une fois encore.

Mais la volonté dominatrice allemande en Ukraine se
manifeste immédiatement. A la *Rada*, qui défend les
intérêts nationaux, les Allemands substituent un gouvernement de leur création. Ils soutiennent l'hetman Skoropadski qui abolit toutes les réformes sociales de la période
révolutionnaire[32]. Les Ukrainiens sont hostiles à un
pouvoir conservateur qui accepte la domination étrangère. La défaite allemande et la chute de l'hetman qui suit
le retrait des troupes allemandes, loin de simplifier la vie
politique ukrainienne, vont multiplier les centres d'autorité.

Une République nationale avec un Directoire dont le
chef de file est Petlioura et le président Vinitchenko
s'instaure à Kiev. Pour protéger l'indépendance ukrainienne, le Directoire appelle à l'aide, sans grand succès,
les forces françaises présentes à Odessa[33].

La République nationale survécut tant bien que mal
jusqu'à la fin de la guerre civile, tandis qu'en Galicie, un
État d'Ukraine occidentale exista jusqu'à l'effondrement
des Empires centraux, puis fut incorporé à la République
ukrainienne.

L'Ukraine a vécu deux années sanglantes. Les armées
françaises, les armées blanches dirigées par le général
Dénikine, l'Armée rouge, le mouvement anarchiste de
Makhno ont enlevé toute autorité aux gouvernements
locaux. Dans cette situation anarchique où l'État soviétique fut en concurrence avec d'autres États, quelle pouvait
être l'action des bolcheviks? Et dans quels buts?

Cette action a subi l'influence du chaos régnant en
Ukraine. Le terme même de « politique bolchevique » est
inadéquat car des positions diverses s'y sont violemment
heurtées. Lénine a d'abord entériné les deux formes
contraires d'autodétermination; puis, l'Ukraine occupée
par les troupes allemandes, il ne se préoccupe plus que de
la sécurité de l'État soviétique. L'Ukraine est en 1918 le
centre de rassemblement de tous les adversaires du
régime bolchevique. Il ne s'agit plus d'y propager les idées
révolutionnaires mais de neutraliser ceux qui incarnent le

pouvoir, même s'il s'agit de Skoropadski. C'est pourquoi Lénine charge Rakovski d'entrer en contact avec l'hetman et de négocier la paix [34].

Mais sa volonté d'aboutir à un accord en Ukraine se heurte aux organisations communistes d'Ukraine qui poursuivent sur place une politique insurrectionnelle. Piatakov, le fondateur de la première République soviétique d'Ukraine, est aussi le principal artisan de l'action insurrectionnelle condamnée par Lénine. On touche ici à deux contradictions de la politique des bolcheviks : l'une concerne l'autodétermination, et l'autre, l'organisation du parti.

Hostile à l'autodétermination voulue par Lénine, Piatakov prône une organisation autonome des communistes ukrainiens, non par nationalisme, mais par souci d'efficacité. Pour Piatakov, un parti autonome serait mieux armé pour lutter contre l'occupation allemande et éliminer le gouvernement Skoropadski. Piatakov est convaincu que le parti bolchevique trop éloigné et préoccupé des problèmes russes ne peut que freiner l'action des communistes ukrainiens [35]. Ses idées sont combattues par Lénine en Russie, mais surtout en Ukraine par un groupe de communistes d'Ekaterinoslav pour qui l'État soviétique ne peut pour des raisons de viabilité économique reconnaître à l'Ukraine la possession des grands centres industriels de Kharkov, Ekaterinoslav, Krivoïrog et du Donbass. Originaires de régions industrielles où existe un prolétariat ouvrier, ils insistent sur l'unité des classes ouvrières russe et ukrainienne, et en son nom repoussent l'idée d'un parti indépendant et de la séparation [36].

Ces deux fractions s'affrontent en avril 1918, à Taganrog, lors du congrès constitutif du parti ukrainien. Contre la proposition Piatakov de créer un parti indépendant est avancé le projet d'un « parti bolchevique russe, section ukrainienne ». C'est un compromis qui prévaudra : Skrypnik fait ajouter « bolchevique » à Parti communiste d'Ukraine [37]. Ainsi sont réconciliés les partisans d'une organisation indépendante et ceux qui veulent la lier au parti bolchevique.

Lénine est alors indifférent à ce conflit et préoccupé

des conséquences, pour la Russie, de l'action du groupe Piatakov. Au nom d'un « Gouvernement soviétique de l'Ukraine », Piatakov appelle les Ukrainiens à l'insurrection générale et ses partisans organisent des raids en territoires occupés à partir de la zone-tampon qui sépare Russes et Allemands.

Lénine ne peut le tolérer; il craint des représailles allemandes contre la Russie. La situation en Ukraine plus que partout ailleurs lui montre combien les intérêts des nations indépendantes, voire des prolétariats qui ont bénéficié de l'indépendance, et ceux de l'État soviétique peuvent être contraires. Parce qu'il n'a, à l'été 1918, aucun moyen d'imposer sa volonté aux communistes ukrainiens, il est plus convaincu que jamais de la nécessité de centraliser les organisations communistes. Quelques mois plus tard, ses thèses l'emportent, car le soulèvement de l'Ukraine organisé en août par Piatakov et ses amis tourne au désastre [38].

Lorsque, en octobre 1918, le parti communiste ukrainien tient son congrès à Moscou, Lénine lui impose sa direction et sa tactique. Staline entre au Comité central du parti communiste ukrainien et est chargé de la liaison avec le parti bolchevik [39]. Piatakov et ses amis conservent leurs postes, mais doivent se soumettre. Au soulèvement populaire, Lénine obtient qu'on substitue une politique prudente d'agitation de la classe ouvrière et qu'on attende la fin de l'occupation.

Avec la chute des Empires centraux le traité de Brest disparaît; la Russie peut songer à redéfinir ses liens avec l'Ukraine. Une fois encore, la politique des bolcheviks va différer selon le lieu où elle s'élabore. Piatakov forme un gouvernement à Koursk qui distribue la terre aux paysans et nationalise les entreprises [40]. Un Soviet se constitue à Kharkov [41]. L'Armée rouge progresse pendant ce temps en Ukraine. Le Directoire, reformé lors du départ des armées allemandes, dénonce tout à la fois l'action de Piatakov et la marche de l'Armée rouge qu'il qualifie de retour au projet impérial des tsars [42]. Il déclare aussi la guerre à la Russie, ce qui n'arrête pas l'Armée rouge. La République soviétique d'Ukraine est rétablie sous l'autorité de Rakovski [43] qui est prêt, contrairement à Piatakov, à appliquer la politique de Lénine.

Au terme de ces années troublées, l'Ukraine garde, pour le moment, un statut d'indépendance. Mais cette indépendance est limitée par l'autorité des bolcheviks sur le parti ukrainien et par les besoins économiques de la Russie. Depuis le IIᵉ congrès du parti communiste ukrainien, Lénine a clairement affirmé la subordination du parti ukrainien au parti bolchevique. Il a de surcroît imposé ses collaborateurs dans les organes dirigeants du parti ukrainien pour l'empêcher de manifester des tendances autonomistes. Mais ceci ne suffit pas à assurer une politique cohérente et continue. Les compétences entre Russie et Ukraine et entre partis des deux États ne sont pas délimitées. Il en résultera une succession de heurts entre Russes et Ukrainiens, une pression continue de Lénine sur l'Ukraine, des rancœurs et une considérable confusion.

Plus encore que l'imbrication des autorités, c'est la situation économique de la Russie qui est au cœur des difficultés entre Russes et Ukrainiens. Lorsque Rakovski prend le pouvoir, Lénine lui donne pour tâche première de « nourrir le Nord affamé ». Dans la situation économiquement intolérable de la Russie de 1919, le contrôle des richesses agricoles de l'Ukraine est une nécessité impérative. Rakovski écrira quelques mois plus tard [44] : « Nous sommes entrés en Ukraine au moment où la Russie soviétique passait par une crise de production excessivement grave; nous avons abordé l'Ukraine avec l'idée de l'exploiter au maximum pour soulager la crise. »

Ainsi la politique de Lénine va-t-elle, en 1919, suivre en Ukraine un double cours. L'indépendance ukrainienne est restaurée parce qu'il croit que la Russie doit respecter les volontés nationales sous peine de provoquer des crises. Au VIIIᵉ congrès du Parti communiste russe (PCR) il s'oppose avec force à Boukharine et Piatakov qui nient la nécessité de l'autodétermination en prétendant la limiter aux seuls prolétaires. Contre Piatakov, il utilise des arguments qui mettent d'ailleurs en lumière les contradictions de sa propre politique. « Quand le camarade Piatakov dit que les communistes ukrainiens se plient aux directives du Comité central du PCR, je n'ai pas compris sur quel ton il le dit. Avec regret ? Je ne le soupçonne pas de cela. Mais le sens du discours était : pourquoi faire l'autodétermination, quand il y a un admirable Comité central à Moscou [45] ? »

Mais Lénine concède aussi à Piatakov « qu'il a mille fois raison en disant que l'unité nous est indispensable [46] ». Les résolutions du VIIIe congrès précisent que le parti doit être unitaire, que le centralisme démocratique prime sur les réalités nationales, que « les comités centraux, ukrainiens [...] sont totalement subordonnés au Comité central du PCR [47] ».

Les besoins économiques de la Russie s'ajoutent au souci de l'unité des organisations et expliquent un interventionnisme permanent en Ukraine. Lénine insiste toujours sur son droit à trancher, à ordonner au nom de son parti, du *Sovnarkom*, des organes de défense. Il se heurte alors aux dirigeants ukrainiens qu'il a lui-même mis en place et qui revendiquent une autonomie d'action en invoquant d'ailleurs Lénine qui répète toujours que la Russie doit respecter la souveraineté des États. Jusqu'en 1920, il maintiendra ce principe contre ceux qui lui en démontrent les limites et l'inutilité. Mais en même temps, harcelé par les nécessités matérielles et militaires, il le transgresse sans arrêt dans la pratique. Ainsi il télégraphie à Trotski le 22 mai 1919 que, pour arracher du blé aux Ukrainiens et régler les problèmes militaires, « il faudrait envoyer un bataillon de confiance de tchékistes, plusieurs centaines de marins de la Baltique intéressés à obtenir du blé et du charbon, un détachement d'ouvriers de Moscou ou Ivanovo-Voznessensk et quelques dizaines de propagandistes sérieux [48] ».

Les textes donnant naissance à un organe unique de défense de la RSFSR, de l'Ukraine, des États baltes et de la Biélorussie confèrent à la pratique centraliste de Lénine une dimension nouvelle et une légitimité. Le projet du Comité central du parti prévoit que les problèmes liés à l'armée (article 1) et aux transports (article 2) seront placés sous l'autorité unique des organes compétents de la RSFSR [49]. La résolution du Comité exécutif central (VCIK) du 1er juin 1919 [50] souligne dans la même formule « l'indépendance et la capacité d'autodétermination des masses laborieuses » et les mesures d'unification.

Moins précise dans les termes que le projet du Comité central, la résolution du VCIK va ouvrir la voie à une pratique qui ne tient aucun compte du statut juridique d'indépendance. Dans la période de la guerre civile, pour Lénine ou Trotski les organes politiques et militaires ukrainiens n'ont été que des courroies de transmission, car l'urgence commandait une centralisation extrême des décisions. Sans doute Lénine a-t-il alors répété qu'après la défaite de Denikine, les Ukrainiens décideraient eux-mêmes de leurs relations avec la Russie. Mais, lorsque Denikine sera défait, Moscou se refusera à envisager une révision des mesures d'unification, un retour à l'indépendance des divers commissariats unifiés (Guerre et Travail) et la reconstitution d'une armée ukrainienne. La pratique unificatrice s'est transformée en droit. La volonté de maintenir l'autorité centralisatrice est évidente dans l'épisode suivant. Jugeant en mars 1920 que le Comité central fraîchement élu en Ukraine était antirusse, le Comité central du PCR proclame sa dissolution sans aucune délibération ou concertation.

L'autorité soviétique a été rétablie en 1920 dans des conditions déplorables. Les Ukrainiens conserveront durablement le souvenir de l'exploitation économique à laquelle ils ont été soumis, et des interventions permanentes de Moscou.

En Ukraine, comme ailleurs, il faut constater que l'autodétermination ne s'est exercée pleinement qu'aussi longtemps qu'une pression étrangère a renforcé la volonté nationale. En 1920, quand la Russie s'engage dans un processus de normalisation internationale, l'autodétermination ne retrouve pas ses droits. Pour s'être appuyée sur l'Allemagne vaincue, sur une France trop éloignée, sur la Pologne à l'heure où la Russie se renforce, l'Ukraine perdra une indépendance, qu'à Brest-Litovsk elle semblait avoir acquise.

Le cas de la Biélorussie s'apparente étroitement au cas

ukrainien par l'évolution politique des années 1917-1920. Cependant il s'en différencie aussi par une donnée capitale, l'absence en 1917 d'une véritable nation biélorusse. Cartes ethnographiques à l'appui, on constate combien il est difficile, voire impossible, de cerner au XIXe siècle la nation biélorusse, tant elle est imbriquée parmi des Polonais, des Lituaniens, des Juifs [51].

Sans doute, après 1905, certains intellectuels affirment-ils l'existence d'une nation de la Rus' Occidentale (*Zapadnaia Rus'*) distincte des nations russe et polonaise. Mais en 1917, ceux qui ont été recensés deux décennies plus tôt comme Biélorusses continuent à parler une vingtaine de dialectes que les linguistes classeront ensuite en quatre groupes [52] et qui ne diffèrent pas moins les uns des autres qu'ils ne diffèrent du russe, du polonais ou de l'ukrainien.

Le sentiment national biélorusse, s'il a existé avant 1917, est donc le fait d'un groupe réduit d'intellectuels, qui rêvent sur un passé national en partie mythique plus qu'ils ne restaurent une culture et une langue qui n'existent pas encore. De surcroît, quand il y a volonté de promouvoir une culture biélorusse, elle n'est pas dirigée, comme en Ukraine, contre la culture russe, mais au premier chef contre les cultures juive et polonaise.

Comme en Ukraine, un gouvernement soviétique s'installe à Minsk de la révolution russe à l'hiver 1918; l'avance allemande y met fin. Puis la *Hromada*, seul parti national, qui a subi un échec cuisant aux élections à la Constituante, convoque à Minsk un congrès national qui proclame l'indépendance de la Biélorussie et compte sur la protection des troupes allemandes. Mais, pour les Allemands, le séparatisme biélorusse n'est pas important et s'ils concèdent quelque compétence administrative au gouvernement fantoche de Biélorussie c'est qu'ils le tiennent pour un intermédiaire. Avec le départ des troupes allemandes, le problème de l'avenir est posé.

Les bolcheviks biélorusses exilés en Russie pendant l'occupation allemande préconisaient l'union avec la Russie et non la séparation [53]. Lorsqu'ils rentrent à Minsk, ils prennent conscience que l'idée nationale s'est étendue, non aux masses, certes, mais aux cadres administratifs, et au groupe restreint des Biélorusses urbanisés. Cadres et citadins pensent que l'État éphémère, même s'il n'a pas eu de compétence véritable, a été un très grand progrès; que grâce à lui les Biélorusses peuvent traiter avec les autres États, et d'abord avec la RSFSR, dans le cadre de leur propre État, et non dans un dialogue inégal de nationalité non étatique à nation-État.

Par ailleurs, des Biélorusses polonophiles, ou plus simplement polonais, plaident qu'il vaut mieux que la Biélorussie soit intégrée à la Pologne plutôt qu'à la Russie [54] et rappellent que Pilsudski est d'origine lituano-biélorusse.

Pour couper court au séparatisme comme à l'orientation polonaise, les bolcheviks biélorusses, peu nombreux au demeurant, vont plaider à Moscou la nécessité de conserver à la Biélorussie un statut national, même si les masses y sont totalement indifférentes. Ils réussissent sans mal à convaincre les bolcheviks de tenir compte des vœux d'une élite pourtant très réduite.

Le 31 janvier 1919 [55], la République soviétique de Biélorussie naît avec l'accord de Moscou. Sans doute sa souveraineté est-elle limitée par l'établissement immédiat de liens fédératifs « étroits dans les domaines économique et politique avec le frère aîné, l'État russe [56] ».

Le Ier congrès des Soviets de Biélorussie, réuni à Minsk les 2 et 3 février 1919, adopte une constitution hâtivement rédigée [57] et élit un Comité exécutif central à dominante bolchevique (45 membres) mais où siègent aussi deux représentants du Bund, deux membres du *Poale Zion* et un menchevik. La prééminence des bolcheviks en Biélorussie était acquise dès octobre 1917 puisqu'ils avaient obtenu plus de 60 % des voix à la Constituante, alors que pour l'ensemble du pays ils en avaient à peine le quart. Pourquoi les bolcheviks ont-ils préféré en 1919 une république indépendante à l'incorporation pure et simple de la Biélorussie à la Russie alors que la population était davantage consciente à ce moment de ce qui l'unissait à la Russie que de ce qui l'en séparait?

Deux raisons expliquent l'attitude bolchevique.

Méconnaissance des réalités tout d'abord. Les bolcheviks sont, en 1919, hantés par le cas ukrainien et tendent à le généraliser. Lénine doit réagir rapidement à une situation nouvelle : il veut couper court au séparatisme naissant, à l'attraction de la Pologne, en allant au-delà des exigences exprimées. L'indépendance de la Biélorussie résulte plus probablement d'une décision hâtive, mal préparée, que d'un dessein clair.

Mais aussi cette indépendance a des avantages de politique générale. L'union de la Biélorussie et de la Lituanie, décidée par les congrès des Soviets des deux Républiques réunis dans les premiers jours de février 1919 [58], intègre la Lituanie, attachée à son indépendance, dans un État où la majeure partie de la population est favorable à la Russie. Cet État binational va servir les desseins russes. Le 31 mai, le Conseil de défense de la double République (créé le 19 avril et composé de Mitskevitch-Kapsukas, Ounschlicht, Kalmanovitch) réclame l'union militaire de toutes les Républiques soviétiques [59]. Lancée au nom de deux nations indépendantes, la proposition est d'autant plus adroite que le projet ne semble pas venir de la Russie mais qu'au contraire il en appelle à sa protection. Peu importe qu'au moment où cette proposition est faite, seule subsiste une Biélorussie indépendante (la guerre avec la Pologne qui occupe Vilno ayant détaché la Lituanie) qui, dès ses origines, a considéré l'État russe comme le frère aîné.

Cet épisode éclaire l'utilité de l'indépendance biélorusse. Placée de par son statut souverain sur le même plan que les autres Républiques, elle sera l'agent d'un rapprochement avec la Russie dont aucune autre République ne prend l'initiative; et, n'eût été la guerre polonaise, elle tenait la Lituanie, dont l'indépendance avait disparu au bénéfice de l'unité, à l'écart de la protection britannique qui soutient les volontés nationales des deux autres nations baltes. En octobre 1920, l'armistice puis le traité de Riga qui ont mis fin à la guerre russo-polonaise réduisent la Biélorussie à son territoire initial. Le IIe congrès des Soviets de Biélorussie réuni à Minsk du 14 au 17 décembre 1920 complète la constitution de 1918 [60]. La parenthèse de l'union avec la Lituanie est ainsi fermée.

Malgré cela, la Biélorussie conserve son indépendance, mais défère déjà ses compétences internationales à la Russie. Le congrès des Soviets décide qu'il appartient au frère aîné de la représenter aux négociations avec la Pologne, de régler ses problèmes frontaliers et de signer tous les traités qui peuvent en découler. Mandat large qui ouvre la voie à une dévolution générale de compétences.

L'autodétermination de la Biélorussie s'est accomplie dans un contexte international assez semblable à celui de l'Ukraine ou des États baltes. Mais le sentiment national biélorusse n'a été soutenu par aucune puissance, de même qu'il ne s'est manifesté qu'épisodiquement par la voix de la *Hromada*. Ce sont les bolcheviks qui ont voulu une indépendance à peine demandée, et qui n'est ici qu'une étape destinée à illustrer l' « internationalisme ».

Les trois États du Caucase, Géorgie, Arménie, Azrbaïdjan, enfin, ont aussi suivi un chemin étroitement lié aux données internationales. Quand les bolcheviks s'emparent du pouvoir, la situation de la région est compliquée par les conflits entre nations voisines et par la présence aux frontières de la Géorgie et de l'Arménie d'une Turquie dont la menace est toujours ressentie. Tout divise les nations étroitement imbriquées au Caucase : les religions, les cultures, les intérêts économiques, les frontières parfois [61].

A ces confins l'indépendance suit des voies particulières. En octobre 1917 un Commissariat caucasien où les Géorgiens jouent un rôle prééminent et que préside le social-démocrate Gegechkori [62] réalise l'unité de la région. Ce Commissariat attend de l'Assemblée constituante qu'elle décide de l'avenir des nations de Russie. Mais la dissolution de la Constituante et l'hostilité aux bolcheviks conduisent le gouvernement du Caucase à adopter une attitude indépendante à l'égard de la Russie, même si elle ne se traduit pas encore dans un statut juridique [63]. L'étape suivante est franchie lors de la signature du traité de Brest-Litovsk. Les bolcheviks agissant en héritiers légitimes des tsars, (continuité qu'ils récusent par ailleurs), acceptent de céder à la Turquie Batoum et les anciens Vilayets de Kars et Ardahan. Cette décision unilatérale que n'a précédée aucune consultation des intéressés – Géorgie et Arménie – provoque la sécession. Le 25 avril 1918, la République fédérale transcaucasienne est proclamée [64].

L'organisation politique du Caucase juxtapose d'abord trois systèmes : la République fédérale, la Commune de Bakou, citadelle bolchevique présidée par Chaumian, les régions cédées à la Turquie et qui passent sous son autorité. Un mois après sa création, le 26 mai 1918, la République explose sous le coup des rivalités nationales pour laisser place à trois États indépendants, dominés chacun par un parti politique : les *mencheviks* en Géorgie, les *Dachnaks* en Arménie, le *Mussavat* en Azerbaïdjan. Le dernier de ces États est d'ailleurs privé de son centre principal, Bakou, où le pouvoir bolchevique durera jusqu'en juillet 1918 [65]. La progression des troupes turques, à l'été 1918, supprime l'indépendance arménienne et azérie, même si dans le second cas un gouvernement fantoche s'efforce de tirer profit de sa solidarité culturelle et religieuse avec la Turquie. La Géorgie sauve alors son indépendance grâce à la recherche permanente d'appuis extérieurs.

C'est d'abord de l'Allemagne, présente au Caucase par l'intermédiaire de son allié turc, que la Géorgie a attendu un soutien. Le traité germano-géorgien du 28 mai 1918 [66] est révélateur de la multiplicité des intentions allemandes. L'Allemagne veut tout à la fois obtenir du manganèse géorgien, contrôler la route pétrolière et ne pas heurter l'État soviétique. En échange de livraisons de manganèse et d'une présence en Géorgie, l'Allemagne garantit à ce pays que la Turquie n'essaiera pas d'y étendre les avantages acquis à Brest-Litovsk. Mais avant de reconnaître *de jure* l'État géorgien, l'Allemagne obtient de la Russie, dans un accord additionnel au traité de Brest-Litovsk (27 août 1918), qu'elle reconnaisse aussi la Géorgie [67].

Jusqu'en septembre 1918, les mencheviks au pouvoir à Tiflis ont ainsi fondé leur indépendance sur un subtil jeu à quatre. Immédiatement menacés par la Turquie, méfiants à l'égard des bolcheviks, ils tirent argument auprès de l'Allemagne des avantages économiques et stratégiques que leur alliance lui offre. De Géorgie, l'Allemagne peut à la fois surveiller l'accès à la mer Noire et contrôler les velléités de l'État soviétique de se rapprocher des régions où sont concentrées les ressources pétrolières. Mais les mencheviks géorgiens sont conscients que l'Allemagne peut avoir intérêt à ménager la RSFSR, et ils misent sur les rivalités que crée entre les deux pays l'accès aux ressources naturelles de leur pays et aux gisements pétroliers du Caucase. De ces intérêts économiques opposés, les Géorgiens espèrent le maintien d'une hostilité suffisante entre les deux États pour inspirer à l'Allemagne le désir de se maintenir dans la région [68]. Consciente de sa vulnérabilité, la Géorgie a choisi une politique de concessions à l'Allemagne. Mais ce calcul est vite anéanti par l'évolution de la situation militaire. La défaite des Empires centraux est précédée au Caucase d'une progression rapide des troupes britanniques et le gouvernement menchevik entrevoit alors qu'il lui faut remplacer l'allié allemand par l'Angleterre.

En 1919, la situation géorgienne est plus compliquée qu'elle ne l'avait été lorsque l'Allemagne dominait la région. Sans doute la politique anglaise est-elle favorable à l'indépendance de la Géorgie et pousse-t-elle à la présence de cet État à la conférence de la Paix [69]. Mais en même temps, les Alliés soutiennent alors les efforts des généraux blancs. Or ceux-ci sont formels, l'avenir de la Russie passe par le rétablissement de l'unité [70]. A cette première contradiction dans les conceptions des alliés, s'en ajoute une seconde.

Tandis que la Géorgie, et avec elle l'Arménie et l'Azerbaïdjan, à qui l'effondrement turc a rendu une existence nationale, cherchent à préserver leur indépendance, les alliés s'inquiètent de l'émergence d'un grand nombre de petits États dont la viabilité leur paraît douteuse. A de multiples États indépendants ils préfèrent, au Caucase, un regroupement semblable à la fédération du début de l'année 1918 [71]. Et aussi longtemps que les armées blanches semblent en état de s'imposer, les alliés ne veulent pas décider seuls du sort du Caucase ni dissocier son avenir de celui de la Russie [72].

La défaite de Denikine simplifie la situation. Le Conseil suprême allié reconnaît l'indépendance des trois Républiques caucasiennes. Mais celles-ci, conscientes que la fin de l'état transitoire lié à la guerre approche, font une dernière tentative pour soustraire leur sort à l'initiative soviétique. Chaque République cherche la protection d'une puissance, États-Unis, Angleterre, Italie [73], ou encore une protection multilatérale. Les Républiques caucasiennes sont prêtes à payer leur survie d'un abandon partiel de souveraineté à une puissance mandataire, afin de sauvegarder l'essentiel, une existence nationale que la Russie ne puisse remettre en question.

En ce qui concerne le Caucase, Lénine n'a jamais dit que l'autodétermination pourrait prendre sa signification extrême. La Commune de Bakou témoigne au début de 1918 que les bolcheviks ne veulent pas être exclus de la région. Jusqu'en 1920, la situation internationale leur impose la prudence [74]. Mais ensuite les circonstances les poussent à intervenir. Les Britanniques se retirent de la région dont dépend la survie de l'État soviétique. A la différence des États baltes ou de la Finlande, la Russie ne peut se passer du Caucase. Elle en tire l'essentiel de ses ressources pétrolières et des ressources minérales indispensables à son existence [75]. Aussi longtemps que subsiste l'illusion d'une révolution européenne, le problème est effacé par l'attente d'une aide extérieure. Pourtant, dans ce cas spécifique, l'expansion de la révolution en Europe n'a jamais servi d'argument pour justifier un Caucase indépendant. Plus encore que l'Ukraine, le Caucase est indispensable par ses ressources énergétiques au développement économique de la Russie. Lorsqu'il apparaît que celle-ci ne pourra compter que sur ses propres moyens – Lénine en est conscient dès la fin de 1919 –, la reconquête du Caucase est inscrite dans les faits. Cette reconquête sera rapide en Azerbaïdjan où en avril 1920 un Comité militaire révolutionnaire remplace le gouvernement mussavatiste et appelle la Russie à l'aide [76]. Dans son

Projet de thèses sur la question nationale et coloniale, préparé à l'intention du IIᵉ congrès du Komintern, Lénine affirme le 5 juillet que l'Azerbaïdjan entretient déjà des liens fédéraux avec la RSFSR [77], alors que les accords entre les deux Républiques ne seront signés que trois mois plus tard. Mais pour Lénine la situation de fait se traduit d'emblée en termes juridiques.

Le sort de l'Arménie, plus étroitement lié au problème des conflits pour le pouvoir en Turquie, ne sera définitivement réglé qu'en novembre 1920 [78] par l'instauration d'une République soviétique, où l'ordre interne sera constamment menacé et maintenu par les soins de l'Armée rouge.

Dans cette période de reconquête, la Géorgie menchevique réussit à maintenir son indépendance et bénéficie encore, fait étonnant, d'une apparente neutralité de la RSFSR. Le 7 mai 1920, les deux États signent un traité qui assure à la Géorgie sa reconnaissance; en échange la Géorgie reconnaît l'Azerbaïdjan soviétique [79]. Cette indépendance préservée et renforcée par l'article premier du traité, où la Russie reconnaît explicitement qu'elle n'a aucun droit à intervenir dans une Géorgie souveraine, a trois raisons d'être. Comme toujours une situation internationale qui redevient difficile pour la Russie – la Pologne menace et les bolcheviks ne peuvent envisager de mener simultanément des opérations millitaires à leurs frontières occidentales et au Caucase. Deuxième raison, internationale aussi pour partie, la Géorgie est dirigée par un gouvernement menchevique qui attire la sympathie des socialistes européens. Provisoirement, la caution d'hommes comme Henri de Man protège la Géorgie. Enfin, le sentiment national géorgien est très fort, les bolcheviks en sont conscients, ils savent qu'il faudra pour le réduire employer la force. Or l'usage de la force contre un pays qui bénéficie d'une grande sympathie internationale serait au printemps 1920 particulièrement maladroit.

Ces raisons imposent aux bolcheviks d'attendre, de rassurer la Géorgie. Mais ils n'en sont pas pour autant inactifs. Le traité contraint la Géorgie à assurer une existence légale aux organisations communistes, qui entendent détruire le menchevisme. Et les instruments de l'assaut prochain se mettent en place : une organisation du parti chargée des affaires caucasiennes et la XIᵉ armée qui doit maintenir l'ordre dans la région.

En 1920, quand l'État soviétique est libéré des dangers intérieurs et des guerres extérieures, le destin de la plupart des anciennes possessions de l'Empire russe est déjà scellé. Certaines nations ont, à l'ombre de grandes puissances, assuré définitivement leur indépendance. Mais pour l'Ukraine, la Biélorussie et les États du Caucase, la pression internationale n'a pas suffi. La vision d'après-guerre des États vainqueurs s'arrête aux frontières occidentales de l'État soviétique. Ailleurs, le retrait des troupes d'intervention entraîne un recul de l'intérêt pour le destin des États. Le pétrole du Caucase est trop loin, l'Ukraine trop slave, la Biélorussie inconnue. Privés de soutiens extérieurs, ces États ne connaîtront d'indépendance que momentanée, fluctuant au gré des mouvements militaires. Et lorsque le monde d'après-guerre se dessine, que l'Angleterre s'engage dans la voie de la normalisation des relations avec un État soviétique qui, parce qu'il a survécu, s'impose à la vie internationale, le sort de certaines nations de l'ex-Empire dépend à nouveau de la Russie. La souveraineté formelle des États ne subsistera qu'aussi longtemps que la RSFSR s'en accommodera ou devra la subir. Mais déjà s'accumulent les signes d'une intégration dans un ensemble dont la RSFSR sera l'organisateur et le centre.

L'autodétermination dans le cadre de la Russie

Le IIIᵉ congrès des Soviets, en définissant les institutions de la République fédérative de la Russie, a commencé à fixer les transferts de compétences au sein de la fédération, donc le degré d'autonomie accordé à ses diverses composantes [80]. A cette époque, les dispositions, vagues au demeurant, adoptées par le IIIe congrès des Soviets n'ont qu'une portée théorique car nul ne sait encore où elles s'appliqueront. Les nations occupant une position périphérique ont déjà marqué une volonté d'indépendance ou sont en train de le faire. Reste à régler le sort de nations plus étroitement imbriquées aux Russes et dont les aspirations nationales n'ont pas toujours été exprimées jusqu'alors.

Lorsque au printemps 1918 le débat s'engage sur la future constitution, il oppose ceux qui veulent fonder l'État russe sur une décentralisation dont la rationalité serait économique, et ceux qui, comme Staline, entendent appliquer la décentralisation aux groupes nationaux.

Face aux groupes nationaux, dont la position géographique ou le retard de la conscience nationale ne favorisent pas des solutions extrêmes, la politique des bolcheviks sera empirique, liée aux circonstances, aux possibilités. D'une manière générale le statut des nations sera le fruit de la seule volonté des bolcheviks; il sera toujours décidé du centre.

La première expérience d'organisation fédérale sera faite en pays musulman. En mars 1918, Staline, alors commissaire aux Nationalités, arguant que les Tatars et les Bachkirs ont répondu à l'appel du IIIe congrès des Soviets, propose la création d'une République tataro-bachkir [81]. Un commissariat aux Affaires musulmanes, qui devait être initialement autonome, mais est rapidement réduit au rang de section du commissariat aux Nationalités, doit être chargé des problèmes concrets liés à la création de la République. La guerre civile déferlant sur le territoire des Tatars et des Bachkirs, l'hostilité de ces peuples à une union, alors qu'ils sont divisés par d'innombrables oppositions, fait disparaître tout à la fois la République unie et le commissariat aux Affaires musulmanes, privé par là de sa principale tâche. Un an plus tard, l'effondrement des armées de Koltchak rend l'initiative aux bolcheviks qui tiennent compte des leçons de l'échec de 1918. Les dirigeants nationaux bachkirs, opposés aux projets bolcheviques, s'étaient associés aux armées blanches. Mais heurtés par le russocentrisme de

Koltchak, ils ont ensuite changé de camp. Leur chef Validov conclut en mars 1919 un accord avec les bolcheviks qui stipule l'autonomie pour l'État bachkir au sein d'une fédération. L'accord de 1919 prévoit un degré d'autonomie peu compatible avec le statut fédéral puisque la République conserve la maîtrise totale de son système politique intérieur (seules les mines, les usines et les voies ferrées doivent relever d'un système commun) et garde ses forces armées, même si elles sont, en dernier ressort, subordonnées au Commissariat fédéral.

Le compromis de 1919 va donc très au-delà des concessions que les bolchevicks envisagent, mais il a le double avantage, dans l'immédiat, de détacher les Bachkirs des Blancs, et d'offrir à d'autres peuples engagés dans la même alliance un exemple attirant. A terme, l'expérience bachkir ne pouvait durer. Outre qu'aucune organisation fédérale ne peut laisser de telles compétences aux unités fédérées, la volonté de Validov et de ses collègues de donner un contenu bachkir à un État où cohabitent divers groupes nationaux, dont de nombreux Russes, entraîne immanquablement un développement du sentiment national bachkir, et non un apaisement des différends nationaux.

En 1919, Lénine doit justifier ce compromis devant le Parti et il le fait en invoquant la nécessité d'offrir aux « Khirghiz, Turkmènes, Uzbeks, Tadjiks qui sont jusqu'à présent sous l'influence de leurs mollahs » un exemple de l'internationalisme et de l'attitude positive à leur égard des Russes [82].

Après la guerre civile les bolcheviks peuvent atténuer le compromis. Le 22 mai 1920 un décret du VCIK donne une forme définitive à l'autonomie bachkir. La République autonome remet à la RSFSR l'essentiel de ses compétences, et ce qu'elle en retient reste sous la responsabilité du VCIK. De la grande autonomie de 1917, il ne subsiste que le qualificatif et des compétences en matière d'administration locale, inférieures dira Validov, aux droits que le tsarisme en ses pires moments concédait à ses minorités [83]. Le sort des Tatars de la Volga, des peuples du Daghestan, de Crimée est réglé à partir de

1920 de la même manière, c'est-à-dire par l'accession, décidée par la Russie, au statut de République autonome disposant de compétences réduites.

Deux autres cas, celui des Allemands de la Volga et celui des Kirghiz, témoignent tout autant du pragmatisme des bolcheviks à cette époque. Les Allemands posaient un problème parce qu'ils étaient sur la Volga un élément hétérogène, produit d'une colonisation étrangère. Fallait-il reconnaître le statut de nation à ce groupe, donc admettre que les lieux de colonisation allemande fussent historiquement des territoires allemands? Il eût fallu pour l'accepter prendre en compte la culture que Lénine s'est toujours refusé à considérer comme facteur national décisif. Le malaise des bolcheviks devant cette situation s'est traduit par la création, dans un premier stade, d'un statut spécial. Le VCIK opte pour une Commune des Allemands de la Volga qui donnerait une unité aux « Soviets des districts ayant un caractère national spécifique [84] ». Cette Commune était intégrée dans une région administrative et dépendait d'elle dans tous les domaines, à l'exception de la culture qui restait de sa compétence.

L'autre exception est celle des Kirghiz qui étaient dans les steppes étroitement mêlés à une population de colons russes. La colonisation a entraîné des affrontements pour la possession des terres, et les Kirghiz, avant de revendiquer un statut national, exigeaient la restitution des terres confisquées. Les bolcheviks devaient avant tout réconcilier deux groupes dont l'un avait une tradition de domination, l'autre l'amertume des spoliés, sans se désolidariser d'aucun d'entre eux. La solution a été entièrement imaginée à Moscou sans même que soit préservée une apparence de débat. Un Comité révolutionnaire kirghiz créé par décret du 10 juin 1919 est « parachuté » dans la steppe [85]. Il doit y organiser le pouvoir soviétique en tenant compte d'un peuplement mixte, donc des droits culturels de chaque communauté [86]. Le conflit intercommunautaire est si violent qu'en octobre 1920 le territoire, malgré son peuplement mixte, est érigé en République autonome kirghiz. Si les Russes qui y vivaient déjà conservent leurs terres, toute colonisation y est pour l'avenir interdite.

Le Turkestan, enfin, offre aux bolcheviks un terrain privilégié pour une révolution inédite, la révolution coloniale. Dans cette terre de colonisation, qui fut gouvernée comme telle, se développent après octobre 1917 deux révolutions parallèles et inconciliables [87] : une révolution prolétarienne qui est le fait des ouvriers et des soldats russes présents dans la région et dont le centre est Tachkent [88]; une révolution nationale conduite par la bourgeoisie cultivée du Turkestan qui établit un pouvoir autonome à Kokand [89]. Au Turkestan, dans un premier temps la rivalité entre les deux pouvoirs peut être aisément réglée parce que les forces militaires sont concentrées à Tachkent, tandis que le gouvernement de Kokand ne jouit que de la sympathie de la population locale. Il n'en va pas de même de celui qui s'installe au même moment dans la région transcapienne et qui revendique le pouvoir pour les Turkmènes [90]. Le gouvernement bolchevique de Tachkent, après avoir dû constater son impuissance à porter la révolution dans les deux émirats de Boukhara et de Khiva [91], se heurte sans succès aux autorités en place à Merv, en Transcaspie, qui font appel pour les soutenir aux forces anglaises stationnées en Perse. A ce stade – c'est l'été 1918 – la révolution paraît condamnée en Asie centrale. La révolution russe n'y est présente que par l'intermédiaire des colons, administrateurs, ouvriers, vivant de longue date dans le territoire, et qui, pratiquement coupés de Petrograd dès que commence la guerre civile interprètent à leur guise la politique des bolcheviks. Le bolchevisme a été en Asie centrale un phénomène local, colonial. Le parti bolchevique du Turkestan, composé de Russes qui ont vécu dans un système de relations coloniales, n'entend nullement pratiquer une politique d'autodétermination. Pour lui, le danger vient tout autant des nationalistes, qu'ils soient ou non alliés aux Blancs, que des Blancs ou de la Grande-Bretagne. C'est cette vision coloniale de la révolution, cette volonté de maintenir le statu quo, non pour un dépassement des oppositions entre nations, mais pour protéger les intérêts russes, qui donne son caractère particulier à la révolution du Turkestan [92]. Les bolcheviks de Russie n'en ont guère conscience. Ils sont longtemps coupés du Turkestan par la guerre civile, attentifs à des nations plus proches, ignorants de cette colonie lointaine. Ce n'est qu'en juin 1919, après la fin de la guerre civile, qu'une inquiétude se fait jour à Petrograd, et encore est-ce moins pour le Turkestan qu'en raison de la position statrégique de ce territoire colonial aux marches de l'Asie, avant-poste de la révolution asiatique [93]. En octobre 1919, le gouvernement soviétique y envoie une mission dirigée par Kouibichev et Frounze qui constate combien le chauvinisme des Russes se réclamant du bolchevisme dresse immédiatement les musulmans contre la Russie de la révolution, identifiée à l'oppression tsariste [94]. Désemparés, les bolcheviks oscillent d'abord d'un extrême à l'autre, de la condamnation des excès russes à celle des excès indigènes. La commission Kouibichev-Frounze purge les communistes russes rejetant la responsabilité des excès chauvins sur les « ci-devant » infiltrés dans le parti [95]. Mais ces mesures ne peuvent réduire le mécontentement local et surtout la croissance de l'opposition armée des Basmatchis [96]. Alerté par Frounze, le gouvernement soviétique s'attaque alors au nationalisme local. Une seconde commission composée de Safarov, Kaganovitch, Peters, purge les communistes turkestanais [97]. Mais Lénine veut éviter les erreurs commises ailleurs. Il veut rassurer la population turkestanaise tout en excluant les nationalistes de la vie politique. Comment émanciper une colonie sans la pousser sur la voie de la révolution nationale ? Tel est le débat ouvert au Turkestan et auquel le congrès de Bakou apportera une réponse claire en privilégiant la révolution sociale sur la révolution nationale [98]. Au Turkestan, il faut introduire l'ordre soviétique, sans pour autant le faire apparaître comme une variante de la domination russe. La solution trouvée est intéressante parce qu'elle emprunte des voies inhabituelles. Partout ailleurs, les nations dominées qui réclamaient le droit de s'autodéterminer ont vu finalement, à quelques exceptions près, ce droit réduit à un statut d'État fédéré,

voire à une autonomie administrative locale. Dans le cas
du Turkestan au contraire, où le terme même d'autodétermination n'apparaît guère, où une partie de la population – Russes et Ukrainiens – lutte pour éviter la
séparation, toute solution semble insatisfaisante. Deux
projets préparés en 1920 traduisent l'un les préoccupations nationales des Turkestanais, l'autre les préoccupations centrales des bolcheviks. Le 23 mai 1920, le Comité
central du PCR discute le projet de République autonome
du Turkestan intégrée à la RSFSR, présenté par la
« délégation turkestanaise » composée de T. Ryskulov,
F. Khodjaev et Bekh Ivanov [99]. Ce projet traduit bien les
aspirations des groupes musulmans de la région. La
séparation de la Russie leur indiffère; leur degré d'autonomie aussi. Ce qui en revanche leur importe c'est l'unité
des peuples du Turkestan au sein d'une entité politico-
administrative. Le second projet émane d'une commission du Comité central formée de Krestinski, Tchitcherine et Eliava. Essentiellement centraliste, il ignore le
problème des relations entre populations indigène et
russe, de même que la multiplicité des groupes indigènes.
Projet administratif, il vise à assurer un contrôle solide du
centre sur la périphérie. Le 20 juin, Lénine tranche [100]. Il
ne veut à aucun prix du projet Ryskulov. Mais il corrige
l'autre et insiste sur les relations entre Russes et indigènes. Il recommande « l'envoi dans les camps de concentration de Russie de tous les anciens membres de la
police, gendarmerie, sécurité, administration, etc., qui,
produits de l'époque tsariste, se sont agglutinés autour du
pouvoir soviétique parce qu'ils y voient la perpétuation de
la domination russe ». Pour que l'autodétermination ne
semble pas prolonger le système antérieur, Lénine recommande une délimitation stricte des pouvoirs du centre et
de la périphérie. Les compétences nationales iront au-
delà des espérances et des demandes turkestanaises. On
voit l'originalité du cas turkestanais qui, République
autonome en 1920, éclatera pour donner naissance à des
Républiques fédérées. C'est sur ce point, autodétermination et unité turkestanaise, qu'en 1920 Lénine voit le plus
loin. Dans le post-scriptum de ses remarques sur l'avenir

de la région, il ajoute : « 1. Il faut établir une carte des données (ethnographiques et autres) du Turkestan, en le divisant en pays uzbek, kirghiz et turkmène; 2. Il faut examiner en détail les conditions de l'unité ou de la séparation de ces trois parties [101]. »

En 1920, pourtant, le problème de la division et de la redistribution géographique n'est qu'esquissé. Le Turkestan, parce qu'il a connu une révolution qui soulignait la persistance des volontés coloniales, parce qu'il est loin du centre et difficile à contrôler, bénéficie d'un statut plus autonome que celui qu'il a revendiqué. Le problème principal est celui de l'autonomie turkestanaise à l'égard des colons et de l'administration locale russe, et non à l'égard du centre.

Le principe de l'autodétermination appliqué de 1917 à 1920 a été appliqué de manière très variée compte tenu des conditions dans lesquelles les revendications des nations s'exprimaient : position géographique, importance pour la Russie, environnement international, force des mouvements nationaux. Les dirigeants bolcheviks ont accepté des solutions qu'ils avaient prévues et d'autres qu'ils avaient combattues. Leur politique concrète va de la séparation acceptée – Finlande – à l'autonomie culturelle – Allemands de la Volga –, voire, hérésie suprême, à l'autonomie nationale sur une base personnelle, comme cela a été le cas pour les Kirghiz dans le décret du 10 juin 1919. Cette apparente inconséquence est particulièrement évidente dans deux cas qui n'ont pas été évoqués encore, celui des Juifs et celui de l'Extrême-Orient russe.

Le problème juif a toujours incommodé les bolcheviks. Avant 1917 Lénine et Staline s'en sortent en le niant. Il n'y a pas de nation juive, disent-ils, puisqu'elle ne se définit que par son attachement à un culture religieuse. Mais après la révolution, Lénine ne peut nier l'oppression subie par les Juifs sous le tsarisme. Même s'il ne la définit pas comme nation, c'est une communauté qui a été opprimée globalement, en dehors de critères sociaux.

C'est pourquoi il s'arrête à une solution contradictoire. Il évite de se prononcer sur le sort futur des Juifs, de leur donner un statut politique particulier. Mais en même temps il reconnaît la nécessité d'une représentation juive dans le commissariat aux Nationalités et d'une section juive dans le parti, pour exprimer et défendre les intérêts des Juifs. S'il n'est pas question d'autonomie sur quelque base que ce soit, l'existence d'une différence *culturelle* est implicitement acceptée à travers les organes qui ont pour mission de la représenter.

Le second cas, non moins extrême, est celui de la Sibérie où vivent en 1917, à côté des colons russes, des peuples primitifs, dispersés, peu nombreux et n'ayant aucune conscience nationale. Le problème de l'autodétermination ne s'y pose pas. Cependant, celui de la séparation s'impose à cause de la situation interne et internationale de la région. Les gouvernements antibolcheviques s'y multiplient à l'ombre des troupes japonaises débarquées à Vladivostok en avril 1918 et de l'occupation de certains territoires par les régiments tchèques à partir de mai 1918, sans compter les missions britannique et française. Malgré la chute du gouvernement Koltchak en janvier 1920 et la présence de bolcheviks dans la région, le gouvernement soviétique accepte pour des raisons internationales (les inquiétudes japonaises surtout) la création d'une République indépendante d'Extrême-Orient qui subsistera, en étendant son aire d'autorité, jusqu'en novembre 1922. La séparation ne repose pas sur une revendication nationale, mais sur le rapport des forces en Sibérie. Pourtant elle est placée sous le signe de l'autodétermination, ce qui permettra ensuite à l'État soviétique de revoir ses rapports avec cette République dans une conception de regroupement.

L'histoire chaotique des autodéterminations et des décisions plus ou moins improvisées ne doit pas dissimuler que, dès 1918, une politique bolchevique cohérente se dessine.

Lénine s'efforce continûment d'arracher le problème national à son contexte international et de le réduire à ce qu'il doit être, pense-t-il, un problème où l'initiative appartient à la classe ouvrière russe. Ses concessions mêmes doivent être replacées dans cette perspective. Ceci explique que tout en continuant à affirmer le droit des peuples à l'autodétermination, il s'exprime avec brutalité sur la nécessité de conserver le blé ukrainien et le pétrole et les métaux du Caucase. L'autodétermination est un droit absolu mais elle s'arrête là où elle heurte les intérêts futurs de l'État socialiste. Ainsi Lénine poursuit-il en définitive un même but que ceux qui l'attaquent, préserver pour le présent et le futur le pouvoir de la classe ouvrière, en y subordonnant ou y intégrant les droits des nations.

III

UN COMPROMIS DIFFICILE :
DIVERSITÉ ET UNITÉ

1

Un parlement pour les nations

Le Narkomnats : une institution instable

Le IIe congrès panrusse des Soviets décide, le 25 octobre 1917, la création d'un commissariat chargé des problèmes nationaux (*Narkomnats*) [1], placé sous l'autorité d'un commissaire du peuple, Staline, assisté de deux adjoints, dont l'ex-cordonnier Félix Seniouta [2]. Ce commissariat est composé de sections nationales dirigées par des nationaux.

Le 15 février 1918, un Collège, assemblée des responsables des sections nationales, disposant du pouvoir de décision, est mis en place [3], qui compte, dès juin, seize membres.

Ainsi, après avoir été dirigé jusqu'en février 1918 par Staline et ses deux adjoints qui parent au plus pressé, le commissariat aux Nationalités fait-il place à la base nationale qui, au sein du Collège, veut s'imposer et déborder le pouvoir du commissaire.

Cette situation conflictuelle explique la réforme du 9 juin 1918 [4] qui limite la capacité du Collège à être un parlement national doté d'un pouvoir de décision. Il ne comptera plus que neuf membres; les nationalités qui n'y sont pas représentées y disposent d'une voix consultative, à l'exception des débats où elles sont directement impliquées et ont un droit de vote.

La réforme soumet le Collège aux autorités russes. Le

Comité central du parti et le Conseil des commissaires du peuple de la RSFSR entérinent le choix des membres du Collège et arbitrent les conflits en son sein.

L'organisation du commissariat, ou *Narkomnats*, est fluctuante et complexe [5]. En 1918, elle se compose de huit commissariats ou *Natskom* et de onze départements ou *Natsotdel*. Presque tous ont à leur tête un commissaire issu de la nationalité représentée par l'instance, sauf quelques rares cas de petites nationalités qui n'ont pu, semble-t-il, fournir de dirigeants acceptables et sont alors représentées par des Russes [6].

La répartition des nations entre les deux catégories n'est pas toujours claire. Les Polonais, Lettons ou Arméniens bénéficient d'un commissariat, les Ukrainiens d'une simple section. Les deux cas les plus curieux parce qu'ils impliquent l'adaptation des principes à la réalité sont ceux du commissariat aux Affaires juives [7] et du commissariat des Musulmans de Russie [8]. Ni les Juifs, ni les Musulmans ne sont catalogués par les marxistes comme nations et pourtant la réalité contraint le pouvoir soviétique à leur conférer un statut national. Soixante-dix ans plus tard, on pourra mesurer les difficultés durables nées de cette concession.

Le *Narkomnats* coiffe aussi des départements spécialisés : agitation et propagande, relations avec les *Natskom* et *Natsotdel,* presse, préparation des décrets communs à tous les commissariats, relations internationales, statistiques [9]. A l'origine, ces départements sont réduits à un fonctionnaire ou deux, assis devant une *table* (ce sera le premier nom de ces instances) et supposés fournir des informations dans leur domaine. Le 14 avril 1918, Staline crée dans ce cadre le Bureau central d'information [10], réforme apparemment innocente et qui affaiblit les nationalités de manière décisive. Ce Bureau est chargé de centraliser les données statistiques et les matériaux factuels concernant la vie politique, culturelle, économique et sociale des nations de Russie et de celles qui en sont encore séparées. Sous prétexte de coordination, il enlève aux représentations nationales les documents qui serviront à définir les relations futures entre nations dans l'État soviétique. Par

là, il les écarte à l'avance du débat sur son organisation.

En quelques mois, le commissariat aux Nationalités a
considérablement évolué. Si le développement des représentations nationales en fait un parlement, en même
temps les pouvoirs de ce parlement sont constamment
réduits tandis que s'y multiplient les instruments de
centralisation.

A quoi sert le Narkomnats ?

La transformation du *Narkomnats* a suivi l'évolution
générale de la politique bolchevique. Jusqu'en 1920, le
rôle qui lui est dévolu est faible, au point que Staline,
quoique commissaire aux Nationalités, laisse à ses
adjoints le soin d'appliquer des décisions prises au jour le
jour [11].

La création des commissariats nationaux a été provoquée par l'occupation allemande des territoires nationaux.
De Pologne, des États baltes, d'Ukraine, de Biélorussie,
nombre d'habitants ont fui. La prise en charge des
réfugiés, le règlement de leur sort lorsque leur pays
d'origine opte pour l'indépendance (Pologne) incombe
aux *Natskom*. Mais ils ont aussi des activités plus autori-
taires. Les organisations nationales – culturelles, voire
militaires – se multiplient en territoire russe [12]. Les
commissariats nationaux les coiffent et contrôlent ainsi
des groupes nationalistes qui inquiètent le pouvoir.

Ce contrôle est encore plus important dans le cas de
nations ayant choisi la séparation. Le *Natskom* prétend
alors représenter leurs sujets ou associations restés sur le
sol russe et opposer aux volontés séparatistes d'autres
volontés, unitaires, mettant en question le bien-fondé de
la séparation acceptée par Lénine. Car le *Narkomnats*
regroupe toutes sortes de tendances : cadres nationaux
attentifs aux exigences de la nation dont ils sont les
mandataires réels ou supposés, mais aussi adversaires de la

séparation, critiques sévères d'une politique qu'ils jugent inutile, surtout lorsqu'elle se traduit dans des propositions fédéralistes [13].

La mobilisation des anciens sujets de l'Empire en territoires occupés, appelés à la résistance, fut une des grandes activités extérieures du commissariat. Dès 1918, il publie des journaux en vingt langues d'abord, et soixante langues deux ans plus tard. Dans les trois premières années de son existence, 700 titres ont ainsi paru, tirés à 12 millions d'exemplaires [14].

A ces organes de propagande vers les nations, s'est ajouté un hebdomadaire, *Jiz'n natsional'nostei*, créé le 15 février 1918, publié en russe, journal officiel du commissariat dont il expose la politique et reflète parfois les courants. On y trouve d'importantes contributions de Staline [15].

Hors cette activité d'encadrement et de propagande, le commissariat s'est lancé dans ses premières années dans deux entreprises qui furent autant d'échecs. Chargé de préparer l'union tataro-bachkir de 1918 et de définir ses relations avec le centre, le *Narkomnats* convoque à Moscou, du 10 au 16 mai 1918, un congrès constitutif de la République rassemblant trente délégués. Pour la première fois, les nationalités pouvaient débattre des problèmes concrets de l'autonomie, de sa signification et de ses limites [16]. La guerre civile mit fin au débat qui était très âpre et au projet lui-même.

Seconde entreprise : la création d'organisations militaires nationales dans l'Armée rouge. Le commissariat musulman proposa en février 1918 au Collège du *Narkomnats* que des régiments musulmans soient envoyés en renfort dans les régions musulmanes. Inquiet d'un projet plus propice aux volontés nationales qu'à l'unité révolutionnaire [17], le pouvoir soviétique le condamna à l'enlisement. Une commission restreinte de trois membres du Collège du *Narkomnats* et de collaborateurs du commissaire à la Défense en discuta épisodiquement sans jamais conclure [18]. La conviction de Lénine était inébranlable et s'imposa à tous : dans un cadre fédéral, la défense est de la compétence de la fédération.

A la fin de la guerre civile, avec le retour des territoires perdus et le développement de l'État, le *Narkomnats* semble pouvoir jouer un autre rôle, ce qui entraîne une nouvelle réforme dont Staline fut l'artisan. Quatre décrets transforment cet organe encore hybride en intermédiaire officiel entre gouvernements locaux et pouvoir central.

Un décret du 6 mai 1920 modifie sa structure et la représentation des nationalités [19]. Le Conseil des nationalités, organe représentatif placé sous la présidence du commissaire, est créé. C'est un vrai « parlement des nationalités » qui y élisent leurs représentants. Les commissariats deviennent tous des départements nationaux complétés par un Département des minorités représentant les intérêts des groupes ethniques non territoriaux. Mais il y a des exceptions : le commissariat juif, *Evkom,* est transformé en département *Evotdel,* en dépit de la dispersion territoriale du groupe juif.

Le 30 octobre 1920, un décret définit les compétences du commissariat [20]. Tous les commissariats du peuple de la RSFSR s'occupant de problèmes concernant les Républiques ou régions nationales doivent agir en concertation avec lui, ce qui permet de faire participer les nations aux décisions du pouvoir central dans la mesure où elles sont concernées.

Le 6 novembre 1920, le *Narkomnats* est chargé de centraliser et d'acheminer vers le gouvernement central toutes les demandes des autorités nationales et d'expédier du centre vers la périphérie les crédits, les décisions, les moyens de toute sorte que la RSFSR met à leur disposition [21].

Enfin, le décret du 20 décembre 1920 [22] stipule que le *Narkomnats* aura des représentations permanentes auprès des gouvernements des Républiques et Régions autonomes de la RSFSR et aussi dans les Républiques indépendantes avec lesquelles la RSFSR normalise ses relations par des traités bilatéraux [23].

Les compétences du *Narkomnats* sont considérables et les textes semblent donner aux nations le moyen de participer à l'élaboration de la politique nationale de la RSFSR. Mais à regarder de plus près ces décrets et la pratique soviétique, on constate le contraire. A partir de 1920, le *Narkomnats* sert la centralisation au détriment des nations déjà intégrées dans la RSFSR et de celles qui en sont encore indépendantes. Jusqu'alors, les nations de la RSFSR avaient un accès direct au Comité exécutif central (VCIK), y plaidant leur cause, y entretenant souvent des représentants. Le laxisme, l'absence de règles précises pour ces relations bilatérales, la multiplicité des échelons ont donné aux autorités nationales une certaine autonomie. Le *Narkomnats,* restructuré et doté de larges compétences, même s'il ressemble encore à un parlement national, devient un échelon obligatoire des relations entre le centre et les territoires nationaux. Les relations du centre avec ses instances nationales sont uniformisées, ce qui lui donne une plus grande autorité. La pratique locale du *Narkomnats* en témoigne : il est représenté dans les gouvernements locaux [24] et de la représentation, il glisse progressivement vers l'ingérence, ce dont s'indignent ces derniers.

Staline cherchera à réduire les tensions entre représentants du *Narkomnats* et pouvoirs locaux en définissant plus strictement la tâche de ses collaborateurs : ils ont à surveiller l'application de la politique nationale de la RSFSR, à faciliter les relations entre organes de la RSFSR et organes locaux et à informer deux fois par mois le *Narkomnats* de la situation locale [25].

Les dispositions concernant les représentations du *Narkomnats* dans les Républiques indépendantes sont très importantes. Elles témoignent de la volonté russe de contrôler les Républiques. A l'origine, les représentants du *Narkomnats* étaient des agitateurs dont la propagande prosoviétique avait profondément heurté les pouvoirs locaux [26]. Le décret de décembre 1920, qui leur confère un statut quasi diplomatique, indigne encore davantage les gouvernements indépendants, peu portés, par l'expérience du passé, à leur faire confiance. De plus, en donnant au *Narkomnats* ce moyen de rester présent dans les États indépendants, le pouvoir soviétique tend à effacer la différence existant entre eux et les territoires incorporés à la RSFSR. On voit ainsi s'esquisser, alors que la politique des alliances bilatérales n'en est qu'à ses débuts, sa phase finale : l'entrée des États indépendants dans un ensemble fédéral. C'est là, véritablement, la vocation du *Narkomnats*. Plus que tribune des nations, il aura été le symbole de la fédération future et un instrument pour y accéder. A l'image de cette fédération, il assure une représentation des nations dans son Conseil, et il établit une hiérarchie des diverses nations et des modalités de leurs relations avec le centre.

A partir de 1922, l'organisation du *Narkomnats* se modifie une dernière fois. L'État fédéral soviétique se constitue, et plus que la représentation des nations, c'est l'élaboration d'une politique économique et sociale commune qui est à l'ordre du jour. Les dispositions statutaires du 27 juillet 1922 mettent alors l'accent non plus sur les départements nationaux dont l'utilité s'estompe, mais sur les départements fonctionnels : agriculture, structures économiques, éducation, sécurité sociale, défense, etc., dont le personnel et les compétences vont croître. En pratique, aucun département n'aura un développement continu, car chacun répond à une option momentanée du pouvoir central. Puis l'intérêt se déplace vers un autre secteur qui se gonfle au détriment de celui qui est abandonné.

L'union progressant, le *Narkomnats* perdra ses raisons d'exister. Tous ses responsables ont déploré le manque de moyens matériels, l'insuffisance chronique de personnel, l'indifférence assez générale à son égard [27]. Staline lui-même aura été un commissaire épisodique, passant d'une tâche à l'autre, ne revenant au *Narkomnats* que pour le réorganiser ou régler quelque conflit [28].

En 1924, l'URSS existe enfin et le *Narkomnats* n'a plus qu'à disparaître, ayant, disent ses historiens, « accompli sa mission ». Seul, le Conseil des nationalités dont l'unique manifestation depuis sa création aura été d'organiser le Ier congrès panrusse des nationalités, en décembre 1920, survit dans les nouvelles structures. Il devient la deuxième chambre, représentant les nationalités dans le parlement bicaméral de l'URSS, prévue par la constitution de 1924 et que maintiendront ensuite les lois fondamentales de 1936 et 1977.

Le Narkomnats sur le terrain : l'exemple de l'Asie centrale

Pour comprendre ce que fut le *Narkomnats,* il faut aller sur le terrain. Et nul cas n'est plus propice à un tel examen que l'Asie centrale où cet organe fut plus actif qu'ailleurs en raison de problèmes cruciaux et d'un statut exceptionnel.

Jusqu'en 1920, l'Asie centrale échappe au pouvoir russe. On y trouve un kaléidoscope de situations : révolutions nationales et révolution coloniale; pouvoir soviétique et États indépendants (Boukhara et Khiva); nations anciennes et conscientes (Uzbeks par exemple) et petits groupes nationaux sans conscience nationale, voire sans moyens de l'exprimer. Ceci vaut un statut exceptionnel à la République autonome du Turkestan qui compte dans ses organes de gouvernement un commissariat aux Nationalités, créé en 1918 [29] et théoriquement indépendant du *Narkomnats.* Ce dernier dispose cependant de grands moyens d'intervention dans la République, dont il usera sans mesure. Des chargés de mission temporaires y sont envoyés pour conseiller les autorités locales, sur des problèmes spécifiques, telle par exemple la mise en place des institutions de la nouvelle République. Jusqu'à la dissolution du *Narkomnats,* ces émissaires joueront un rôle important auprès des gouvernements locaux, mêlant conseils et pressions, et leurs activités seront un motif constant de friction avec ces derniers qui accuseront les envoyés du centre de limiter leur autonomie [30].

Mais ce sont les représentations locales du *Narkomnats,* dont le rôle s'accroît en 1922, organes permanents, accrédités auprès des autorités nationales, qui vont assurer le contrôle central de la manière la plus sûre [31]. Le représentant du *Narkomnats,* ou le chef de sa délégation, participe aux réunions du gouvernement du Turkestan avec voix consultative. Toutes les divergences entre la politique centrale et la politique républicaine entraînent une pression sur le gouvernement turkestanais et un rapport immédiat au *Narkomnats* [32]. Chaque fois que l'affaire a été jugée suffisamment sérieuse, un véritable commando du *Narkomnats* est venu renforcer la délégation régionale pour imposer un alignement de la politique locale sur les directives du centre. Plus encore que l'intervention dans l'activité du pouvoir local, c'est la fonction de lien entre ce pouvoir et le gouvernement soviétique qui caractérise l'action du *Narkomnats* et contribue à l'intégration du Turkestan. Parce que depuis 1920, les demandes nationales doivent obligatoirement passer par le *Narkomnats,* des « ambassades nationales » sont installées auprès de lui.

La représentation de la République du Turkestan est créée le 1ᵉʳ avril 1921. Il lui incombe d'exposer les problèmes de la République à Moscou par l'entremise du *Narkomnats* et de répercuter au gouvernement républicain les instructions ou les propositions centrales. Pour la seule année 1922-1923, la représentation du Turkestan a présenté par le canal du commissariat 1 200 dossiers ou problèmes aux organes concernés de la RSFSR [33]. En pratique, ces dossiers traitent tous les problèmes locaux pour lesquels un accord ou un concours de la RSFSR est indispensable (par exemple l'ouverture d'une banque agricole en Asie centrale, qui commencera à fonctionner en 1923 [34]).

En 1922, alors que la fédération progresse, un changement radical intervient dans les relations entre centre et périphérie. Le *Narkomnats* perd le contrôle des représentations républicaines, invitées à traiter directement avec les ministères intéressés de la RSFSR [35]. Il doit en revanche organiser des Comités fédéraux chargés de l'unification des principes et des procédures dans divers domaines (économie et éducation en premier lieu).

Le *Fedkomzem* (Comité fédéral pour les problèmes agricoles) s'attaque dès sa première séance, en novembre 1922, à l'élaboration d'un code foncier [36]. Le Turkestan, où « le problème de l'organisation agricole est d'une importance capitale et doit être traité en priorité [37] », retient toute son attention. Le Comité s'attaque aussitôt aux problèmes de l'irrigation et de la sédentarisation [38] qui exigent un considérable effort d'explication et de propagande sur le terrain. C'est pourquoi le commissariat s'enrichit alors des Éditions orientalistes centrales qui publient des journaux et des brochures politiques et pédagogiques dans toutes les langues de l'Asie centrale, et contrôlent par la même occasion les éditions locales.

Le recensement des activités du *Narkomnats* au Turkestan, qu'elles se fassent au centre, à la périphérie, par l'intermédiaire de représentants temporaires ou permanents, ou encore dans les relations avec le commissariat local, montre d'emblée un nombre considérable d'instances et une imbrication de leurs fonctions. Beaucoup d'organismes travaillent au même moment à résoudre les mêmes problèmes et cette situation conduit à douter de la cohérence et de l'efficacité de l'ensemble. Pourtant un examen plus attentif suggère qu'au-delà du désordre permanent, il faut en retenir la multiplication des contrôles du centre vers la périphérie.

Instrument de contrôle d'autant plus acceptable qu'il est par définition la voix des nations, leur parlement, le *Narkomnats* est aussi un instrument efficace de connaissance du terrain national pour le pouvoir central. Dans le climat de passions nationales exacerbées du début des années 1920, le pouvoir central est mal placé pour recueillir sur place les informations qui lui permettront de définir une politique, et des moyens. Les commissariats nationaux en revanche sont préparés à le faire. Leur curiosité, leurs activités sont acceptées de leurs concitoyens qui n'ont pas conscience que recensements et enquêtes ne sont pas des initiatives locales mais font partie d'un plan d'ensemble qui conduit à l'intégration.

L'intervention multiforme et constante du *Narkomnats* dans les régions nationales – l'exemple du Turkestan en témoigne – n'a pas toujours été facile; les autorités locales se sont souvent rebellées contre ses ingérences. Ces frictions provoquées par un organe qui incarne les groupes nationaux suggèrent que l'ingérence directe du pouvoir central eût été encore plus mal accueillie. L'instrument de contrôle a aussi servi d'écran préservant l'avenir des relations entre le centre et les institutions périphériques.

La disparition du *Narkomnats* fut accueillie avec indifférence, car le « parlement national » ne fut jamais ressenti comme tel par ceux qu'il était censé représenter. Les réformes qui ont affecté sa structure à plusieurs reprises lui ont aussi enlevé sa capacité à représenter avec éclat les nations. Par-delà l'échec, des questions subsistent. Les bolcheviks ont-ils suivi un dessein clair ? Le *Narkomnats* a-t-il voulu dépasser les intentions de ses fondateurs et s'attribuer un rôle propre ? Quelle place faut-il lui assigner dans le système politique soviétique de 1918 à 1924 ?

Lorsqu'ils créent le *Narkomnats*, les bolcheviks entendent en faire une tribune des nations. Le statut des Juifs au sein du commissariat le montre. Lénine croit régler la question nationale en mettant au premier plan les aspirations des nations et des groupes ethniques. Mais il constate vite que des intentions aux actes la distance est longue. La force des tendances centrifuges, le développement des nationalismes, les alliances antibolcheviques qui se forment malgré l'égalitarisme national, tout contredit ses espoirs et donne argument à ceux qui critiquent ce qu'ils nomment son « libéralisme national ».

Le *Narkomnats* ne peut être la tribune où se réconcilient les nations parce que celles-ci s'opposent au centre et se défient de toutes les initiatives centrales, et le *Narkomnats* en est une. En outre, les cadres nationaux qui y travaillent sont plus bolcheviques que nationaux, plus attachés à unir qu'à diviser. Lénine paie ainsi le prix d'une politique où l'improvisation a tenu une large place. Les cadres du *Narkomnats* ont été recrutés au hasard des circonstances et des hommes disponibles dans la capitale, pour des tâches mal déterminées. L'échec du *Narkomnats* dans sa première phase explique qu'en moins d'un an les dirigeants soviétiques s'en soient détournés, le livrant aux initiatives de ses responsables. Staline est appelé à d'autres missions, Lénine est absorbé par la liquidation de la guerre et de la contre-révolution et par l'organisation de la révolution mondiale, c'est-à-dire du Komintern.

Livrés à eux-mêmes, les dirigeants du *Narkomnats* en ont parfois abusé, faisant leur propre politique. Cela ressort de l'activité des émissaires d'abord. Ceux-ci ont souvent adopté sur place un comportement autoritaire, interventionniste à l'excès, qui a contredit la politique souple prônée par Lénine, et compromis le prestige de leur institution. Cela ressort aussi de la manière dont ils ont transmis à la RSFSR les demandes nationales. Lénine voulait disposer d'un instrument simplifiant et rationalisant les contacts; les dirigeants du *Narkomnats* y ont substitué des contrôles, des barrages, l'uniformité, trahissant par là ses intentions.

Comment définir, enfin, le *Narkomnats?* Plus qu'un ministère chargé de problèmes précis, il fut une véritable annexe du parti communiste, car comme lui, à son exemple, il fut l'instrument constant de l'unité et non de la diversité. Comme lui, il dépassa ou s'efforça de dépasser le domaine des tâches ponctuelles, pour couvrir l'ensemble des problèmes des nations qui gravitent autour de la Russie. C'est cette vision globale qui fait l'intérêt et l'originalité de l'institution. C'est par elle qu'en dépit des hésitations, des contradictions dans l'action, en dépit aussi de la lourdeur et des défauts de l'appareil, de la modestie des tâches accomplies et des échecs, le *Narkomnats* tient en dernier ressort une place dans l'histoire des débuts de l'État multi-ethnique des Soviets.

2

La diversité : l'État fédéral

Un État transitoire pour une période de transition

La révolution n'a pas encore éclaté en Russie que Lénine veut dégager de l'héritage marxiste une idée claire sur l'organisation politique de l'espace révolutionnaire. Ses notes de lecture d'où sortiront *Le Marxisme sur l'État*[1] et *L'État et la révolution*[2], rédigés l'un en janvier-février 1917, l'autre en août-septembre, annoncent les solutions pratiques de 1918. Entre Engels pour qui la révolution met fin naturellement et inéluctablement à l'existence de l'État[3] et Marx qui évoque dans la *Critique du programme de Gotha* « l'État futur de la société communiste[4] », Lénine ne choisit pas mais insiste sur l'évolution qui se produit dans le temps et qui sépare la phase *transitoire* postrévolutionnaire du moment où le communisme sera pleinement réalisé. C'est sur la *période de transition* que Lénine raisonne et ses idées sur l'organisation des nations n'ont de signification que dans ce contexte.

Dès avant la révolution, il accorde une place considérable à la *période de transition* qui sépare la révolution du passage au communisme. Durant cette période Lénine pense que l'État subsiste non plus sous sa forme primitive mais en tant que forme politique transitoire « entre l'*État* et le *non-État*, c'est-à-dire qui n'est plus un État au sens propre du terme[5] ». Cet État transitoire, c'est la dictature du prolétariat, ou encore un « *demi-État* ». Prudent, Lénine ne se prononce pas sur la *durée* de la période de transition et donc sur la longévité des formes politiques qui s'y rattachent. Il insiste au contraire sur l'impossibilité d'assigner au processus historique des limites temporelles précises, d'en prévoir aussi les modalités concrètes [6]. Mais dès l'origine, cet État qui n'en est plus un s'engage dans la voie du dépérissement; État de transition, il évolue vers un affaiblissement continu et non vers le développement.

Lénine crée cet État d'un type nouveau dès que la révolution éclate. *Le Décret sur la paix* [7], lu le 26 octobre devant le IIe congrès panrusse des Soviets, traduit sa vision des événements et ses espoirs. Lénine y condamne toutes les formes d'oppression nationale (empires multinationaux ou États coloniaux). Parce qu'il adresse son appel aux peuples et non aux gouvernements, il définit un nouveau mode de relations politiques fondé sur les volontés nationales et populaires et non sur les structures de pouvoir existantes. Par là même, il dessine les contours du jeune *État des Soviets,* point de départ d'un État révolutionnaire destiné à s'étendre avec les succès de la révolution, donc État sans contenu national et sans frontières, État universel en gestation [8].

A ce stade, les idées de Lénine préfigurent les définitions ultérieures du droit soviétique. En liant État et révolution, il donne une valeur différente au territoire où s'inscrit l'autorité de l'État. Le territoire de l'État socialiste n'est pas figé, intangible. Il est l'espace révolutionnaire qui doit s'étendre avec les révolutions. Lénine insiste sur le lien entre le territoire de l'État socialiste et les conditions historiques : « Il ne faut pas considérer comme annexion toute réunion de territoire *étranger,* car les socialistes, pour parler en général, sympathisent avec tout effort pour la suppression des frontières entre nations et pour la constitution de plus grands États. *Toute* violation du statu quo n'est pas davantage une annexion car ce serait faire preuve d'un esprit parfaitement réactionnaire et tourner en ridicule les concepts fondamentaux de la science historique. Il en va de même de *toute* réunion opérée au moyen de la guerre et de la violence quand sont en jeu les intérêts de la majorité de la population [9]. »

A cet État ouvert, fluide, à l'État socialiste, qui doit s'étendre à tous les territoires où la révolution triomphe, se pose aussitôt le problème de son contenu national.

La *Déclaration des droits des peuples de Russie* [10] publiée le 2 novembre proclame « l'égalité et la souveraineté des peuples de Russie », le droit des peuples à l'autodétermination et à la sécession jusqu'à la constitution d'un État indépendant. Ce texte pose implicitement le problème de l'organisation politique interne du territoire russe. L'État transitoire sera-t-il centralisé ou fédéral? La déclaration stipule bien que l'alternative à la sécession est « l'union volontaire et honnête des peuples de Russie ». Mais au-delà des conditions de l'union, la forme de l'État unissant ces peuples reste imprécise.

Malgré son hostilité au fédéralisme Lénine entrevoit assez tôt que dans la pratique, la fédération pourrait aider à résoudre un temps le problème national. Dans *L'État et la révolution*, sans rien renier de sa certitude que l'État centralisé est l'organisation politique qui convient à l'étape de transition, il cite Engels pour qui l'organisation fédérale de l'État peut être, dans certaines conditions, un « pas en avant [11] ». Et Staline, nommé depuis peu commissaire aux Nationalités, dit le 30 novembre 1917 que le pouvoir des Soviets n'est pas hostile à l'idée d'une République fédérale [12].

Mais en 1918, la désintégration de la Russie commande que soit sauvegardé un espace viable et que l'exemple de la Finlande ou de l'Ukraine ne soit pas suivi par tous les peuples non russes. Poussé par Staline, par son propre sens des réalités, Lénine tourne alors le dos à ses idées premières et fait du principe fédéral le fondement de l'État soviétique. La *Déclaration des droits du peuple travailleur et exploité* [13] du 12 janvier 1918 précise dans son article 2 : « La République soviétique de Russie se constitue sur la base d'une libre union de nations libres, comme fédération des Républiques soviétiques nationales. »

La décision d'adhérer à la République fédérale est confiée aux « ouvriers et paysans de chaque groupe ethnique, qui doivent prendre une décision indépendante au sein de leur propre organisation soviétique ». Il leur appartient d'y exprimer leur conception de leur avenir national et des « bases sur lesquelles ils entendent participer au gouvernement et aux diverses institutions fédérales [14] ». Cette déclaration définit enfin la forme de l'État soviétique. La reconnaissance du principe fédéral doit permettre à la base territoriale du pouvoir soviétique de s'élargir sans violer les droits nationaux. Lénine précise peu après le type de relations qui doit s'établir entre nations au sein de la fédération. Il ne s'agit pas d'une domination décentralisée sur « le mode de l'ancien Empire romain », mais d'une union égalitaire dont le fondement essentiel est l'intérêt clairement ressenti des classes travailleuses [15]. Cet intérêt peut au demeurant se traduire par diverses sortes de regroupements, union à la Russie révolutionnaire, mais aussi constellation autour d'elle de diverses fédérations de nations libres [16].

La déclaration du 12 janvier précise aussi les modalités de l'union à la Russie : l'autodétermination appartient à tous les travailleurs, elle s'exerce au sein du congrès des Soviets. L'ambiguïté des textes prérévolutionnaires de Lénine fait place à une doctrine précise : le siège de la décision est le congrès des Soviets. De déclaration en discours, Lénine insiste sur l'idéologie égalitaire qui est au cœur du choix fédéral du nouveau pouvoir russe.

Mais la fédération qu'il conçoit comme moyen et non comme fin n'a pour lui de valeur que transitoire. Elle permet à la Russie d'attendre la révolution mondiale, dans des conditions viables. Elle est aussi l'étape obligatoire sur la voie de l'unité et du dépassement des différences nationales à l'intérieur du pays. Lénine va multiplier les remarques qui rappellent son orientation fondamentale, sa conviction que seules des structures unitaires, centralisées correspondent aux intérêts réels, à long terme, de la classe ouvrière. « La fédération des nations, écrit-il en mars 1918, est une étape vers l'unité *consciente* et plus étroite des travailleurs qui auront appris *volontairement* à s'élever au-dessus des conflits nationaux [17] » et plus loin : « la fédération comme étape vers la fusion volontaire [18] [...]. »

L'État soviétique, fût-il fédéral, est fondé avant tout sur le *centralisme démocratique*, qui, après la révolution, fait contrepoids aux concessions que les circonstances arrachent aux bolcheviks. « En réalité, même la fédération [...] ne contredit pas le centralisme démocratique. La fédération est une étape vers le centralisme démocratique [19]. »

La volonté constamment manifestée par Lénine de ne pas donner au statut fédéral une valeur absolue et définitive ressort particulièrement de la constitution de 1918 [20]. Le texte de la première constitution soviétique a été préparé par la Commission constitutionnelle créée le 1er avril 1918 et présidée par Sverdlov. En juillet une commission spéciale du Comité central du parti placée sous l'autorité de Lénine produit un texte définitif qui combine deux projets, celui de la commission Sverdlov, repris pour l'essentiel, et celui du ministère de la Justice. Le 10 juillet 1918 le Ve congrès panrusse des Soviets adopte à l'unanimité la constitution qui sera promulguée le 19 juillet.

Le corpus constitutionnel [21] est composé de deux textes : la *Déclaration des droits du peuple travailleur et exploité*, légèrement amendée, et en deuxième partie les dispositions organisant la République fédérale.

E.H. Carr a très justement relevé que le terme « fédération » ou « fédéral » est absent de la constitution de 1918, sauf lorsqu'il s'agit d'évoquer des principes généraux ou de citer le titre complet du nouvel État [22]. Plus radical que lui, R. Pipes assure que le mot « fédération » n'est jamais mentionné dans la constitution [23], ce que contredit l'article 11. Cependant l'un et l'autre ont raison de souligner la parcimonie avec laquelle les constituants soviétiques ont utilisé ce terme. Mais surtout ils sont discrets sur le contenu politique du système fédéral et sur son fonctionnement. La constitution de 1918 a mis en place, en réalité, un système d'organisation relativement décentralisé dont les grandes unités administratives, les régions (*oblast'*), peuvent à l'occasion « être caractérisées par un mode de vie et une composition nationale particulière » (article 11).

Les organes du pouvoir, s'ils sont décrits avec précision, ne marquent pas de volonté de représentation nationale, et les problèmes de compétences liées au statut fédéral n'apparaissent qu'à l'article 49, sections C b (fixation et changement de frontières) et D (entrée de nouveaux membres dans la fédération et reconnaissance du droit de sortie de la fédération). Le drapeau de la fédération évoqué à l'article 89 ne fait aucune référence à un statut multinational mais semble symboliser une société déjà unifiée.

Quant aux institutions des entités fédérées, elles sont présentées comme institutions locales. Si l'on parle de Soviets locaux *(mestnye sovety)*, régionaux *(oblastnye)*, provinciaux *(gubernskie)*, de district *(d'ezdnye)*, de districts ruraux *(volostnye)*, d'organes du pouvoir soviétique *(organy Sovetskoj vlasti)*, les institutions nationales ne sont jamais évoquées. L'organisation de l'État fédéral a une base administrative territoriale, et la fédération semble être réduite d'une part au caractère volontaire de la cohabitation des peuples, d'autre part à l'affirmation que toutes les nations y sont égales en droit. Les circonstances expliquent cette vision restrictive de la fédération. Les constituants ignorent à l'été 1918 à quels territoires la constitution pourra être appliquée. Les États baltes, la majeure partie de l'Ukraine et de la Biélorussie sont aux mains des Allemands, le Turkestan et la Sibérie, hors d'atteinte, séparés des bolcheviks par des troupes hostiles. De surcroît, Lénine continue à croire à l'imminence d'une révolution qui ouvrira à l'État soviétique toute l'Europe. Comment dans cette attente, dans ce provisoire, définir avec sérieux des liens fédéraux, des compétences particulières ?

Des voies multiples vers le fédéralisme

De 1918 à 1922, le développement de la fédération suit trois voies : entrée dans la République fédérative de Républiques ou Régions autonomes, la différence entre ces deux statuts n'étant pas particulièrement claire; alliances bilatérales entre des Républiques indépendantes et la RSFSR; enfin constitution de fédérations particulières préludant à leur intégration dans l'État soviétique.

Première voie, l'intégration à la RSFSR. En 1919, le pouvoir soviétique est suffisamment affermi pour se consacrer à cette politique. En mars, un accord signé entre la RSFSR et la République soviétique bachkir présidée par Validov doit protéger la Bachkirie contre Koltchak qui a aboli par décret l'autonomie de la République [24]. Protection illusoire! En mai 1920, la RSFSR dénonce l'accord et s'incorpore la Bachkirie à laquelle elle va ajouter la Tatarie et un mois plus tard la région autonome tchouvache [25].

Au même moment, l'effondrement de l'Alash-Orda kazakh [26] (le gouvernement national formé par les Kazakhs dans la Steppe) permet au pouvoir soviétique d'agir pareillement dans la région des steppes. L'épisode le plus intéressant concerne les Kalmyks. Ce petit peuple mongol, bouddhiste, essentiellement nomade ou vivant d'élevage, installé à l'ouest de la mer Caspienne, connut toujours un destin tourmenté. Le 22 juillet 1919, le Conseil des commissaires du peuple l'a appelé à s'auto-déterminer sous la protection du pouvoir soviétique, et à rejoindre l'Armée rouge pour combattre Denikine [27]. Cet appel est révélateur des changements de la politique soviétique à l'égard des petits groupes nationaux. S'adressant aux Kalmyks, Lénine les invite à réunir un « congrès des travailleurs » qui se prononcera sur l'avenir de la nation entière. Rejetée en théorie, c'est l'idée de l'auto-détermination des seules classes laborieuses qui sous-tend cet appel. La réunion du congrès des travailleurs kalmyks bénéficie de l'aide du *Sovnarkom* de la RSFSR qui charge une commission d'organiser l'exercice du droit d'autodétermination [28]. Une région autonome kalmyk est alors créée le 25 novembre 1920 et intégrée à la RSFSR [29]. Entre-temps la RSFSR a incorporé la Commune des travailleurs de Carélie (août 1920), la République autonome kirghiz (août 1920); la Région autonome des Maris (début novembre 1920).

La Caucase, aux ethnies innombrables et inextricablement mêlées, posait un problème si complexe que Staline dut s'y rendre pour régler les problèmes d'organisation administrative. Le 13 novembre 1920 il affirme devant le congrès des peuples du Daghestan réuni à Temir Khan Shura que l'autodétermination signifie le respect des traditions et des particularismes des peuples de la région, mais « non leur séparation de la Russie [30] » et le répète quatre jours plus tard aux « montagnards » du Terek réunis en congrès à Vladikavkaz. Insistant sur la nécessité de préserver le caractère de chaque groupe ethnique, de réduire les rivalités liées au morcellement national du Caucase, Staline conclut à la nécessité de sa réorganisation territoriale et administrative [31]. Le 20 janvier 1921, un décret du Comité exécutif central crée deux Républiques autonomes – Daghestan et République des Montagnards (*Gorskaia*) – incorporées à la RSFSR [32].

L'ensemble sera complété par la République de Crimée (octobre 1921), la Région autonome des Bouriates-Mongols (janvier 1922), les Régions autonomes des Karatchai-Tcherkesses et des Kabardino-Balkares (janvier 1922), la République yakoute (avril 1922), la Région autonome des Oirat (juin 1922) et celle des Adyghés (juillet 1922) [33].

En 1923, la RSFSR compte dix-sept unités autonomes dont certaines jouissent d'une autonomie purement administrative, d'autres, qui ont le statut de République, d'une certaine autonomie politique. C'est à tout le moins le principe qui préside aux relations entre ces unités nationales et la RSFSR; mais en pratique, la différence est faible dans les compétences des Républiques et des régions. Ce sont les conditions dans lesquelles s'est opérée leur intégration (pressions extérieures, cadres nationaux) qui ont commandé leurs statuts. Dans les années 1919-

1923 les compétences locales sont limitées par l'intervention constante du parti communiste russe et du *Narkomnats.*

Seconde voie vers l'intégration : les relations bilatérales
entre la RSFSR et les Républiques soviétiques indépendantes. A côté des nations qui ont pu s'assurer une
indépendance durable – Finlande, Pologne, États baltes,
et provisoirement Géorgie –, plusieurs nations se sont
organisées en Républiques soviétiques indépendantes,
généralement méfiantes envers la RSFSR. Le 10 octobre
1920, Staline publie dans la *Pravda* un article qui est un
véritable programme d'action en matière nationale. Il y
tire les conséquences de l'arrêt de la révolution en
Occident. Pour sauver la révolution russe il faut régler le
problème des relations de la Russie avec ses anciennes
possessions dispersées et les organiser de manière viable.
Et il énumère les solutions possibles, de l'autonomie
locale à une large autonomie politique et à un système de
relations contractuelles, qui sera appliqué aux sept Républiques indépendantes [34]. Un système complexe de traités
bilatéraux [35] va progressivement les lier à la RSFSR et
réduire leur domaine de compétence. Cette diminution
de souveraineté est particulièrement claire à la lecture des
accords signés le 30 novembre 1920 entre la RSFSR et
l'Azerbaïdjan. L'*Accord sur l'union militaire, financière et
économique* [36], signé par Tchitcherine et Chakhtakhtinski,
commissaire à la Justice de l'Azerbaïdjan, stipule (article
2) que les deux pays s'engagent à réaliser l'unité des six
domaines suivants dans les plus brefs délais : organisation
militaire et commandement militaire; organes dirigeants
de l'économie et du commerce extérieur; ravitaillement;
transports ferroviaires et fluviaux; postes et télécommunications; finances.

Des accords complémentaires traitent des conditions
matérielles de cette unification, en contraignant notamment l'Azerbaïdjan à établir son plan de production en
accord avec celui de la RSFSR et en alignant les prix des
matières premières et des produits manufacturés de la
République périphérique sur ceux du centre (article 1 et 5
de l'accord complémentaire sur l'unification économi-

que) [37]. Enfin, la RSFSR est représentée dans les secteurs à unifier par des plénipotentiaires disposant d'une voix prépondérante (article 6 de l'accord cité ci-dessus).

Les accords russo-azéris sont remarquables par la brutalité de la rédaction. Les fins unificatrices figurent dans un titre et le paragraphe d'introduction n'évoque que très rapidement la nécessité de répondre à des intérêts communs.

Tout autre est la forme du traité signé entre la RSFSR et l'Ukraine le 28 décembre 1920 [38], qui s'ouvre sur l'évocation du droit des peuples à l'autodétermination, à l'indépendance, à la souveraineté. De surcroît, si l'article 1 précise que les signataires s'engagent à réaliser une unité militaire et économique, l'article 2 souligne que les rapports passés de dépendance ne créent aucune hiérarchie entre les deux États. L'accord se traduit par l'unification de sept commissariats ukrainiens et russes (article 3) : guerre et marine, conseil supérieur de l'économie nationale, commerce extérieur, finances, travail, communications, postes et télécommunications. Un certain équilibre existe car si les commissariats unifiés appartiennent à l'ensemble gouvernemental de la RSFSR, ils sont représentés en Ukraine par des mandataires placés sous le contrôle de son gouvernement (article 4). Enfin, si les commissariats unifiés sont placés sous l'autorité du congrès panrusse des Soviets et du Comité exécutif central de la RSFSR, des Ukrainiens en font partie. Analysant ce traité dans une thèse consacrée à la politique de Rakovski en Ukraine [39], Francis Conte souligne que l'Ukraine conserve à cette époque un commissariat aux Affaires étrangères indépendant de celui de l'URSS et en donne deux explications : la volonté soviétique d'affaiblir les gouvernements ukrainiens exilés en faisant de la République soviétique d'Ukraine un sujet de droit international, et le désir d'utiliser l'Ukraine en politique internationale. Sans doute faut-il admettre que la forte personnalité de Rakovski s'accommodait mal d'être placée à la tête d'un état fantoche; qu'il a voulu agir avec un maximum d'indépendance, fût-ce en favorisant un certain nationalisme ukrainien. Mais il faut y ajouter deux raisons plus

profondes. Les conditions du rapprochement russo-ukrainien d'abord. Après trois années de vie politique indépendante, l'Ukraine est difficile à réintégrer dans l'ensemble
russe. De décret en décret, la RSFSR a transféré les
pouvoirs détenus par les divers commissariats ukrainiens à
leurs homologues russes, vidant la République d'Ukraine
de toute substance. Le traité de décembre 1920 entérine
ainsi une pratique déjà vieille de plusieurs mois. Conscient de l'écart entre l'idéologie égalitaire, qu'il continue
à propager, et une pratique visant à restaurer l'unité, le
pouvoir soviétique s'est, dans ce cas difficile, efforcé de
limiter son intervention aux domaines qu'il juge essentiels
– l'économie et la défense –, laissant de côté ceux qui
symbolisent une indépendance formelle, les affaires
étrangères. De fait, à partir de 1920, la politique étrangère
de l'Ukraine (traités signés avec l'Allemagne, la Pologne,
etc.) [40] ne sera qu'un pâle reflet de la politique étrangère
de la RSFSR.

A cet empirisme prudent qui fait porter l'effort unitaire
sur l'essentiel et sauvegarde les apparences, il faut ajouter
une autre raison qui tient à la conception bolchevique des
relations internationales au début de la révolution. De
1917 à 1921, la politique extérieure se confond pour
Lénine et l'ensemble des bolcheviks avec la cause de la
révolution mondiale. Plus encore, les organes de la
politique extérieure des Soviets sont considérés comme
instruments révolutionnaires. Cette attitude est attestée
par la confusion qui règne à partir de 1919 entre les
organes du Komintern et ceux du commissariat aux
Affaires étrangères, *Narkomindel* [41]. Trotski puis Tchitcherine s'occupent avant tout de ce qui peut faire avancer
la révolution en Occident. C'est pourquoi, aussi longtemps que les bolcheviks conservent l'espoir de voir naître
de nouvelles révolutions, ils n'accordent guère d'importance au commissariat aux Affaires étrangères. Rakovski
lui-même participe à cette confusion des tâches. En 1919
il est à la fois à la tête du gouvernement ukrainien et
chargé du département méridional du Komintern. Le
siège de ce département est le même que celui du
gouvernement ukrainien et Rakovski est secondé dans sa

tâche au Komintern par Angelica Balabanova qui est alors simultanément membre du secrétariat de l'Internationale et ministre des Affaires étrangères d'Ukraine [42]. Jusqu'à l'attaque polonaise contre Kiev en 1920, il existait peu de différences, dans l'organisation et les tâches accomplies, entre le Bureau méridional installé à Kiev et le gouvernement ukrainien de Rakovski. L'attaque polonaise a entraîné le repli du Bureau méridional sur Moscou puis sa disparition en tant qu'organe particulier du Komintern. Ce n'est qu'à l'été 1920 après l'échec de la guerre révolutionnaire en Pologne que, prenant conscience de la nécessité de sauvegarder un État soviétique qu'ils savent désormais isolé, les bolcheviks commencent à le doter des instruments normaux qui lui permettent d'exercer ses compétences. En 1921 au IIIe congrès du Komintern, Lénine et ses principaux collaborateurs agissent déjà en hommes d'État et s'écartent de l'organisation révolutionnaire mondiale qui aura dès lors son propre personnel [43]. Mais à l'époque du traité russo-ukrainien, la question de l'autonomie des politiques extérieures n'est pas encore perçue avec netteté, aucun problème concret n'exige qu'il y soit apporté des réponses concrètes.

Quelques semaines encore et un traité semblable liera la Biélorussie à la RSFSR, identique dans les termes [44], à une exception. A la fin du traité russo-ukrainien une clause additionnelle spécifie qu'« au sein du congrès des Soviets, s'agissant d'affaires étrangères aux commissariats unifiés, l'autre partie contractante ne dispose plus que d'une voix consultative [45] ». Cette clause qui semble réduire les droits des Ukrainiens dans les organes de la RSFSR est absente du traité avec la Biélorussie. Faut-il conclure à une plus étroite intégration de la Biélorussie à la RSFSR ? Sans aucun doute oui, car un accord complémentaire traitant des problèmes financiers, signé en juin 1921 avec la Biélorussie, introduit dans le gouvernement de cette République un représentant de la RSFSR doté d'une voix prépondérante, et subordonne étroitement les organes financiers républicains à l'autorité du gouvernement russe [46].

Les différences statutaires entre les trois premières

Républiques signataires d'accords bilatéraux n'ont qu'une importance relative. Dès le début de 1921 ces Républiques se trouvent dans une situation de dépendance réelle envers la RSFSR, sans que ce glissement ait provoqué de heurts sérieux à la périphérie.

Tout autre allait être la tâche des bolcheviks en Géorgie. Ici point de gouvernement soviétique prêt à négocier avec Moscou, mais une nation attachée à préserver l'indépendance reconquise. De surcroît, l'État géorgien ne peut être accusé de menées contre-révolutionnaires puisqu'il est dirigé par des mencheviks[47]. Pourtant, pour Moscou, la Géorgie indépendante n'est qu'un poste avancé de l'Entente, aux portes mêmes de l'État des Soviets. Les mencheviks géorgiens déploient une activité internationale inlassable, obtiennent une reconnaissance *de jure* de nombreux États, et même, on l'a vu, une reconnaissance de fait de l'État bolchevique par le traité de mai 1920[48]. Les sociaux-démocrates européens vont à Tiflis prendre la mesure du « vrai socialisme » au pouvoir[49] et suggèrent ainsi que la RSFSR doit s'arrêter à la Koura, fleuve frontière. En Géorgie le droit à l'autodétermination débouche sur un défi, particulièrement insupportable dès lors que les bolcheviks ont rétabli leur autorité en 1920 sur les deux autres États du Caucase, Arménie et Azerbaïdjan[50]. Comment étendre la politique unitaire au Caucase si l'enclave social-démocrate géorgienne subsiste ?

Si les bolcheviks s'accordent à considérer que l'indépendance de la Géorgie les affaiblit aux confins méridionaux, ils sont divisés quant aux moyens de régler le problème. Dès cette époque Staline est le plus véhément avocat d'une action décisive dans sa patrie d'origine, invoquant l'urgence internationale et la géopolitique. Urgence internationale d'abord. « La Géorgie, déclare-t-il, est semblable à une fille qui a de nombreux soupirants. Nous devons aussi en tirer parti. L'Entente veut y construire une alliance contre nous. Nous ne pouvons, certes, mettre de force les Géorgiens dans notre camp mais nous pouvons contribuer à l'affaiblissement du gouvernement géorgien, et nous pouvons avec quelques

efforts freiner la formation d'une alliance agressive entre
la Géorgie et l'Entente. Ensuite nous verrons ce qu'il
convient de faire [51]. » Et il ajoute, se faisant géopoliticien :
« Le Caucase est important pour la révolution parce qu'il
est une source de matières premières et de produits
alimentaires. Et en raison de sa position géographique
entre l'Europe et l'Asie, entre l'Europe et la Turquie, en
raison de l'existence de routes économiques et stratégiques d'une importance considérable [52]. »

Ces propos sont révélateurs d'une nouvelle perception
du problème national. En 1917, le fondement de l'État
soviétique était la révolution. En 1921, comme les autres
États, l'État soviétique s'organise en termes de besoins
stratégiques et de ressources économiques. Les uns et les
autres supposent la récupération des territoires perdus en
1917.

Dans le cas de la Géorgie cette réintégration a été
favorisée par trois éléments : la présence au Caucase de la
XIᵉ armée qui en 1920 a repris Bakou [53]; le traité signé
entre la RSFSR et la République de Géorgie le 7 mai
1920, dont une clause secrète contraint la Géorgie à
légaliser le parti communiste et à lui laisser toute latitude
d'agir; l'existence du *Kavburo* (Bureau caucasien), qui
travaille en liaison avec la XIᵉ armée [54].

La Géorgie est ainsi soumise à une double pression : à
l'intérieur celle des communistes, à l'extérieur celle du
Kavburo et de l'armée. A la fin de 1920, la pression
conjuguée du *Kavburo* et de la XIᵉ armée s'exerce
simultanément sur la Géorgie et sur Lénine, Ordjonikidze
et Kirov voulant le convaincre que la XIᵉ armée doit voler
au secours des communistes géorgiens [55]. Le 20 janvier
1921, Tchitchérine saisit à son tour Lénine du cas
géorgien. Le ministre des Affaires étrangères accuse le
gouvernement géorgien de violer continûment le traité
du 7 mai et réclame une intervention militaire pour y
mettre fin et soutenir une insurrection intérieure [56]. Après
de longs débats au Comité central, Lénine donne aux
dirigeants du *Kavburo* l'autorisation d'intervenir. L'invasion de la Géorgie par la XIᵉ armée commence le 15
février et s'achève le 25 par la chute de Tiflis et la
proclamation de la République soviétique de Géorgie [57].

L'affaire géorgienne est intéressante à divers titres. Elle témoigne en premier lieu des préoccupations *étatiques* des dirigeants soviétiques en 1921. Le conflit qui divise en janvier le Comité central sur ce sujet doit être compris [58]. Staline, Tchitchérine et le *Kavburo* prêchent l'invasion contre un Lénine hésitant [59] parce qu'ils analysent différemment les conséquences d'une opération militaire, et non parce qu'ils sont en désaccord sur le fond. Le *Kavburo* et Staline considèrent qu'il faut utiliser les instruments d'intégration existant au Caucase (organes du parti, armée), suffisamment puissants pour réduire la résistance locale. Tchitchérine est préoccupé des réactions occidentales, mais se souvient que Lloyd George a assuré Krasine que pour l'Angleterre tout le Caucase se trouve dans la zone d'influence russe. Lénine craint un ensemble de conséquences internationales. D'abord un sursaut anglais qui menacerait à nouveau la sécurité soviétique et briserait ses efforts pour intégrer la Russie dans la communauté internationale, politique qu'il juge indispensable. Mais il pense aussi à la Turquie engagée dans une négociation avec la Russie qui débouchera sur le traité d'amitié du 16 mars 1921 [60]. Pour Lénine la paix avec la Turquie est plus importante pour la sécurité russe que le contrôle d'une Géorgie faible qui, de toute façon, devra pour préserver son indépendance céder à toutes les exigences russes. Lénine s'inquiète aussi mais accessoirement des réactions du peuple géorgien. Sa priorité c'est la sécurité internationale de l'État soviétique qui veut rassurer le monde capitaliste et non l'effrayer. C'est d'ailleurs ce que comprennent ses collègues et c'est sur ce point qu'ils le rassurent.

L'affaire géorgienne est aussi très éclairante sur les instruments de la centralisation. La volonté de Lénine a été ignorée en Géorgie, non à la suite d'un affrontement particulièrement violent, mais parce que les instruments politiques existants ont joui d'une autonomie considérable. Staline a constamment utilisé le *Kavburo* pour arguer de ses volontés, des prétendues exigences populaires géorgiennes, et Lénine n'a jamais pu en contrôler pleinement la véracité. Le *Kavburo* avait été mis en place pour représenter le parti à la périphérie et travailler à sa reconquête, mais il s'est révélé difficile à manipuler. De la même manière, la XIe armée a complètement échappé à l'autorité du commissaire à la guerre Trotski [61] qui, le 21 février 1921, c'est-à-dire une semaine après l'invasion, en est encore à enquêter sur les conditions dans lesquelles la décision a été prise [62]. De même, Lénine donne son accord à l'intervention le 14, alors qu'elle est commencée depuis deux jours [63]. Enfin il faut souligner que pour parer aux risques de réaction internationale, les bolcheviks ont présenté l'affaire géorgienne comme un conflit entre Géorgiens et Arméniens, entraînant des désordres et imposant une intervention limitée de la XIe armée. C'est ce que dit Lénine au Soviet de Moscou le 28 février. Mais les communistes géorgiens qui de l'intérieur ont préparé l'intervention soviétique – Orakhelachvili, Budu Mdivani, Filip Makharadze, A. Gueguetchkori... – ne font nullement état dans leur message d'un tel conflit avec les Arméniens et montrent que l'affaire a été pleinement préparée par le *Kavburo* [64].

Tout en donnant son accord, Lénine est inquiet de la pression exercée sur la Géorgie, de l'activité déployée par le groupe géorgien qu'il contrôle mal. Si jusqu'alors les relations avec les nations ont été décidées à Moscou, dans le cas géorgien, l'initiative a en partie échappé au pouvoir soviétique et les instances politiques et militaires du Caucase ont très largement forcé la décision. C'est cette distance entre le pouvoir soviétique et le groupe caucasien qui conduit Lénine à multiplier les mises en garde, les recommandations de prudence. Le 2 mars un télégramme à Ordjonikidze laisse percer ses inquiétudes. « [...] Il faut pratiquer une politique spécifique de concessions envers l'intelligentsia géorgienne et les petits commerçants, il faut même accepter des sacrifices afin que ces derniers puissent conserver une activité commerçante.

« Il est immensément important de chercher un compromis acceptable pour faire un bloc avec Jordania ou d'autres mencheviks géorgiens qui n'étaient pas, avant l'insurrection, totalement opposés à l'idée d'une organisation soviétique de la Géorgie dans des conditions précises.

« Je vous prie de vous souvenir que les conditions internes et internationales exigent que les communistes géorgiens n'appliquent pas le *Chablon* (modèle) russe, mais imaginent une tactique particulière, intelligente et souple [65]. »

La crise s'achève sur la signature du traité bilatéral du 21 mai. Trois traités complètent ce dispositif : Khiva, 30 septembre 1920 [66], Boukhara 4 mars 1921 [67], l'Arménie 30 septembre 1921. La Russie est réconciliée avec ses anciennes possessions un moment perdues.

Si d'un traité à l'autre on trouve des formulations diverses qui semblent traduire des rapports de forces différents, tous, hormis ceux qui concernent les deux anciens émirats d'Asie centrale, entérinent la situation qui existe en 1921, ou les nécessités qui se sont imposées à la RSFSR. Les traités se présentent tous comme des alliances classiques entre égaux et non comme des accords créant des liens privilégiés. Ils couvrent en principe deux domaines, économie et questions militaires. Sur le plan économique il s'agit avant tout d'organiser la pénurie. En matière militaire, l'unité existe, réalisée par l'Armée rouge dans le cours de la guerre civile. Par contre les traités ne prévoient pas d'unité d'action diplomatique, mais l'Ukraine seule conserve jusqu'en 1922 des liens propres avec les puissances extérieures et affirme qu'elle a des intérêts spécifiques [68]. Mais l'imbrication politique et économique découlant des traités est si étroite qu'aucune République soviétique ne peut envisager de politique extérieure indépendante. On le constate lors de la signature du traité de Riga, qui, le 18 mars 1921, met fin à la guerre avec la Pologne et où la représentation des diverses Républiques fut plus ou moins fictive. Si l'Ukraine y avait deux représentants, les Polonais n'y ont vu qu'une délégation unique russo-ukrainienne qui rendait compte d'une situation semi-fédérale. Sans doute Moscou essaie-t-il encore de préserver les apparences. C'est ainsi que le traité soviéto-turc de 1921 qui règle les problèmes frontaliers des trois Républiques du Caucase, s'il est négocié par la Russie seule, prévoit dans une seconde étape l'intervention des Républiques intéressées. Celles-ci signeront le traité de Kars peu après, tout en soulignant que leur position est le fruit d'une concertation avec la Russie [69].

Mais à la première grande réunion internationale, la fiction de la capacité diplomatique des Républiques s'effondre. Seule la RSFSR est conviée à la conférence de Gênes en 1922 et les Républiques de l'ex-Empire débattent de l'attitude à adopter. L'Ukraine ne veut pas abandonner sa souveraineté et le Politburo de son parti communiste déclare le 23 janvier 1922 que si un « front diplomatique commun de toutes les Républiques soviétiques » est souhaitable, des délégués urkainiens doivent figurer dans la délégation soviétique [70]. Vain combat. Le 22 février 1922, à l'issue d'une réunion tenue au Kremlin, les représentants des huit Républiques s'accordent pour : « confier à la RSFSR la mission de les représenter, de défendre à cette conférence leurs intérêts et signer en leur nom tous les actes [...] [71]. »

Le même jour, Kalinine, président du Comité exécutif central panrusse, souligne que cette mission confirme les dispositions adoptées dès le 27 janvier par le Comité exécutif central [72]. Ainsi, sans attendre que les Républiques aient délégué à la Russie leurs pouvoirs internationaux, celle-ci les avait confisqués. L'alliance définie par les traités bilatéraux ressemble fort à l'union.

L'union imposée

Au même moment s'affirment des aspirations nationales qui atteignent des communistes jusqu'alors peu suspects d'hostilité à Moscou. Ce nationalisme a trois pôles. En Asie centrale la résistance militaire des Basmatchis se développe. Plus graves encore sont les dissidences au sein du parti bolchevik même. Chez les Tatars, Sultan Galiev met en doute la conception marxiste de l'internationalisme prolétarien dès lors qu'il est question de relations entre nations de développement inégal [73]. En Géorgie des bolcheviks comme Filip Makharadzé ou Budu Mdivani qui ont été les artisans de l'intervention en février 1921 évoluent ensuite vers des positions nationalistes [74]. La politique d'unité régionale imposée par Moscou est à l'origine de ces crises. Mais Lénine, hésitant à intervenir militairement en Géorgie, est en revanche attaché aux regroupements. Les nécessités économiques imposent, pense-t-il, la constitution d'ensembles dépassant le cadre républicain [75]. La désorganisation économique complète de l'espace russe en 1921 plaide à la fois pour un relâchement des contraintes – c'est la NEP – et pour une utilisation rationnelle des ressources existantes. De plus, l'unité économique facilite des solutions politiques qui harmoniseront le statut de toutes les Républiques. Sans doute, dès 1921, les Républiques soviétiques se dotent-elles de constitutions qui alignent leurs systèmes politiques sur celui de la RSFSR [76]. Mais les dispositions traitant des liens entre Républiques trahissent des désaccords profonds. Tandis que l'Arménie privilégie les liens régionaux [77], la Géorgie entend accorder le même traitement à toutes les Républiques soviétiques et préfère à une unité régionale l'entrée sur un pied d'égalité « dans une seule République socialiste soviétique aussitôt que seront créées les conditions nécessaires à sa fondation [78] ».

Pressées par Moscou, les Républiques du Caucase doivent opter le 16 avril 1921 pour une direction unique des transports ferroviaires, profondément désorganisés, selon le modèle et les règles qui prévalent dans la RSFSR. De même, le 2 juin 1921, leur commerce extérieur est unifié. Ces institutions communes ouvrent la voie, pense-t-on à Moscou, à une unité complète. En pratique, la vie économique des Républiques caucasiennes n'en est guère modifiée car l'unité se heurte aux monnaies différentes, aux barrières douanières, à la volonté de préserver les particularismes. Une fois encore, c'est le *Kavburo* qui décide, en accord avec le pouvoir central. Ordjonikidzé est envoyé au Caucase [79]; le *Kavburo*, réuni à Bakou le 3 novembre en présence de Molotov et Derjinski, décide de préparer un projet fédéral. La discussion se passe entre le *Kavburo* et Moscou plutôt qu'entre le *Kavburo* et les capitales des Républiques. Pour Lénine, la question de l'unité transcaucasienne semble déjà réglée. Ce qui le préoccupe, c'est la nature des liens qui seront établis entre cette fédération et la RSFSR [80]. Mais les communistes géorgiens, suivis plus timidement par leurs collègues azeris, s'indignent. Budu Mdivani télégraphie le 25 novembre 1921 à Staline : « Les partisans de la fédéralisation immédiate [...] ne tiennent aucun compte des forces existantes et de la situation concrète [81] », s'il ne met en question que le rythme proposé par le *Kavburo*, Filip Makharadzé proteste contre le principe et contre les méthodes employés. Dans un rapport adressé au Comité central du parti bolchevique et à Lénine le 6 décembre 1921, il écrit : « La fédération imposée d'en haut ne sera pas autre chose que la création d'un appareil bureaucratique supplémentaire complètement impopulaire aux yeux des masses et coupé d'elles [...]. Mieux vaut maintenir des liens contractuels, unir nos efforts économiques sans fusion organisationnelle et subordination formelle [82]. »

A cette critique de fond Makharadzé ajoute celle des méthodes : le processus fédéral est imposé « d'en haut » par la violence. Sur ce dernier point les plaintes pleuvent à Moscou. Tous les Géorgiens en appellent qui au Comité central, qui à Staline. Ainsi le 13 décembre 1921, A. Svanidzé écrit-il à Staline : « Ordjonikidzé nous matraque avec le lourd gourdin de l'autorité centrale. »

Dans cette crise Lénine soutient le *Kavburo*. Informé par Staline, Lénine ne discute que les détails. La constitution de la fédération doit être accompli « par en haut » – *Kavburo* et commission spéciale pour la fédération, mise en place le 8 décembre 1921 – mais aussi avec l'accord de la base, c'est-à-dire des Soviets, élus sur un programme fédéral. Les élections qui se déroulent dans les trois Républiques en 1921-1922 se transforment en bataille pour ou contre la fédération transcaucasienne. Contre ceux qui la combattent, Ordjonikidzé brandit le drapeau de l'internationalisme mais surtout la menace du fractionnisme interdit depuis le Xe congrès du parti communiste en mars 1921. Refuser la fédération dont la nécessité est affirmée par le parti bolchevique c'est déjà, dit-il, faire preuve d'activités fractionnelles [83].

On conçoit que ces menaces rendent intolérable la situation des opposants, d'autant qu'en février 1922 Ordjonikidzé annonce à l'issue des élections qu'il est temps de passer à l'organisation de la fédération. Isolés dans leurs partis, sous la pression du *Kavburo*, les adversaires de la fédération capitulent. Les 11 et 12 mars, la Conférence pour l'unité du Caucase adopte à Tiflis un statut fédéral en treize points [84]. L'Union des Républiques socialistes soviétiques du Caucase est née. Elle prend en charge les relations extérieures, la défense, les finances, le commerce extérieur, les transports, l'information, la sécurité intérieure, l'économie. Les Républiques fédérées conservent leur souveraineté dans les autres domaines d'action, qui sont fort réduits. L'organisation des pouvoirs fédéraux et nationaux, la liaison entre les deux niveaux répètent ce qui existe dans la RSFSR. L'article 13 de l'accord du 12 mars, qui tient lieu de constitution fédérale, prévoit que les relations de la fédération caucasienne et de la RSFSR seront définies par un traité.

En pratique une série d'accords va en quelques mois intégrer la fédération à la RSFSR dans le domaine économique et charger la RSFSR de sa représentation internationale (le 8 avril 1922 les barrières douanières sont supprimées; le 12 mai les télécommunications sont unifiées; le 10 novembre, le présidium de l'organisation communiste transcaucasienne recommande au Conseil fédéral de supprimer ses représentations extérieures et de confier à la RSFSR les intérêts caucasiens).

La fédéralisation du Caucase et le traité du 12 mars 1922 éclairent les vues de Lénine et Staline, qui sont d'accord à cette époque sur le sens de la souveraineté au sein d'une fédération.

Ordjonikidzé a parfaitement résumé cette conception [85]. La souveraineté ne se définit pas d'une manière statique « par des *attributs* que chaque nation conquiert une fois pour toutes, mais dans un mouvement dynamique où l'unité est garante de la souveraineté de tous et non de la diversité ». Si Ordjonikidzé ne précise pas les aspects formels du processus qu'il entrevoit, c'est que les bolcheviks sont en 1922 plus sensibles au dynamisme unitaire qu'à des moyens particuliers de réaliser l'unité. Mais le dessein général est clair.

C'est contre ce dessein – l'unité politique – que les Caucasiens protestent. Les Géorgiens, qui restent même après mars 1922 les critiques les plus violents de la politique russe, dénoncent son volontarisme. Mdivani a déclaré que si la situation économique pouvait imposer des abandons de souveraineté cela n'impliquait pas qu'une véritable coopération économique ait pour terme l'unification politique. De surcroît, ajoutait-il, il n'y a pas d'unité économique en 1922, pas même de coopération; alors à quoi rime la mise en place de structures fédérales? Makharadzé complète cette critique en disant : « Votre union est un squelette que vous ne serez pas capables d'animer [86]. » Les Géorgiens dénoncent ainsi l'idée – déjà largement mise en pratique par les bolcheviks – qu'une révolution peut partir de la superstructure (ici, les organes bureaucratiques du pouvoir fédéral) sans tenir compte de l'état de la société, de ses besoins, de ses aspirations. La fédéralisation est imposée aux Républiques du Caucase parce que les instruments permettant de le faire existent : le *Kavburo,* émanation du parti bolchevique, est au Caucase l'interprète des conceptions centralistes contre les partis communistes nationaux. Il utilise contre eux les arguments qui au Xe congrès ont conduit à l'interdiction des fractions et transpose à la périphérie et au cadre national la situation russe. Ordjonikidzé justifie en effet la hâte à fédéraliser par l'excès des concessions faites en 1921 et il invoque les thèses du XIe congrès du parti, qui s'efforce de mettre un frein à la NEP.

Avec le règlement du problème caucasien – fût-il momentané –, les dirigeants soviétiques ont achevé le rassemblement des territoires dispersés cinq ans plus tôt, en une constellation d'États tournant autour de la RSFSR et dont le centre est Moscou. Qu'une région aussi importante que celle de Bakou fût placée pour toute décision économique sous l'autorité directe des organes de la RSFSR en témoigne. L'autorité du parti communiste central sur les organisations communistes de la périphérie est alors totale. Aux yeux du monde extérieur les différences entre les Républiques soviétiques et la RSFSR s'estompent. Pour le cinquième anniversaire de la révolution russe, l'institutionnalisation du rassemblement est à l'ordre du jour.

Le conflit constitutionnel : quelle fédération ?

Dès 1920, Lénine avait ainsi défini sa vision des relations futures entre les Républiques soviétiques : « En reconnaissant la fédération comme statut de transition vers l'unité complète, il est indispensable de rendre les liens fédéraux toujours plus étroits [87]. »

En parlant de fédération, Lénine ne pense pas alors à un modèle précis, il insiste sur la nécessité de partir de la pratique pour définir les liens fédéraux [88] et souligne qu'il existe deux réalités fédérales : l'une de type *contractuel,* liant la RSFSR aux Républiques souveraines, et l'autre, *organique,* fondée sur l'autonomie des entités nationales intégrées à la RSFSR. En fait la Biélorussie et le Turkestan représentent un troisième modèle combinant l'autonomie et les relations contractuelles.

Mais au-delà des différences statutaires, ce sont les différences de comportement qui importent. Si certains États – Biélorussie par exemple – semblent accepter le développement des liens fédéraux et une conception dynamique du système fédéral, d'autres – c'est avant tout le cas de la Géorgie – freinent le développement des institutions communes. Dans ce dernier cas, la division du parti communiste entre partisans de la fédération et adversaires conduit à une paralysie des liens contractuels. C'est du centre et autoritairement que le système fédéral est maintenu. La persistance du conflit caucasien, les difficultés rencontrées en Ukraine incitent Lénine à penser qu'il faut accélérer la fédéralisation et développer au maximum les institutions communes pour atteindre à un statut commun. Il le dit au XIᵉ congrès du parti en 1922. « L'Ukraine République indépendante, c'est très bien. Mais en ce qui concerne le parti, elle prend parfois – comment dire – des libertés qu'il nous faudra briser. Car il y a là des gens rusés, et le CC, je ne dirai pas nous trompe, mais d'une certaine façon s'écarte de nous [89]. » Dès l'année précédente, au Xᵉ congrès, Staline, rapporteur sur la question nationale, dit que la politique d'union acceptée par le parti doit conduire à une fédération sur le modèle de la RSFSR, cette fédération devant à son tour servir de modèle à une future fédération mondiale des États socialistes. Staline dévoile ici sa conception de la fédération, sur laquelle il va bientôt se heurter à Lénine. Mais en 1921 il peut considérer à bon droit qu'il est en accord avec Lénine. Le 13 janvier 1922, il écrit à Lénine : « Certains camarades proposent d'organiser l'unification de toutes les Républiques indépendantes sur le principe de l'autonomie [90]. » Mais il ajoute qu'il serait maladroit de s'engager dans cette entreprise à la veille de la conférence de Gênes.

Le 10 août 1922, une commission composée de Staline, Kouibichev, Molotov, Ordjonikidzé, Rakovski, Sokolnikov, représentant la fédération, et d'Agamaly-Ogly (Azerbaïdjan), Miasnikov (Arménie), Tcherviakov (Biélorussie), Petrovski (Ukraine), Mdivani (Géorgie) pour les Républiques est installée à Moscou pour préparer la fédération.

Le rôle de Staline – rédacteur du projet – est prépondérant. Le texte présenté un mois plus tard à ses collègues est conforme aux idées qu'il a exposées au Xᵉ congrès, c'est-à-dire qu'il étend le modèle de la RSFSR à la fédération. La RSFSR englobe de nouveaux groupes nationaux avec un statut d'autonomie; la fédération se fera par l'« adhésion formelle » à la RSFSR des Républiques soviétiques qui deviendront Républiques autonomes. Les organes du pouvoir de la RSFSR (gouvernement, Comité exécutif central) seront organes du pouvoir de la fédération.

Le texte de Staline fut envoyé aux comités centraux des partis républicains. Certains (Azerbaïdjan, Biélorussie) l'acceptent, constatant qu'il fait coïncider le droit et la réalité déjà existante. L'Arménie suit la même voie. Les Ukrainiens sans critiquer le projet disent leur préférence pour le statu quo. Mais en Géorgie, c'est l'explosion. Le Comité central rejette le texte, insistant sur sa volonté de sauvegarder la souveraineté de la République. La présence d'Ordjonikidzé, de Kirov et de Sokolnikov dans le Comité central du parti géorgien ne suffit pas à briser l'opposition. Malade, Lénine ne prend connaissance du projet et des controverses qu'il soulève qu'à la fin septembre, lorsque les positions des diverses Républiques sont déjà fixées. Il s'oppose alors à Staline qu'il accuse d'aller trop vite en besogne [91]. Il condamne l'idée d'autonomisation et élabore une version totalement différente : la fédération unira des Républiques égales et non pas dominées par la RSFSR. « J'espère, écrit-il, que le sens de cette concession est clair, nous nous reconnaissons égaux en droits avec la RSS d'Ukraine, etc., et entrons avec elle sur un pied d'égalité dans une nouvelle union, une nouvelle fédération [92] [...]. » Et encore : « Il est important de ne pas verser de l'eau au moulin des indépendantistes (*nezavisimtsy*). »

Pour que cette égalité soit réelle il faut à la fédération ses propres organes de pouvoir, coiffant ceux des autres Républiques, RSFSR comprise. Lénine suggère la création d'un Comité exécutif et d'un Conseil des commissaires du peuple fédéraux. Il décide aussi de suivre personnellement l'affaire. En dépit d'une mauvaise humeur manifeste [93], Staline corrige son projet en tenant compte des observations de Lénine et le présente le 6 octobre au Comité central comme une formulation « plus précise » que celle du projet initial [94]. Lénine mettra un point final à l'affaire dans une note à Kamenev, où il « déclare la guerre à mort au chauvinisme grand-russien » et souligne la nécessité « qu'à tour de rôle, un Russe, un Ukrainien, un Géorgien, etc., préside le Comité exécutif central de l'Union [95] ».

Le 6 octobre, le projet de résolution signé par Staline, Ordjonikidzé, Miasnikov et Molotov, est adressé au Comité central qui l'approuve [96]. Le conflit entre le centre et les Républiques périphériques semble réglé. En fait il ne l'est pas. Tout d'abord, la soumission de Staline au « libéralisme national » de Lénine, ainsi qu'il l'écrit aux membres du Politburo, n'est que superficielle. Il est plus que Lénine attaché à une conception centraliste des relations entre nations soviétiques. Sans doute Lénine l'est-il aussi. S'il s'oppose à Staline, c'est sur ses méthodes ; s'il veut un statut égal pour toutes les nations, ce n'est pas pour elles mais pour ne pas aggraver les relations avec elles. Sa préoccupation reste, en octobre 1922, la même qu'en 1913 : donner aux nations opprimées confiance dans l'internationalisme prolétarien pour préparer le passage du sentiment national à la solidarité de classe. Ce qu'il reproche à Staline, c'est d'être « trop pressé », de ne pas comprendre que les nations non russes n'ont pas encore dépassé le stade des fidélités nationales. Ce ne sont pas les conceptions de Staline que Lénine condamne, c'est leur inopportunité. Appliquées trop tôt, elles risquent d'« apporter de l'eau au moulin des indépendantistes ». A l'égard de ceux-ci, principalement des Géorgiens, Lénine n'est pas tendre ; il soutiendra d'ailleurs Staline dans le conflit qui l'oppose à eux sur le problème de la fédération transcaucasienne.

L'attitude de Staline n'est pas moins révélatrice de ses arrière-pensées. S'il cède aux critiques de Lénine et renonce à son projet, ce n'est qu'en vertu d'une conception réaliste des rapports entre le droit et le fait. Considérant que la situation existant dans l'ancien Empire tsariste conduit de toute manière à la prééminence de la RSFSR dans la fédération, il souhaite que le droit rende compte de cette position de force. Contraint de reculer, il s'y résigne parce qu'il reste convaincu que les formulations égalitaires ne changeront rien à une inégalité de fait. La RSFSR est et sera le pivot et la tête de la fédération.

Le projet de fédération, dans sa nouvelle version, est accepté par tous les partis nationaux. Cependant, les dirigeants géorgiens exigent que leur pays y entre de plain-pied comme l'Ukraine et non par l'intermédiaire d'une fédération transcaucasienne où ses droits en tant que République seraient limités. Or Staline et son représentant à Tiflis, Ordjonikidzé, s'obstinent à vouloir imposer à la Géorgie une entrée indirecte dans l'Union, et à transformer la fédération transcaucasienne en République fédérative, ce qui réduirait chaque République du Caucase à l'autonomie.

Les arguments de Staline et de ses partisans sont de deux sortes. Ils invoquent la complexité nationale du Caucase et de chacune des Républiques pour justifier une organisation fédérale de la région destinée à y neutraliser les heurts nationaux. Miasnikov écrit dans un article intitulé « Pourquoi la Géorgie, l'Azerbaïdjan et l'Arménie doivent entrer dans l'Union des Républiques par l'intermédiaire de la fédération transcaucasienne [97]? » que les conflits entre minorités du Caucase sont si sérieux que l'existence d'une organisation intermédiaire, la fédération régionale, s'impose pour que Moscou, centre fédéral, ne soit pas submergé par les plaintes réciproques de ces peuples. Ordjonikidzé invoque même l'exemple « du tsarisme imbécile » qui avait « compris qu'un centre administratif unificateur devait exister au Caucase, et servir de tampon entre les groupes nationaux et le pouvoir central [98] ». Le second argument opposé aux Géorgiens est égalitaire. La Géorgie de par sa position géographique est privilégiée. Intégrée dans l'ensemble transcaucasien elle perd des privilèges qu'aucune République soviétique ne doit songer à maintenir dans l'Union [99].

Mais plus que ces arguments, c'est une guerre en règle qui se déroule en Géorgie entre Ordjonikidzé et les dirigeants communistes locaux. Tandis qu'Ordjonikidzé purge l'appareil du PC géorgien, ses responsables en appellent à Lénine, Kamenev et Boukharine, accusant l'envoyé de Moscou de créer l'anarchie et d'agir par la violence, même physique, contre eux. Lénine, convaincu que la solution fédérale résout ces problèmes, leur répond par un télégramme cinglant [100] : « Je suis étonné par le ton inconvenant de votre note [...]. Je condamne résolument vos attaques contre Ordjonikidzé et j'insiste pour que vous soumettiez votre conflit, sur un ton décent et loyal, au secrétariat du Comité central du PC russe [...]. »

Boukharine et Kamenev ne sont pas plus compréhensifs. Sans doute troublés par les plaintes multipliées des

Géorgiens, les dirigeants russes décident-ils l'envoi d'une commission d'enquête. Mais cette commission, composée par Staline [101] (présidée par Derjinski, assisté de Mitske-vitch-Kapsukas et Sosnovski), ne prend guère contact avec les rebelles et ignore les violences d'Ordjonikidzé qui a été jusqu'à frapper ses interlocuteurs. Elle attribuera la responsabilité de la crise aux nationalistes [102].

Cette crise a provoqué un choc chez Lénine, qui probablement contribue à l'altération rapide de sa santé. En novembre, il ne croit déjà plus aux explications de Staline et Derjinski, et veut s'informer par lui-même. Avant même que ses envoyés (Rykov) ou ses collaborateurs ne lui aient fait un rapport détaillé sur l'affaire il en tire les enseignements et veut revoir le problème des relations entre nations.

Le 30 décembre 1922, il rédige des notes [103] remises en mars 1923 à Trotski et qui seront sa dernière contribution théorique au problème national.

Ces notes n'étaient pas destinées à la publication, elles devaient servir à préciser sa position au XIIe congrès du parti où il espérait rétablir la situation. Elles commencent par un constat d'échec : « Je suis gravement coupable devant les ouvriers de Russie de ne pas m'être occupé avec assez d'énergie de la fameuse question de l'" autonomisation ", officiellement appelée l'Union des Républiques socialistes soviétiques. » La question nationale, telle qu'elle se règle, réduit la « liberté de sortir de l'Union, qui est notre justification, à un chiffon de papier » et livre les minorités « à ce produit 100 % russe, le chauvinisme grand-russien qui caractérise le bureaucrate russe ». Ce qu'il faut, c'est protéger les minorités contre les *derjimordy* * russes. Cette lettre, ainsi que les notes que Lénine dicte à ses secrétaires dans les jours qui précèdent sa dernière attaque [104], témoignent du cours nouveau que suit sa pensée. Il mesure avec anxiété le déséquilibre entre le chauvinisme du grand État et celui du petit. Il retrouve chez les communistes russes l'esprit de grande

* Personnage de Gogol incarnant le fonctionnaire brutal et stupide.

puissance qui caractérisait les bureaucrates du régime disparu. Comme leurs prédécesseurs, Staline, Ordjonikidzé et nombre de leurs collègues sont des *velikoderjavniki* * et des *derjimordy*. Une dernière attaque, le 7 mars, prive définitivement Lénine de ses moyens d'expression. Il a eu le temps de confier à Trotski, deux jours auparavant, le dossier géorgien [105], d'annoncer le lendemain aux communistes géorgiens qu'il les soutenait (« Dégoûté de la grossièreté d'Ordjonikidzé et de la complicité de Staline et Derjinski, je prépare des notes et un discours [106] »), mais il ne pourra pas aller au bout de la réflexion entreprise.

Si l'affaire géorgienne a bouleversé Lénine, elle ne freine pas pour autant la marche vers l'union. Le 21 novembre, alors que la Géorgie ne cède pas, la commission spéciale du Comité central du PCR rend public le calendrier du projet : texte définitif de la constitution, signature de l'acte d'union. Le Politburo adopte le 30 novembre le texte sur les « principes fondamentaux de la fondation de l'Union » qui stipule à l'article 1 l'entrée dans l'Union de la Fédération transcaucasienne. La résistance géorgienne a été ignorée par le Politburo, elle le sera aussi par le Comité central qui entérine le 18 novembre ces décisions.

Les Républiques n'ont pas attendu pour se soumettre. Le 13 novembre le VIIe congrès des Soviets d'Ukraine s'est prononcé pour l'Union des Républiques soviétiques et pour que l'Ukraine y adhère [107]. Le même jour la République fédérative transcaucasienne était formée, adoptait une constitution et décidait son adhésion à l'Union [108]. La Biélorussie suivait cet exemple le 18 décembre [109]. Le 30 décembre enfin, l'URSS naissait du traité qui réunit la RSFSR et les trois Républiques d'Ukraine, Biélorussie et Transcaucasie [110].

* Impérialiste.

La constitution de 1924 [111]

Préparée par une commission présidée par Kalinine et composée de vingt-cinq membres, la première constitution de l'URSS a été adoptée par le Comité exécutif (VCIK) le 6 juillet 1923 et approuvée par le IIe congrès des Soviets de l'Union le 31 janvier 1924.

Tout découle du principe inscrit dans le traité du 30 décembre : l'Union est un acte contractuel, association volontaire d'États égaux en droits et qui conservent le droit de s'en retirer volontairement. En entrant dans l'Union les États n'abandonnent rien de leur souveraineté nationale et l'Union ne dispose pas d'une souveraineté étatique distincte de leurs souverainetés particulières.

Cependant ces États souverains donnent à la fédération des compétences considérables énumérées au chapitre I : représentation internationale, défense, modifications des frontières, sécurité intérieure, commerce extérieur, planification, transports, télécommunications, budget, monnaie et crédit. Les organes fédéraux sont le congrès des Soviets, le Comité exécutif central et sa présidence, le Conseil des commissaires du peuple.

Le congrès des Soviets de l'Union est élu au suffrage restreint, indirect et public. Les villes élisent un député à raison de 25 000 habitants et les provinces un pour 125 000 habitants. Les réunions du congrès des Soviets doivent être annuelles, il ne se réunira que tous les deux ans.

Entre les congrès le pouvoir d'État est assumé par le Comité exécutif central, qui est un corps bicaméral composé du Conseil de l'Union et du Conseil des nationalités. Dans les Républiques le Comité exécutif central est monocaméral, composé de représentants élus sur une base territoriale. Les membres du Conseil de l'Union (414 membres) sont élus par le congrès parmi les représentants des Républiques fédérées, en proportion de leur population. Quant au Conseil des nationalités, il est formé de cinq représentants par République fédérée ou autonome, un par Région autonome de la RSFSR et un pour chacune des Républiques autonomes d'Adjarie et d'Abkhazie, ainsi que par Région autonome du Caucase (Ossétie méridionale, Nakhitchevan, Haut-Karabakh). Les réunions du Comité exécutif central ont lieu trois fois par an. Dans l'intervalle, le présidium de 21 membres assume les responsabilités. Le Conseil des commissaires du peuple de l'URSS est à la fois un organe exécutif, administratif, et a certaines compétences législatives. Les commissariats du peuple dirigent les branches de l'administration. Mieux que tous les autres organes du pouvoir, ils rendent compte de la structure fédérale de l'État soviétique. Trois types de commissariats du peuple coexistent dans la constitution de 1924 :

– les *commissariats fédéraux* qui n'existent qu'au niveau de l'Union et ont la charge des problèmes dévolus à la fédération;

– les *commissariats unifiés*, qui existent à la fois au niveau fédéral et au niveau républicain, le commissariat fédéral coordonnant et dirigeant l'action des commissariats correspondants dans les Républiques. Le Conseil supérieur de l'économie nationale, le ravitaillement, le travail, les finances, l'Inspection ouvrière et paysanne relèvent ainsi de la double compétence de l'Union et des Républiques;

– enfin, les *commissariats républicains* se consacrent aux domaines qui échappent à la compétence exclusive de l'Union et à la compétence commune de l'Union et de ses membres.

La constitution de 1924 est un cadre juridique durable, précis, fermé, à l'opposé de la constitution de 1918 qui laissait le champ libre à tous les changements attendus. En 1924, bien qu'ils affirment encore le caractère transitoire de l'État soviétique, les constituants lui donnent les attributs de l'État traditionnel. La constitution énumère dans son titre II les quatre Républiques qui se fédèrent et par là même lie le nouvel État à un espace déjà clos. Sans doute le titre I laisse-t-il entrevoir la possibilité que de nouvelles Républiques viennent s'agréger à l'Union, mais les constituants évoquent aussitôt l'*encerclement capitaliste*. L'opposition entre l'État socialiste et le monde capitaliste hostile suppose l'existence de frontières sûres. Au demeurant, les traités frontaliers des années 1920-1921 y ont pourvu. Ainsi, la constitution unit-elle deux tendances contraires, l'aspiration à l'universalité qui donne à l'État soviétique un caractère ouvert, offensif et transitoire; la volonté de préserver ce qui existe, qui le conduit au repli sur soi, à une attitude défensive et à l'affirmation de son caractère permanent. Cette contradiction fondamentale se retrouve dans le fédéralisme, pierre angulaire de l'organisation de l'État soviétique.

La constitution de 1924 est une constitution fédérale, même si les termes « fédéral » et « fédération », utilisés dans la constitution russe de 1918, sont absents du texte de 1924. En dépit de ce silence les caractéristiques du fédéralisme sont incontestables. La constitution de 1924 consacre l'union de nations égales en droit et souveraines. De cette souveraineté témoignent leur entrée libre dans la fédération, et le droit de sécession qu'elles conservent en permanence. Les compétences fédérales existent de par la volonté des nations. Leur droit de quitter l'Union, la capacité de modifier leurs frontières, les changements d'équilibre entre les compétences fédérales et les compétences nationales, rien de tout cela ne peut être modifié sans l'accord des nations intéressées. Enfin le bicaméralisme, l'existence d'un parlement reflétant la composition multinationale de l'État soviétique parachèvent la construction fédérale.

Ainsi, du point de vue formel, la constitution de 1924 satisfait-elle les aspirations nationales et fonde-t-elle la coexistence des nations de l'Union sur des principes acceptés de tous. L'inscription des droits des nations dans la constitution de 1924 fait-elle de l'État soviétique un véritable État fédéral? Il appartient aux juristes d'en décider et l'on sait que sur ce point des positions totalement contradictoires ont été soutenues. Ce qui importe, ce n'est pas le débat juridique mais la relation qui existe entre les aspirations nationales et le cadre que

leur offre la constitution soviétique. Ici deux remarques
s'imposent. Tout d'abord, la diversité des statuts accordés
aux nations par la constitution. Cette diversité n'est pas
sans rappeler la pratique du régime tsariste. Quatre
Républiques en 1922, six en 1925 (Uzbekistan et Turk-
menistan séparés de la RSFSR). De ces quatre Républiques deux sont déjà des Républiques fédérales (RSFSR et
Transcaucasie). Ainsi, même en ce qui concerne les
nations souveraines, toutes n'ont pas le même degré de
souveraineté dans l'Union. Mais hormis ces grandes
nations privilégiées, la constitution reconnaît encore à des
groupes nationaux divers statuts d'autonomie, selon qu'il
s'agit de Républiques autonomes, de Régions autonomes,
de groupes ethniques territorialement dispersés. De la
souveraineté nationale à l'autonomie culturelle, toutes les
solutions trouvent place dans la construction complexe de
1924. Dans certains cas, une autonomie réduite se justifie
par la faiblesse numérique ou culturelle du groupe
national – les Arabes du Caucase pour le premier point,
les Bouriates pour le second. Dans d'autres cas c'est la
position géographique d'un groupe national qui lui interdit à tout jamais d'aspirer à un statut souverain. Sans
frontière extérieure à l'Union la souveraineté serait illusoire. Ainsi le peuple bachkir qui a fait la preuve de sa
volonté d'existence nationale ne peut-il espérer dépasser
le stade d'une autonomie politique et culturelle. Ces
inégalités statutaires, où les aspirations à une existence
nationale complète – souveraineté juridique – sont barrées
par la nécessité de donner à la fédération une cohérence
spatiale, affaiblissent la portée du système fédéral et sont
génératrices de mécontentements nationaux larvés. Par
quoi compenser la limitation de souveraineté si l'on veut
que chaque peuple de l'URSS ressente également l'existence de ses droits propres dans l'ensemble fédéral ?

Une seconde remarque concerne les finalités de la
constitution de 1924. Même si son caractère transitoire
n'est nulle part affirmé, la constitution de 1924 n'est
qu'une étape et les concessions aux nations qu'elle
garantit sont liées à cette étape. Si l'État soviétique rend
compte d'un fait définitif – le triomphe de la révolution

politique et la mise en route d'une révolution des structures économiques et sociales –, le caractère fédéral de cet État rend compte d'une situation provisoire : retard de la conscience encore attachée à ses droits et particularités nationaux. Mais la raison d'être de la révolution et la fonction de l'État soviétique sont de permettre aux peuples qui en font partie de dépasser le stade des aspirations nationales. C'est là une des contradictions fondamentales de la constitution soviétique de 1924. Le système fédéral n'existe qu'à court terme pour aider au dépérissement des sentiments nationaux et à la disparition du système fédéral. Si le statut de l'État – transitoire ou durable – est ambigu et incertain, celui des nations et donc de la fédération ne l'est nullement : il est transitoire, voué à la disparition. Cette concession à une situation locale – l'hétérogénéité nationale de l'espace de la révolution russe – et aux exigences du moment – l'encerclement capitaliste qui aiguise les oppositions entre nations – est sans cesse présentée comme telle. Lénine ne s'est pas privé de le souligner. La fédération est avant tout une pédagogie, une école d'internationalisme.

Cela suggère que les discussions sur la réalité ou le caractère purement formel du fédéralisme de la constitution de 1924 sont importantes juridiquement sans doute, mais de peu de secours s'agissant de comprendre le dessein des bolcheviks. Pour l'éclairer il faut poser la question en d'autres termes. Qu'est-ce qui, dans le système fédéral, témoigne de l'existence du projet final ?

La constitution de 1924, malgré ses provisions fédérales, comporte des dispositions fondamentales, favorisant la marche vers l'unité, et assurant pour le présent la mise en place d'un système de contrôle du centre vers la périphérie. Les bolcheviks doivent par la constitution fédérale progresser vers l'unité internationale; ils doivent aussi empêcher que le fédéralisme n'entraîne la dispersion, la croissance des forces centrifuges qui anéantiraient le projet unitaire final. La constitution de 1924 est une réponse à cette double préoccupation. Les compétences fédérales sont très importantes. Tout favorise aussi l'intervention constante de la fédération dans le domaine des compétences républicaines qui est mal défini et mal garanti. Ce que la constitution dit clairement c'est ce qui est du ressort de l'Union (titre II, chapitre I). En revanche, les domaines privilégiés des Républiques ne sont pas énumérés. La constitution ne dit pas non plus, ce qui eût été logique, que ce qui n'est pas du domaine fédéral est du domaine républicain. Tout au contraire, le chapitre IV (articles 13 à 29) consacré aux compétences fédérales prévoit la possibilité pour les organes fédéraux d'outrepasser leur domaine de compétences. L'absence d'un mécanisme de régulation des compétences entre le niveau fédéral et le niveau républicain, la capacité d'intervention du Tribunal suprême comme organe de contrôle de la légalité des décisions républicaines (chapitre VII, article 43 b) sans contrepartie concernant la légalité des décisions fédérales, enfin l'affirmation constante de la primauté de la constitution et des règles fédérales sur les constitutions et les règles républicaines en cas de conflit, autant d'éléments favorisant la centralisation des décisions et le contrôle du pouvoir central sur les pouvoirs périphériques. Ces éléments centralisateurs, cette volonté de renforcer les contrôles ne sont pas dissimulés dans la constitution pour deux raisons. L'une est circonstancielle, elle tient aux préoccupations économiques des dirigeants soviétiques. L'économie suppose un certain degré de centralisation et le pouvoir soviétique se préoccupe avant tout dans les années vingt de se donner des fondements économiques solides. Cela se traduit dans la constitution par le fait que les compétences fédérales recouvrent d'abord le domaine de l'économie. La seconde raison plus profonde est précisément la fonction pédagogique du fédéralisme. Concession temporaire au retard de la conscience sociale, il doit toujours être dominé par la volonté unitaire, internationaliste dont l'Union est déjà un premier stade. C'est pourquoi les auteurs de la constitution de 1924, loin de vouloir placer au premier plan les aspects nationaux de la constitution, en soulignent au contraire les éléments communs et unificateurs.

De 1917 à 1924, l'évolution a été d'importance. L'idéologie égalitaire est toujours au cœur de l'action bolchevique, mais la pratique qui en découle a changé. En 1917 cette idéologie se traduisait par le droit de choisir le destin national. Depuis 1921 et toujours plus continûment, l'idéologie égalitaire se traduit dans le droit de participer également à la révolution des structures et des mentalités. La communauté de destin prévaut sur les volontés particulières. Cette communauté de destin implique un resserrement des contrôles, une organisation centralisée de la société soviétique dont le cadre étatique est un élément décisif. Le centralisme démocratique, qui a permis à Lénine de forger un instrument révolutionnaire efficace, sous-tend toute la construction de l'État fédéral soviétique et lui donne sa signification réelle.

3

L'unité : le parti communiste

Diversité momentanée, unité finale, ces deux projets en apparence contradictoires sous-tendent l'équilibre des institutions soviétiques. L'État, qui incarne les droits nationaux, est doublé par la structure qui, du centre à la périphérie, assure le respect des intérêts de la classe ouvrière, le parti communiste. Mais ce parti n'est pas, en 1918, préparé à être greffé sur un État fédéral. Lénine a toujours refusé d'introduire le principe national dans l'organisation du parti. Sa structure centralisée, son internationalisme intransigeant ne peuvent servir les desseins du fondateur de l'État soviétique. Des adaptations s'imposent afin que, parti internationaliste, il ne soit pas perçu par les nations comme un parti russe et un appareil de centralisation.

Le parti communiste au Turkestan : compromis entre nationalisme et centralisme

L'action bolchevique a tenu à maintenir les organisations communistes nationales sous une autorité centrale pour qu'elles soient instruments de contrôle du pouvoir central sur la périphérie.

Ce contrôle suppose l'existence de structures adaptées. A cet égard, l'Asie centrale a constitué un cas extrême : en l'absence d'organisations communistes il a fallu décentraliser le parti et donner aux organes qu'il crée une coloration « indigène ».

En 1917, le parti bolchevique n'est à la périphérie musulmane qu'un groupuscule dont les adhérents sont tous russes et qui rebute les indigènes en raison même de son aspect « colonial [1] ».

La révolution précipite dans ses rangs des fonctionnaires, des colons, militants étonnants pour qui le parti devient le représentant des intérêts russes en milieu colonial. De Moscou Lénine ordonne de développer le parti en Asie centrale, d'y attirer la population locale. Instructions dont seul le premier volet est respecté réellement. Dans les premiers mois de 1918, les organisations locales du parti se multiplient au Turkestan, recrutant de nouveaux membres, élisant des comités réguliers. Mais ces recrutements sont malaisés, les effectifs varient d'une semaine à l'autre au gré de la guerre civile, et des exigences sur la qualité des adhérents.

Comment y attirer des indigènes ? Au premier congrès régional du parti, en décembre 1918, le principal rapporteur, Klevleev, proposa d'utiliser le Coran pour propager parmi eux les idées communistes [2]. Malgré les oppositions très vives, l'idée fut adoptée. De même que l'usage des langues locales à égalité avec le russe, pour propager la presse et les textes communistes fondamentaux. Enfin, on y décida de la formation accélérée de cadres communistes nationaux, de leur insertion dans l'appareil d'État et de la mise en place d'organisations de jeunesse.

Sur quelles forces sociales fonder cet effort ? Tout en constatant que le prolétariat est essentiellement russe, les délégués craignaient la paysannerie qui « tôt ou tard prêtera son appui à la contre-révolution ». Analyse qui n'encourage pas le développement d'un parti local.

Le problème du parti communiste en milieu musulman et de ses rapports avec le centre fut au cœur du débat, et la solution qui y fut apportée pèsera de manière durable sur le développement du parti pour toute l'URSS. Deux thèses s'affrontaient. Création d'un parti fédérant toutes les organisations existantes en Asie centrale – idéalement un parti musulman –, représenté auprès du parti communiste russe en position d'égalité [3]. Ou bien une organisation du même type mais intégrée au parti communiste russe [4]. Le second modèle prévalut, il préfigure le mode de relations hiérarchisé existant depuis 1924 entre les partis républicains de l'URSS qui suivront tous la même voie et le parti communiste de l'Union soviétique.

Le débat sur l'organisation qui se déroule à Tachkent, encouragé par les mots d'ordre de Lénine sur la « dérussification » et l' « indigénéisation » du parti, est inquiétant pour le pouvoir central car il est loin d'être isolé. A Moscou même, le Tatar Sultan Galiev, l'un des plus hauts responsables du commissariat musulman du *Narkomnats* à qui les bolcheviks ont confié le soin d'attirer à eux les masses musulmanes, ne croit guère que le parti unitaire se chargera de satisfaire les aspirations nationales. C'est pourquoi il fonde en mars 1918 le Parti socialiste communiste musulman, indépendant du PCR et ouvert à tous, communistes ou non, transformé quelques mois plus tard en Parti russe des communistes (bolcheviks) musulmans, qui conserve son indépendance à l'égard du PCR [5].

A Moscou comme à Tachkent, ce qui se dessine c'est l'éclatement du parti communiste en organisations fondées sur les clivages ethniques, territoriaux, voire religieux. La réaction du parti communiste russe est radicale, Staline en est l'artisan. Le PCR s'adjoint un Bureau central des organisations musulmanes – *Musburo* – qui coiffera toutes les organisations des partis existant en terre d'Islam [6].

Le Turkestan va servir de laboratoire au *Musburo*. Sa mission première est d'y transformer un parti à dominante russe en organisation musulmane contrôlée, afin de disposer d'un modèle attractif [7]. En mai 1919, le *Musburo* réunit à Tachkent la Iʳᵉ conférence des organisations musulmanes. La révolte des Basmatchis fait rage, soutenue par la population. Les autorités soviétiques de Tachkent – russes en majorité – se sentent en état de siège [8]. Un double conflit divise la conférence. Conflit entre le PCR représenté par le *Musburo* et le pouvoir soviétique du Turkestan; conflit entre ce pouvoir et la population locale. Le Soviet de Tachkent a essayé de barrer aux Musulmans l'accès à la conférence, mais le *Musburo* impose leur présence et en appelle à tous ceux que « les Basmatchis attirent par le mensonge [9] ».

Le résultat de cette confrontation répond aux inquiétudes des organisations locales. La conférence prône la formation d'une République soviétique du Turkestan unifié, intégrant les Turcs de Russie et du Caucase. Elle redonne vie au rêve panturkestanais des réformistes musulmans de l'Asie centrale [10] en le couvrant du drapeau rouge. Mais le contenu n'a pas varié. Ce que les Musulmans réclament au *Musburo,* c'est un État qui, regroupant tous les Turcs, serait trop pesant pour être assimilé par la Russie. La portée de ces projets est d'autant plus grande que la conférence est représentative. 108 organisations y ont envoyé des délégués [11] et le comité régional du *Musburo* élu à l'issue des débats compte de nombreux Musulmans dont certains nationalistes tel T. Ryskulov. Cette évolution alarme Moscou, mais sans provoquer de réaction immédiate ; dans les conditions de 1919, comment faire pression sur un Turkestan gagné à la guérilla basmatchi ?

Les communistes russes de la région ont eu raison sur un autre point aussi. Le mot d'ordre d'indigénéisation a provoqué une ruée des indigènes vers le parti, décidés à s'y assurer une position dominante grâce à leur nombre. Au IIIe congrès du PC du Turkestan (1er-15 juin 1919), sur 248 délégués, 128 délégués sont des nationaux [12]. La IIe conférence des organisations musulmanes, en septembre 1919, confirme ce glissement. Les aspirations nationales y tiennent une place considérable et le porte-parole en est Ryskulov, représentant du *Musburo.* Quelques mois encore, et la conférence suivante passe des vœux aux actes. Elle décide que le Turkestan devient une République turque autonome et le parti turkestanais jusqu'alors intégré au PCR est érigé en Parti communiste turc indépendant [13].

Les progrès foudroyants du mouvement d'indépendance nationale dans le cadre des organisations communistes démontrent à Moscou que la création du *Musburo* a été une erreur, que donner au parti une coloration nationale conduit à son éclatement. La réaction est immédiate. Le *Musburo* disparaît [14]. Le gouvernement russe crée la commission turque, *Turkkommissia,* chargée de liquider les déviations nationales dans le parti communiste du Turkestan. Cette commission, que Lénine a composée personnellement, ne compte aucun Musulman[15]. Le parti communiste y adjoint, quelques semaines plus tard, ses représentants pour purger les organisations locales[16]. La purge atteint les « tenants du chauvinisme de grande puissance » qui « prétendent fermer l'accès du parti aux indigènes qui ne sont pas des prolétaires[17] » et les nationalistes indomptables.

A la Ve conférence régionale du parti (12-18 janvier 1920), Ryskulov réclame l'application des décisions concernant la République turque et le parti turc. Les directives d'indigénéisation ayant été suivies, une majorité musulmane existe à la conférence, qui suit Ryskulov. Elle crée le PC turc sur les ruines de l'organisation turkestanaise et Ryskulov exige du PCR qu'il entérine le fait accompli[18]. La réponse, le 8 mars 1920, est brutale, l'heure du compromis est passée. Il n'y a de parti communiste que celui de la République du Turkestan « incorporé au PCR comme organisation régionale *(Oblastnaia)* » et la République du Turkestan est seulement autonome. Les purges qui s'abattent sur les organisations du parti sanctionnent ce virage. En 1922, plus de 15 000 personnes sont expulsées du PC du Turkestan, d'autres poussées à la démission. Et ce n'est qu'un début.

Le bilan chiffré des purges est très lourd, si l'on considère qu'en 1922 l'organisation compte moins de 20 000 membres[19].

Par nationalité	Nombre	%
Russes	9 424	49,7
Kazakhs et Kirghiz	4 409	12,3
Uzbeks	2 021	10,7
Turkmènes	867	4,6
Tadjiks	421	2,2
Tatars, Karakalpaks, etc.	1 803	9,5
Total	18 945	

I. *Composition nationale du parti communiste du Turkestan en 1922*[20] (PCT)

Paysans	67 %
Ouvriers	20 %
Employés	6,5 %
Divers	6,5 %

II. *Composition sociale (données partielles) en 1922* [21]
(pour l'ensemble du parti, toutes nations confondues)

Type d'organisation par cellules	Nombre	%
Rurales	568	57
De Soviets	294	30
Militaires	51	5
D'entreprises	38	4
Transports	38	4

III. *Organisation du parti communiste du Turkestan en 1922* [22]

Après les purges, le parti se reconstitue, le recrutement obéissant à trois impératifs : suffisant pour qu'il soit une force politique ; équilibrant les éléments nationaux et russes ; respectant la structure sociale – essentiellement agraire – de la région [23]. Les conséquences de ce recrutement qui respecte en apparence les droits nationaux y ont été en fait contraires. Parce que les indigènes sont paysans et les Russes ouvriers, les seconds vont jouer un rôle déterminant dans le parti alors que les indigènes n'accéderont qu'exceptionnellement aux responsabilités. N'y atteindra qu'une élite évoluée, partiellement dénationalisée, capable de servir de trait d'union entre la population nationale et le parti. Les cadres russes ou européens dominent l'organisation et assurent pour leur compte la liaison entre le parti et le PCR. Cette liaison sera rigoureuse en raison des erreurs passées et des incertitudes liées au tournant de la NEP. Lénine insiste alors sur la nécessité d'une vigilance particulière [24]. Pour mieux contrôler la situation, le parti russe a créé le 20 juin 1920 un Bureau turkestanais, le *Turkburo*. Il lui revient de promouvoir la politique d'indigénéisation, non plus spontanée comme dans la première phase, mais contrôlée du centre, dont Lénine veut faire « un exemple pour tout l'Orient [25] ». Lorsque, en 1922, le problème du rapprochement de la RSFSR avec les deux Républiques populaires d'Asie centrale (Bukhara et Khiva) est posé, le *Turkburo* est supprimé le 1ᵉʳ février et remplacé par le Bureau d'Asie centrale (*Sredazburo*) du Comité central [26]. Ce changement de nom est révélateur. Au moment où la RSFSR commence à unifier l'Asie centrale sous son autorité, le nom *Turkestan* est dangereux par les connotations panturques qui ont triomphé de 1917 à 1920. *Asie centrale* désigne une réalité géographique et non historico-culturelle. La fonction du *Sredazburo* est bien de réaliser l'unification horizontale des nations de la région sous l'autorité verticale du parti. Il n'est pas étonnant que le *Sredazburo* ait été dirigé sur place par le spécialiste des politiques d'unification du parti, qui avait déjà utilisé ses compétences au Caucase, Ordjonikidzé.

En octobre 1922, plus de 150 communistes russes sont envoyés au Turkestan pour l'assister.

L'exemple du Turkestan éclaire le rôle du parti, instrument d'unification. Compte tenu de la situation spécifique de la région – statut quasi colonial, éloignement, appartenance à un univers historico-culturel étendu –, le parti bolchevique y fait une politique qui désamorce un mouvement national grandissant et y crée des relations de subordination par son contrôle sur toutes les institutions du Turkestan. Lorsque, en 1922, la fédération commence à se mettre en place, le Turkestan peut servir d'exemple à toutes les autres Républiques qui seront incorporées à l'Union. Il a des institutions étatiques stables, un parti national où la présence de militants et de cadres nationaux imposée de Moscou témoigne que la politique nationale de Lénine n'est pas un mythe, mais aussi une liaison verticale entre le parti russe et le parti communiste national qui assure la cohésion de l'ensemble.

Le parti communiste au Caucase : unification forcée

La création de partis communistes nationaux indépendants au Caucase a été voulue par Lénine pour « lutter contre le chauvinisme local [27] ». Il a été combattu par de nombreux sociaux-démocrates caucasiens inquiets de voir leurs forces se diviser selon des lignes de clivage nationales. Malgré cette opposition trois PC naissent en 1920, en Azerbaïdjan en février, en Géorgie en mai, en Arménie en juin. Ces trois partis, qui ont le statut d'organisations régionales du PCR (sur base territoriale et non nationale), sont rattachés au Bureau caucasien *(Kavburo)*, dirigé par un présidium où entrent Ordjonikidzé, Stassova, Beloborodova, Nazaretian (secrétaire) et Budu Mdivani [28].

Le *Kavburo* doit préparer l'unification du Caucase. D'emblée, il manifeste une volonté de règlement autoritaire des problèmes de la région qui multiplie les conflits, avec les Géorgiens en premier lieu. Son action est d'abord tournée vers les problèmes frontaliers, où les conflits internationaux abondent. Il prétend que la délimitation des frontières est de sa compétence, créant ainsi des ressentiments durables entre ceux à qui il a imposé une médiation autoritaire. Mais c'est surtout le domaine économique qui mobilise ses efforts, car derrière l'unité de la région, de ses intérêts et de ses structures, c'est l'affaiblissement des souverainetés qui est en jeu. Le *Kavburo* décide successivement et unilatéralement la suppression des barrières douanières et des mesures protectionnistes dont chaque République s'est entourée ; l'intégration de leur commerce extérieur dans un organe unifié agissant en liaison avec le commissariat russe correspondant ; enfin la création du Conseil économique du Caucase, symbole de l'unité, chargé de la mise en place de structures communautaires. Dans tout cela, la volonté des Républiques est ignorée, la stratégie du *Kavburo* tendant à les placer devant le fait accompli de situations irréversibles.

De l'unité économique qui s'établit dans les faits, il faut que le Caucase passe à l'unité politique. Cette unité est pour Lénine une évidence. En octobre 1921, parlant des Républiques de la région, il les désigne globalement sous le nom de « République caucasienne [29] ». Lorsque en novembre 1921 le *Kavburo* inscrit à l'ordre du jour la création de la fédération du Caucase, le Comité central russe se préoccupe uniquement de savoir quel type de rapports s'établira entre la fédération et la RSFSR [30].

En février 1922, le *Kavburo* disparaît pour laisser place à un nouvel organisme, le Comité régional transcaucasien (*Zakraikom*) du PCR. Changement de nom, mais non d'équipe, puisque son présidium est composé des anciens dirigeants du *Kavburo*. La pérennité de l'équipe traduit bien la pérennité du dessein. Mais le changement de nom mérite explication. Tout d'abord, les conflits incessants avec les communistes nationaux ont imposé au pouvoir central de sembler tenir compte du mécontentement croissant. De plus l'unité économique réalisée, il faut adapter les organisations du PCR aux nouvelles données de la région. Le *Kavburo* n'était qu'un service du Comité central pour une mission limitée. Le *Zakraikom* en est une instance régulière et permanente. Sa création confirme l'intégration des partis nationaux dans une organisation régionale suprême qui les unifie et représente auprès d'eux le Comité central du PCR. L'unité organique du parti, dont ce changement témoigne, précède l'unité politique et en dessine les contours. Le *Zakraikom* doit d'abord purger le PC géorgien [31] dans l'été 1922. Le bilan est lourd. 37% des militants inscrits au parti sont exclus [32]. Et les trois partis sont invités à recruter leurs membres selon les règles définies au XIe congrès du PCR.

En décembre 1922, la fédération transcaucasienne est créée [33], et instantanément transformée en République fédérative [34] qui « consolide l'unité ». La résistance désespérée des Géorgiens n'a pu empêcher le déroulement implacable du plan stalinien.

Depuis que les notes de Lénine sur l'affaire géorgienne ont été publiées, des historiens ont conclu qu'il avait condamné toute l'activité du *Kavburo* et du *Zakraikom* [35]. Cependant, il importe de distinguer ici les étapes et les problèmes.

Quand Lénine s'intéresse réellement à l'affaire géorgienne en février 1922, ce qui l'émeut, ce n'est pas la ligne suivie par Ordjonikidzé et Kirov, mais les méthodes et les conséquences. Ce qu'il condamne, c'est le manque d'égards entre communistes, les brutalités, une discussion où l'argument de la violence est décisif [36]. Ce qui l'inquiète, c'est que le chauvinisme grand-russien empoisonne durablement les relations entre la RSFSR et les Républiques non russes [37]. Les manquements à l'esprit de parti lui semblent témoigner d'une dangereuse dégradation du parti lui-même; les manquements à l'internationalisme menacent l'État soviétique. Son inquiétude n'est pas de même nature dans les deux cas. Fondamentale lorsqu'il s'agit de son parti, elle est stratégique lorsqu'il s'agit des nations. Ceci le conduit à condamner non l'activité, mais les formes de l'activité du *Kavburo* et du *Zakraikom*, et à confier à Trotski le soin d'ouvrir sur ce point une discussion au congrès du parti qui se prépare [38].

Mais, et ceci n'est point négligeable, Lénine est minoritaire sur ce point, dans les organes les plus élevés du parti – *Politburo* et *Orgburo*.

Tout témoigne pourtant que le *Politburo* se solidarise avec ses représentants au Caucase. Le 21 décembre 1922, l'*Orgburo*, appelé à arbitrer le conflit entre communistes géorgiens et *Kavburo* puis *Zakraikom* conclut qu'ils ont correctement interprété la politique de Lénine, mais que le PC géorgien l'a détournée vers une défense inconditionnelle de la souveraineté géorgienne. Ce jugement brutal inquiéta Lénine, le poussa à alerter Kamenev, membre du *Politburo*, mais en vain. Au IIe congrès des organisations communistes du Caucase, réuni du 19 au 23 mars 1923, c'est-à-dire à la veille du XIIe congrès du PCR, Ordjonikidzé, présentant le rapport politique du *Zakraikom*, justifie toute son action par les rivalités régionales et les particularismes nationaux. Le congrès, en l'approuvant – et il n'avait pas le choix compte tenu de la pression centrale –, renforça les thèses centralistes [39].

A la veille du XIIe congrès, la *Pravda* ouvre ses colonnes aux Caucasiens exaspérés, mais conclut le débat sur la contribution d'un Géorgien, qui affirme que l'unité n'a pas été imposée de Moscou mais décidée unanimement par les travailleurs des trois Républiques [40].

La politique imposée au Caucase serait un exemple de l'autodétermination des classes laborieuses! Le XIIe congrès, malgré le soutien de Boukharine aux Géorgiens [41] et des débats houleux, s'il condamne à la fois le chauvinisme de grande puissance et les déviations nationales [42], ne revient pas sur l'idée que la fédération était une nécessité et un progrès [43].

La position du XIIe congrès, dont les délégués ont entendu les plaintes des Caucasiens et disposé des notes ultimes de Lénine, confirme la position minoritaire de ce dernier, la satisfaction du parti devant une politique dénuée d'ambiguïté. Contrairement à ce qui s'est passé en Asie centrale, en effet, où le parti hésite entre centralisme et encouragement à la décentralisation, au Caucase, il s'est constamment acharné à organiser la centralisation. Quant aux hésitations de Lénine, elles viennent trop tard pour arrêter un processus qui touche à son terme. Au demeurant, elles ne mettent pas sérieusement en question la centralisation, elles contestent ses moyens et son rythme.

La Section [44] juive : différencier pour assimiler

La communauté juive pose, après la révolution, un problème complexe aux bolcheviks. Malgré l'absence de territoire, elle est reconnue comme nationalité, dotée d'une organisation dans le *Narkomnats*. Mais cette communauté était en 1917 une société marginale dont l'insertion supposait une transformation dans tous les domaines. Le commissariat juif est, par définition, chargé de représenter ses intérêts particuliers, non de la socialiser pour lui faire une place dans l'État soviétique. La socialisation, c'est au parti qu'elle incombe, mais les bolcheviks ne sont guère armés pour travailler en milieu juif. L'origine juive de plusieurs dirigeants bolcheviks a longtemps dissimulé l'éloignement que la communauté éprouve à l'égard du parti. Le Bund, le menchevisme ont été pour elle des pôles d'attraction et les quelques centaines de Juifs du parti bolchevique sont généralement assimilés et indifférents à la société dont ils sont issus. De surcroît, comme le note très justement l'historien Zvi Gitelman, les bolcheviks d'origine juive sont, en raison de leur volonté de s'assimiler, de leur formation, étrangers à la société juive et incapables de peser sur son évolution [45].

Dimanchtein, commissaire aux Affaires juives, propose alors la création d'organisations juives au sein du parti bolchevique. Organisations nécessaires pour atteindre les masses juives et pour combattre l'influence que les partis politiques juifs ont sur elles. Si Lénine accepte l'idée – non d'une organisation encore – mais de problèmes spécifiques à la communauté juive, Sverdlov s'insurge : le projet de Dimanchtein conduira à répéter les erreurs du Bund ; une organisation juive ouvre la voie à la fédéralisation du parti bolchevique.

En janvier 1918, effaré par la distance qui sépare les Juifs – intellectuels non assimilés ou travailleurs – du parti, Lénine impose contre Sverdlov la création de sections juives dans le parti. Une telle décision venant de l'homme qui a combattu le Bund, l'idée d'organisations séparées et l'idée de l'autonomie culturelle, peut sembler paradoxale. Elle se situe, comme toutes les décisions que prend Lénine à cette époque, dans une logique, celle des nécessités immédiates. En dépit de ses positions antérieures, Lénine improvise parce qu'il lui faut un moyen d'atteindre un groupe fermé à son influence. Devant la réalité, les convictions antérieures volent en éclats. Mais ici encore, il s'agit d'une concession momentanée. La Section juive du parti (*Evsektsiia*) a une mission temporaire : former des bolcheviks juifs, les rapprocher du parti, puis les y intégrer avant de disparaître [46].

L'évolution de la *Evsektsiia* va justifier les craintes de

Sverdlov plus que les calculs de Lénine. Dès l'origine, elle se heurte à une difficulté prévisible, l'absence de cadres, qui la conduit à se confondre en partie avec le commissariat juif et à se définir plus comme organisation juive que comme organisation bolchevique. Dimanchtein, vrai chef d'orchestre, a rassemblé autour de lui les intellectuels capables de traduire en yiddish la littérature bolchevique, de rédiger des journaux, etc. Cette activité mobilise toutes les bonnes volontés disponibles et la *Evsektsiia* doit alors y puiser ses cadres. Cette confusion est patente à la conférence commune *Evkom-Evsektsiia* organisée en octobre 1918 à Moscou. Sur 64 délégués, 31 seulement sont bolcheviques, la plupart fonctionnaires du commissariat et de ses subdivisions provinciales. Dimanchtein doit faire face aux exigences nationales des délégués qui exigent l'utilisation exclusive du yiddish dans la conférence. Il doit aussi défendre l'idée que la Section juive n'est pas un parti juif autonome mais un département du parti russe.

Les problèmes de recrutement vont mettre en lumière l'ambiguïté de cette organisation. Ceux qui entrent au parti après janvier 1918 (création de la Section) doivent être intégrés dans la Section juive. Il y voit deux avantages. Ceci renforce la *Evsektsiia* dans le parti puisqu'elle devient lieu de rassemblement de tous les communistes juifs. Par ailleurs un nombre plus élevé d'adhérents lui assure une certaine autonomie financière [47]. Cette position se heurte à la volonté du parti de maintenir la Section dans les limites fixées au départ : une organisation provisoire pour ceux que leur formation culturelle sépare du parti. La décision prise de limiter le recrutement de la *Evsektsiia* à ceux qui n'ont pas accès aux langues des autres organisations locales est soutenue par les Juifs assimilés du parti qui refusent de renoncer à l'usage du russe et de s'enfermer dans ce qui leur semble une survivance du milieu qu'ils ont rejeté.

Mais les problèmes se multiplient. Quand, après un temps d'hésitation, le PCR opte pour la formation d'organisations communistes nationales à base territoriale (c'est le modèle turkestanais), l'organisation juive, qui n'a

pas de base territoriale, se trouve en porte à faux. Elle est
rattachée aux organisations locales du parti, ce dont elle
tire une amertume qui va développer ses aspirations à une
plus grande autonomie.

Ce que le PCR attend des sections juives est précis :
qu'en milieu juif elles se substituent aux groupes politiques traditionnels (Bund, Poale Zion) ou plus récents, tel
le Kombund – avatar du Bund –, particulièrement
influent dans la communauté juive d'Ukraine, ou encore
à l'éphémère Parti communiste juif de Russie soviétique.
Soutenant contre eux la Section juive, le PCR veut leur
enlever leurs troupes et troubler les masses juives qu'ils
attirent. Dès 1922, cette mission est accomplie; les partis
juifs disparaissent ou éclatent en factions multiples, tandis
que leurs membres se rallient aux sections juives qui
gagneront une position de quasi-monopole en milieu juif.

Mais surtout, les sections juives auront pour mission la
destruction du monde juif traditionnel, ce que le PCR ne
peut faire. Les sections juives ont combattu le sionisme en
réclamant, dès juin 1919, l'interdiction de toutes les
activités des organisations sionistes. La mainmise sur les
organisations communales juives est une autre étape de
leur progression dans la communauté juive. Quant à la
religion, c'est leur cible principale et constante. Les
Evsektsii se sont attaquées au judaïsme dans les années
1920-1922 avec une telle violence que les communistes
non juifs en furent choqués. Maxime Gorki qualifie leur
attitude d'« *excessive et dépourvue de tact* ». Pendant deux
ans, elles mènent une campagne antireligieuse intense :
meetings, pamphlets, parodies antijudaïques qui préfigurent les excès de l'attaque générale contre les religions qui
sera lancée plus tardivement par le pouvoir soviétique.
Mais cette campagne antijuive est si excessive que le
XIIIᵉ congrès du PCR réuni en 1924 décide d'y mettre un
frein [48].

On peut alors évaluer l'œuvre accomplie par les
Evsektsii. Elles ont contribué à affaiblir un monde juif
jusqu'alors fermé, sans que le PCR, étranger en apparence à cette œuvre de destruction d'une communauté, y
soit compromis. Dès lors que cet affaiblissement est

acquis, l'utilité de sections juives dans le parti n'est plus évidente. Pour les cadres juifs, tout reste encore à faire, et à faire par eux. Ils veulent, sur les ruines du vieil ordre juif, construire une société juive nouvelle, soviétique, intégrée à l'ordre socialiste. Mais ils considèrent qu'il s'agit encore d'une tâche spécifique justifiant le maintien d'organisations communistes particulières. L'*assimilation politique* dont ils sont partisans doit s'accompagner de la sauvegarde de la *spécificité culturelle*.

Pour le PCR, au contraire, le maintien des sections juives devient inutile et inquiétant, dans la mesure où il perpétue un particularisme que ces sections ont eu pour fonction de détruire. Utiles dans une première phase pour ouvrir la voie de l'assimilation, les sections deviennent intolérables dès lors qu'elles incarnent une différence durable. Dès 1923-1924 le PCR, après une période de concessions transitoires à des problèmes ou à des cas nationaux difficilement solubles, s'efforce de retrouver son unité organisationnelle pour donner à la fédération soviétique une direction unitaire et renforcer ses tendances centralisatrices. Si les sections juives survivent jusqu'en 1929, elles ne sont plus depuis des années pour le PCR que des restes d'un ordre social périmé.

Le parti, instrument de l'unité

En 1924, avec l'adoption de la constitution, le rôle du parti dans la fédération se précise. Une première indication sur les tâches qui lui sont dévolues est fournie par ses structures même. Dans la bataille sur l'*autonomisation*, Lénine avait insisté sur l'égalité des États dans la fédération. La constitution de 1924 tient compte de cette volonté, alors que l'organisation du parti fédéral est inspirée du projet stalinien et non des corrections de Lénine. Le parti communiste de l'URSS est construit selon un double principe, territorial et fonctionnel. L'organisation territoriale est parallèle aux subdivisions administratives du pays. Fonctionnelle, elle recouvre les domaines d'activité des citoyens. Deux points doivent être ici soulignés. Tout d'abord si chaque République est dotée d'un parti national, la RSFSR ne l'est pas, le parti fédéral est aussi son parti. Ce que Staline avait prôné pour les organes de l'État – la confusion entre l'échelon russe et l'échelon fédéral – est réalisé dans le cas du parti. Sans doute la justification de ce statut privilégié réside-t-elle dans l'importance de la République, le nombre de ses subdivisions administratives, le fait que le parti de la RSFSR eût risqué de peser du même poids que le parti de l'Union et de devenir, par là même, une organisation trop encombrante [49]. Néanmoins, cette anomalie confère à la RSFSR et à ses organisations communistes un statut exceptionnel « plus égal que les autres égaux ».

Deuxième trait spécifique : si l'indépendance des Républiques est en apparence renforcée par l'existence de partis républicains, ces partis ne sont pas des organisations indépendantes. Il s'agit en réalité d'un échelon supplémentaire intercalé entre les organisations territoriales de la République et l'organisation du parti de l'Union. A ce titre, les PC républicains ne disposent pas de compétences propres et sont soumis comme les organisations territoriales à la discipline et à l'autorité d'un centre unique, le Parti communiste de l'Union.

Cette organisation et les principes qui y président se superposent en 1923 à la constitution fédérale et viennent la compléter et lui donner sa pleine signification. La fonction du parti est de recouvrir les divisions nationales de l'État d'une centralisation idéologique et organisationnelle. La souveraineté ou l'autonomie nationales que l'État garantit s'exercent ainsi à l'intérieur d'un cadre déterminé, celui d'un parti unitaire.

La volonté centralisatrice, l'insistance sur le rôle intégrateur de la Russie est d'ailleurs constamment affirmée par ceux qui ont charge de diriger le PCR. En 1919, au IIIe congrès du parti communiste d'Ukraine, Sverdlov déclarait : « Dans toutes les Républiques soviétiques indépendantes que nous avons créées, nous devons maintenir la suprématie de notre parti communiste. Partout la direction appartient au Comité central du PC russe. »

En 1923, au XIIᵉ congrès [50] puis à la IVᵉ conférence élargie du Comité central du PCR [51], Staline définit à deux reprises comment doivent s'établir les relations nationales dans le parti. S'écartant de la thèse avancée alors par Lénine que le danger que fait courir le chauvinisme grand-russe aux relations entre nations est infiniment plus grand que celui qui découle des volontés particulières des nations, Staline équilibre les deux et décèle dans les nationalismes locaux non une réaction à la domination russe, mais un phénomène intrinsèque d'une gravité exceptionnelle. Il en tire la conclusion qu'il appartient au parti de protéger la fédération des conséquences de ce phénomène. C'est pourquoi le parti doit être un lieu de lutte contre tous les nationalismes, mais en s'adaptant aux réalités nationales. L'adaptation suppose deux démarches. En premier lieu un pénétration du parti dans les masses par le développement d'un recrutement national. Dans son intervention à la IVᵉ conférence élargie, Staline y insiste : « Il faut développer dans les régions et Républiques nationales de jeunes organisations communistes formées d'éléments prolétariens de la population locale. » Les communistes nationaux doivent être formés non seulement pour donner une réalité aux partis nationaux, mais encore pour représenter les groupes dont ils sont issus dans les organes communs du parti de l'Union [52].

Les partis nationaux doivent aussi tenir compte de la réalité sociale des communautés qu'ils incarnent et, tout en visant à long terme leur transformation, ils doivent être dans l'immédiat représentatifs de leur état présent. En 1924, Zinoviev souligne cette nécessité de ne pas dissocier le parti des masses, en ignorant par trop la réalité sociale : « Un parti ouvrier, dans une société en majorité paysanne, doit compter dans ses rangs un certain nombre de paysans [53]. » En même temps, il souligne que le parti doit être attentif à ne pas se laisser déborder par la paysannerie et par les couches de possédants qui se dissimulent derrière elle. Ce qu'il faut, c'est un parti ouvrier ouvert à la paysannerie.

Ces tâches multiples sont connues sous le nom d'enracinement des partis nationaux ou encore, en russe, *Korenizaciia*. De 1923 à 1930, cette politique va tendre, après des purges qui débarrassent les partis nationaux de tous ceux qui s'efforcent d'en faire le lieu d'expression de leurs revendications nationales, à leur donner un contenu tout à la fois national et soviétique.

Quel bilan peut-on faire de cette politique? Incontestablement, elle a conduit à un certain progrès des groupes nationaux dans le parti communiste, au détriment des Russes.

Nationalités	Pourcentage de la population totale	Pourcentage dans le parti	
		1922	1927
Grands-Russes	52,9	72	65
Ukrainiens	21,2	5,9	11,7
Biélorusses	3,2	1,5	3,2
Polonais, Baltes	0,7	4,6	2,6
Juifs	1,8	5,2	4,3
Minorités de la RSFSR	4,3	2	2,3
Peuples du Caucase	2,5	3,4	3,6
Peuples de l'Asie centrale	7	2,5	3,5
Divers	8,2	2,9	3,2

Le tableau qui précède [54] éclaire certaines tendances de la politique nationale que l'enracinement n'a modifié qu'en partie. L'écart est resté grand entre la sur-représentation des Russes et la sous-représentation des nations. A l'intérieur du groupe des nations non russes, les différences ne sont pas moins remarquables et durables. Certains groupes nationaux sont toujours sur-représentés. C'est le cas des Polonais et Baltes qui n'ont plus de territoire national et des Caucasiens. D'autres, tels les Biélorusses, arriveront en 1927 à une représentation qui équilibre leur importance numérique dans la fédération. D'autres, au contraire, tels les Ukrainiens et les Musulmans de l'Asie centrale, seront totalement sous-représentés, le dernier groupe étant d'ailleurs celui qui progresse le moins. A quoi tiennent ces différences ?

Dans le cas du Caucase, on ne peut oublier l'existence d'anciennes et actives organisations social-démocrates recrutant dans la classe ouvrière des installations pétrolières et une intelligentsia particulièrement dynamique. Sans doute les purges dans les partis caucasiens sont-elles importantes au moment de la soviétisation des Républiques de la région, mais le recrutement de nouveaux membres y est très rapide. L'exemple du PC arménien éclaire cette évolution. En novembre 1921, il compte 3 046 membres et 5 205 candidats. Dans le premier groupe, la purge entraîne 25,4 % d'exclusions, dans le second 29,9 %. En 1924, les effectifs du parti sont réduits à 4 032 membres et candidats [55]. Le recensement du parti communiste de l'Union de 1927 montre qu'au 1er janvier 1927, le parti communiste arménien a retrouvé ses effectifs de 1921, mais avec un déséquilibre en faveur des membres actifs qui sont 4 770, pour 3 436 candidats [56]. Dans l'intervalle, la part des ouvriers s'accroît (10,5 % en 1921 ; 27,4 % en 1927), celle des paysans décroît (75,4 % en 1921 ; 49,7 % en 1927), celle des intellectuels progresse (11,6 % en 1921, 20,5 % en 1927). La politique d'enracinement est réussie.

La sur-représentation des Polonais et Baltes et la représentation équilibrée des Biélorusses semble avoir – au-delà des différences sociologiques – un trait commun, l'absence de conflits nationaux au sein de ces divers groupes. Les premiers, séparés de leur communauté d'origine, sont des « internationalistes » qui ont préféré s'intégrer à l'État soviétique plutôt qu'à des nations non soviétiques. Quant aux Biélorusses, leur statut souverain ne doit rien à leurs exigences nationales. Dans le cas de l'Ukraine et de l'Asie centrale, on se trouve au contraire devant des nations qui offrent une résistance socioculturelle (agraire dans le cas ukrainien, forte civilisation traditionnelle dans le cas musulman) et politique à la soviétisation. La volonté de donner un caractère national aux partis communistes s'y heurte à la nécessité de les contrôler étroitement.

En Asie centrale le retard du système éducatif complique encore plus qu'ailleurs l'enracinement du parti. Les indigènes instruits sont en général suspects de tendances nationales. La classe ouvrière naissante et la paysannerie ne peuvent fournir que des éléments sans instruction, ce qui contraint le PCR à en appeler à des Européens vivant à la périphérie, ou à y dépêcher des cadres de la capitale [57]. Sans doute la politique d'indigénéisation est-elle accompagnée d'une politique culturelle nationale. Mais une telle politique ne peut créer en quelques années une élite communiste nationale.

Le parti communiste russe qui, en 1925, devient Parti communiste de l'Union est la seule institution de l'État soviétique qui ait échappé aux hésitations du pouvoir soviétique face aux problèmes que lui posent les nations. Dès 1918, bien qu'il soit divisé sur la politique nationale de Lénine – la violence des débats au VIIIᵉ congrès en témoigne –, le parti met en place des organisations régionales qui auront pour fonction d'assurer le relais entre le centre et une périphérie lointaine et soumise à de multiples pressions.

A l'heure de la dispersion, il incarne l'alternative unitaire et éventuellement justifie le soutien aux tentatives d'autodétermination du prolétariat. Partout il prépare la voie aux solutions de réunion sous des formes diverses, unions formelles ou alliances. Tandis que la souveraineté des États nationaux est un temps reconnue, le parti bolchevique maintient la perspective d'un rassemblement futur et, pour le présent, son autorité sur les organisations communistes des États nationaux. Les conflits qui éclatent au début des années 1920 entre la direction du parti communiste russe et les dirigeants des partis nationaux, même lorsque ceux-ci viennent du parti bolchevique, témoignent que son rôle centralisateur est bien ressenti comme un contrepoids au système fédéral. A partir de 1924, le parti, à travers les organes nationaux qu'il a mis en place au moment même de la formation de chaque République, dispose d'une autorité totale sur ses organisations communistes territoriales mais aussi, par l'imbrication étroite des organes du parti et de l'État, sur les institutions étatiques. Le développement d'une « avantgarde » nationale dans chaque République doit assurer l'évolution du système fédéral vers l'unité. Ainsi le Parti communiste de l'Union joue-t-il dans la fédération un double rôle. Pour le présent, il est l'instrument privilégié – mais non le seul – d'une centralisation qui coexiste avec la décentralisation fédérale. Pour l'avenir, il maintient vivante l'idée de l'unité finale de l'ensemble soviétique.

QUATRIÈME PARTIE

LA RÉVOLUTION
CULTURELLE

1

La table rase

« Le sens profond de la révolution est la rupture finale du peuple avec la barbarie asiatique, le XVIIᵉ siècle, la Sainte Russie avec ses icônes et ses cafards. »

Cette remarque de Trotski sur la société paysanne russe s'applique plus encore aux valeurs de la société non russe. Les diverses sociétés nationales sont paysannes, attachées à un univers culturel dont l'horizon est le village ou la tribu, dominées par la foi religieuse et l'autorité de ses clercs, insérées dans un système de relations familiales et sociales où l'individu est solidement protégé du monde extérieur et de son influence. Détruire ces protections pour atteindre chaque individu isolément, telle est la tâche du pouvoir soviétique. Tâche d'autant plus malaisée que le pouvoir est séparé de ses administrés par l'ignorance, l'analphabétisme assez généralisé qui livre l'individu à ceux qui traditionnellement détiennent le savoir, clercs et élites nationales. Le pouvoir soviétique ne connaît pas les peuples intégrés dans son système politique. La guerre, la guerre civile, les famines ont modifié les sociétés que les gouvernants précédents avaient à peine découvertes par les recensements de 1897 et 1913, et rendu caduques leurs informations. Le pouvoir doit tout apprendre de ces sociétés et décider ce qui doit en être changé graduellement dans le cadre de la NEP et ce qui, freinant leur intégration dans l'État soviétique, exige une politique plus radicale.

Une société hétérogène, des secteurs inassimilables

Dès 1922 le pouvoir peut évaluer la composition nationale de la fédération [1], mais un tableau comparable à celui de 1897 ne lui sera fourni que par le recensement de 1926 [2].

Que retenir de ce recensement? L'existence d'un groupe slave représentant 77 % de la population, de tradition chrétienne, orthodoxe en majorité, de civilisation rurale, et avec un niveau de développement intellectuel assez homogène. 45,9 % des Russes savent lire et écrire pour 41,3 % d'Ukrainiens et 37,3 % de Biélorusses. La moyenne nationale : 39,6 % doit être comparée avec les Karaïm (84,9 %), les Finnois (76 %), les Estoniens (72,4 %) et les Juifs (72,3 %) [3]. Russes, Ukrainiens et Biélorusses occupent dans leur République une position numérique prééminente. Les Russes représentent le plus important groupe étranger en Ukraine, suivis des Juifs et des Polonais; le second en Biélorussie après les Juifs et précédant les Polonais.

A l'intérieur de la RSFSR, les peuples allogènes, même s'ils vivent souvent en communautés culturelles fermées, ont été mêlés à la vie économique russe et ont accompli les mêmes progrès intellectuels que les Russes. Ce qui les distingue ce sont leurs langues préservées. Le Caucase offre un tableau opposé. Les Russes y sont peu nombreux, les groupes ethniques s'affrontent même dans les États nationaux postrévolutionnaires. Dans certains cas (Nakhitchevan, par exemple), les découpages soviétiques ont aggravé les dissensions. La diversité des niveaux culturels est considérable.

Aux Géorgiens (lettrés à 39,5 %) ou aux Arméniens (34,5 %) s'opposent les peuples presque illettrés de la montagne : les Tchetchènes (3 %) ou les Tabasaran (1,6 %) [4]. Quant aux peuples de l'Asie centrale, s'ils ne sont que 8 % de la population totale, ils forment un groupe difficile à assimiler (Musulmans, en majorité turcophones). Certains (Kirghiz et Kazakhs) conservent une organisation sociale liée aux traditions nomades. Chez les sédentaires, même lorsqu'ils sont proches des colons russes, le mode de vie et les coutumes liés à l'Islam, voire à des croyances préislamiques prévalent. Là où les nomades ont été sédentarisés, l'attachement à l'ordre social antérieur se maintient. Peu d'entre eux savent lire (7,1 % des Kazakhs, 3,8 % des Uzbeks, 1,3 % des Karakalpaks), à l'exception de quelques groupes urbanisés. Partout dominent l'ordre patriarcal, le respect des anciens, des solidarités tribales ou villageoises et un sentiment confus mais mieux ressenti qu'avant la révolution, d'appartenance à un monde turco-musulman fondamentalement différent du monde soviétique incarné par les Russes.

Cela explique que les bolcheviks se préoccupent en premier des univers clos d'Asie centrale et à un moindre degré du Caucase. La volonté nationale des Ukrainiens se traduit dans l'attachement à leur langue, leur histoire, leur culture. Celle des Biélorusses n'apparaît pas. Mais les uns et les autres sont assez proches des Russes pour que la NEP s'applique à eux comme aux Russes. Les petits peuples dispersés dans la RSFSR sont trop étroitement mêlés aux Russes pour échapper à la transformation sociale que les bolcheviks veulent réaliser. Mais à la périphérie centro-asiatique ou dans les bastions du Caucase, les peuples opposent à la révolution sociale des traditions solides et anciennes qui se confondent avec leur foi et leur sentiment national. Dotés d'États nationaux, comment ne refuseraient-ils pas une civilisation nouvelle qui les dénationalise ? Quand la révolution de la société se confond avec une dépossession des nations, la dimension du problème se modifie totalement, les réactions populaires aussi. Ceci explique que les bolcheviks aient poursuivi dans ces régions, à l'époque de réconciliation sociale de la NEP par là même favorable aux changements profonds, une politique particulière, tendant dans un premier stade à briser la spécificité des sociétés pour les aligner sur l'ensemble de la société soviétique.

La révolution par la loi

De toutes les communautés ethniques de l'URSS c'est la communauté musulmane qui s'écarte le plus du droit commun. Son mode de vie, ses coutumes, hiérarchies et attitudes sociales sont liés à l'Islam, à l'héritage mongol et aux traditions nomades. Le droit musulman interdit toute influence étrangère. C'est pourquoi la première attaque du système soviétique en milieu musulman prend pour cible le droit pour faire table rase d'une légalité distincte et du système social qu'elle recouvre (notamment du statut familial et du statut des personnes – femmes et jeunes – à l'intérieur de la famille).

En 1917 un double système juridique existait encore dans les territoires musulmans, fondé soit sur le droit coranique, *Chariat,* soit sur le droit coutumier, *Adat.* Les tribunaux coraniques avaient eu droit de cité dans l'Empire dès lors que leurs décisions ne contrevenaient pas au droit commun. Ils dominaient dans les régions sédentaires tandis que les tribunaux coutumiers aux compétences plus réduites fonctionnaient dans les territoires kirghiz et dans certaines parties du Caucase occidental.

Le 7 décembre 1917, le gouvernement soviétique abolit partout par décret le système judiciaire existant au profit de tribunaux populaires élus [5]. Le décret abolit aussi toutes les lois contraires à la « légalité révolutionnaire », mais autorise, en l'absence de nouveaux codes, les tribunaux à appliquer les lois conformes à la nouvelle légalité [6]. Et les anciennes justices de paix fondées sous Alexandre II, compétentes pour les délits mineurs, continuent à fonctionner provisoirement. Le décret du 7 décembre tend en définitive à jeter les bases d'un nouveau système judiciaire, tout en retenant de nombreux éléments du système antérieur. Il s'applique dans les territoires sous autorité soviétique, mais ceux-ci ne sont pas clairement définis.

Les bolcheviks qui gouvernent à Tachkent décident que ce décret vaut pour le Turkestan et y abolissent le 12 décembre 1917 le système judiciaire existant [7] (les tribunaux musulmans réglaient essentiellement les problèmes liés à la vie des individus, mariages, divorces, successions; tandis que les tribunaux séculiers du gouvernement tsariste étaient compétents dans les domaines de la vie collective, de la criminalité, etc.), le remplaçant par des tribunaux populaires.

Incapable cependant d'appliquer ces décisions, le gouvernement de Tachkent revient partiellement en arrière le 31 décembre. Il met en sommeil les nouvelles règles, mais enlève les affaires politiques aux tribunaux existants pour les déférer aux Soviets locaux. La conception léniniste de la justice qui nie la séparation des pouvoirs et refuse d'instaurer un pouvoir judiciaire particulier, distinct des autres organes de l'État, prévaut ici. Au Turkestan, en 1918, les Soviets non contents de contrôler le système judiciaire l'accaparent [8]. Cette confusion durera jusqu'en 1919, date où le système soviétique s'étend au Turkestan.

Le décret fédéral du 21 novembre 1918, modifié le 15 janvier 1919 [9], définit la composition des cours de justice populaires et leurs relations avec les organes du pouvoir d'État. Composés d'un président et de deux assesseurs, ces tribunaux théoriquement élus au scrutin direct seront dans la pratique nommés par les Soviets locaux. Le système est complété des tribunaux révolutionnaires jugeant les affaires politiques; formés d'un président et de six assesseurs nommés, ils disposent d'une grande liberté d'action.

Au Turkestan, les tribunaux réguliers doivent en principe appliquer la loi soviétique. En pratique, ils obtiennent le droit de se referer dans leurs jugements au droit musulman, *Chariat*, voire au droit coutumier, *Adat*, s'ils ne contredisent pas le droit soviétique. Cette concession aux convictions d'une population qui n'accepte pas la légalité soviétique entraîne l'existence d'un double réseau judiciaire, l'un pour les Russes, l'autre pour les Musulmans, ce qui prépare mal la région à l'intégration idéologico-sociale qui sera engagée en 1922.

La législation soviétique élaborée dans le cadre de la constitution de 1918 ne concerne en principe que la RSFSR. Mais dès ce moment, un rapprochement juridique s'opère entre la RSFSR et les Républiques de Biélorussie et d'Ukraine dont l'adhésion au droit soviétique contraste avec son rejet en terre d'Islam.

La Biélorussie indépendante commence à modeler son système judiciaire sur le système de la RSFSR dès décembre 1918, et la « légalité socialiste » avec ses structures y est pleinement instaurée en 1920.

L'évolution ukrainienne n'est que légèrement différente. Le statut des tribunaux civils adopté le 19 février 1919 ne diffère du statut soviétique que pour la procédure d'appel. Mais les dispositions légales sur le mariage, le divorce, la vente des biens immobiliers, l'héritage, enfin le code criminel sont identiques au système russe.

En 1922 les bolcheviks décident d'étendre leur système juridique aux Républiques qui entreront dans la fédération.

Les principes généraux sur lesquels repose le droit soviétique sont, on l'a vu, la confusion des pouvoirs et le contrôle du parti sur la justice. Lénine en expose la nécessité dans une note à Staline, du 20 mai 1922 : *De la double subordination et de la légalité* [10]. L'autorité du parti sur l'ensemble du système judiciaire sera assurée par les dix personnes exerçant le pouvoir central de la *prokuratura* « siégeant au centre, travaillant sous la surveillance la plus étroite et le contact le plus direct avec les trois organes du parti qui offrent le maximum de garanties contre les influences locales et personnelles : le Bureau d'organisation et le Bureau politique du Comité central, et la Commission centrale de contrôle [11] ».

Cette conception de l'organisation judiciaire dépendante du parti, centralisée, domine les relations entre les divers systèmes juridiques de la fédération. La constitution de 1924 laisse aux Républiques qui y entrent le soin d'élaborer leurs codes civil et criminel, dans les limites des principes communs à toute la fédération. Le PC ukrainien a considéré qu'il était assez compétent – les

principes fondamentaux n'étant pas encore affirmés –
pour que les juristes d'Ukraine rédigent dès l'été 1922 un
code civil dont John Hazard souligne qu'il a contribué à
préciser les idées des juristes de la fédération [12]. D'autres
Républiques ont agi de même tandis que les juristes
fédéraux ne publieront « les principes fondamentaux »
régissant une vision juridique commune [13] qu'en 1924. Le
laxisme a présidé à la mise en place des systèmes
juridiques républicains lorsque la fédération se constitue.
Cela se conçoit dans la mesure où les normes sociales
diffèrent peu d'une République à l'autre. Il n'en va pas de
même de la périphérie turco-musulmane. Aux hésitations
des premières années succède en 1922 une politique
systématique visant l'élimination progressive du système
musulman, où Moscou veut éviter la violence. Le pouvoir
s'emploie d'abord à placer les tribunaux musulmans sous
le contrôle des Soviets. En mai 1922, les Soviets locaux
sont chargés de la nomination des kadis (juges) – système
impopulaire qui ne dure pas [14]. En août 1922 un décret y
substitue l'élection des juges au suffrage universel sous le
contrôle des autorités civiles [15]. La « section mulsulmane
auprès du Conseil des tribunaux populaires du Turkestan » est créée comme autorité d'appel et de cassation. Le
décret du 23 décembre 1922 [16] affaiblit encore l'autorité
des kadis, en les soumettant à une réélection annuelle
placée sous le contrôle du Comité exécutif régional qui
peut les démettre et supervise en permanence leur
activité. De plus les justiciables qui se sont présentés
devant les tribunaux musulmans peuvent à tout moment
se tourner vers les tribunaux populaires [17]. Enfin le
tribunal populaire de district sert d'instance d'appel aux
tribunaux musulmans qui sont, de plus, incompétents
pour attribuer des réparations financières dans les affaires
criminelles et statuer au civil sur les successions, les
problèmes de propriété terrienne, ou encore sur les
affaires impliquant des organes étatiques. Ainsi réduits
dans leurs compétences, contrôlés étroitement par les
Soviets, placés en compétition constante et inégale avec
les tribunaux populaires auxquels les justiciables mécon-
tents peuvent à tout moment recourir, les tribunaux
canoniques perdent tout prestige.

Au début de 1923, jugeant l'époque des concessions révolue, le pouvoir soviétique prépare ouvertement la liquidation de la justice canonique. Le Comité exécutif turkestanais décrète que tout jugement d'un tribunal canonique peut être révisé par un tribunal populaire. Ceux qui ont perdu leur procès (et dans les cas de divorces les femmes généralement désavouées par les kadis) vont se tourner vers les tribunaux populaires qui ont pour consigne d'exercer la justice en « faveur des ouvriers et des paysans [18] » et accessoirement des femmes.

La pression financière va contribuer à détourner les justiciables des tribunaux musulmans. Si, jusqu'en 1923, l'État assumait la charge de la justice, il décrète alors que le soin de financer une justice étrangère aux normes soviétiques incombe à ceux qui veulent la perpétuer, c'est-à-dire aux justiciables. Aux frais du procès il faudra ajouter le salaire du kadi, de son suppléant et des deux assesseurs populaires que les nouveaux textes imposent au tribunal [19]. En février 1924, les tribunaux canoniques sont déclarés incompétents pour les affaires criminelles et les affaires civiles où les intérêts impliqués excèdent 25 roubles [20]. Enfin il leur est enjoint d'abandonner la *Chariat* et d'y substituer les normes juridiques soviétiques.

Le 16 octobre 1924, des additions sont apportées au code criminel de la RSFSR et étendues sans modifications à la RSSA de Turkestan. Ces dispositions interdisent certaines pratiques de la société islamique : paiement de la *dija* – indemnité compensatoire versée aux victimes d'un acte criminel ou à leurs familles –, versement du *kalym* – indemnité d'achat de la fiancée, mariages forcés et polygamie [21]. Jusqu'alors ces pratiques relevaient des tribunaux musulmans. Leur suppression ne leur laisse rien. Tribunaux coûteux dont les décisions sont immédiatement remises en cause : quel intérêt avaient les justiciables à y recourir ?

Une dernière difficulté subsiste dans cette expansion rapide de la loi soviétique et de ses institutions. Les Républiques populaires de Bukhara et du Khorezm échappent jusqu'à la fin de leur existence indépendante à la laïcisation de l'appareil judiciaire et de ses normes. En 1925, quand toute l'Asie centrale est soviétisée, une remise en ordre s'impose. Dans l'ancienne République de Turkestan, il n'y a plus que 99 tribunaux canoniques en 1924, quatre fois moins qu'en 1922 [22], et ils sont peu actifs. Au contraire, dans les territoires indépendants jusqu'en 1924, ainsi qu'en Kirghizie, ils restent nombreux et ils attirent les justiciables. Jusqu'en 1927 le pouvoir cherche à les détruire de l'intérieur, contrôlant l'élection des kadis, ne tolérant que les « progressistes » qui appliquent systématiquement le droit soviétique au lieu du droit musulman [23]. Ici aussi ces mesures et le coût de la justice privent les tribunaux coraniques de toute raison d'exister.

Au milieu de 1927, ils ne sont plus que dix-sept tribunaux canoniques dans la RSS d'Uzbékistan, onze en Turkménie ; en Kirghizie le dernier tribunal coutumier a déjà disparu [24]. Il ne reste plus qu'à accorder le droit au fait et à supprimer légalement un système exorbitant du droit commun. Un décret du Comité exécutif central de la RSFSR interdit le 21 septembre 1927 toute création ou remise en fonction d'un tribunal canonique ou coutumier ; il enlève toute légalité aux décisions prises dans ces tribunaux et en soumet l'exécution au bon vouloir des parties en présence. Le système judiciaire musulman a vécu.

L'extension d'un droit unique – malgré des variations dans les codes des Républiques – entraîne l'uniformisation des mœurs. A l'époque de la NEP où la législation familiale soviétique est laxiste, le droit commun vise à émanciper les femmes et les jeunes, jugés décisifs pour le changement social. La cible de la politique soviétique, en pays musulman et au Caucase, est la famille patriarcale dominée par les anciens. La révolution juridique de 1924-1928 émancipe les femmes en s'attaquant aux délits coutumiers, *bytovye*. Le rapt de la fiancée, le paiement de la rançon sont criminels. Le divorce par consentement mutuel remplace la répudiation, et les tribunaux populaires sont en cas de désaccord plus enclins à l'accorder aux femmes. Les hommes sont astreints au paiement de

pensions alimentaires, pour supprimer la polygamie, for-
mellement interdite. Les droits parentaux sont confiés
aux deux parents. Un régime de séparation des biens est
instauré. Les femmes peuvent témoigner en justice et ont
des droits égaux à ceux des hommes dans la vie publique.

La cohésion de la famille patriarcale est ébranlée par
l'interdiction faite aux parents d'arranger les mariages de
leurs enfants, de forcer les filles au mariage, de marier les
filles impubères (seize ans dans le code arménien). Les
femmes ont les mêmes droits à l'héritage que les hommes.
Le *lévirat* (remariage d'une veuve avec son beau-frère)
disparaît. Les mauvais traitements à enfants entraînent la
déchéance de l'autorité parentale; ceux infligés aux
femmes, de graves sanctions. Enfin, la vendetta, largement pratiquée chez les Musulmans, surtout au Caucase,
est criminalisée.

Les femmes émancipées, la cohésion familiale détruite,
reste la jeunesse. Le pouvoir veut la soustraire à l'éducation traditionnelle pour l'insérer dans le système éducatif
soviétique qui dresse une barrière entre les parents
attachés à leurs traditions et des enfants influençables.
Pour cela il faut détruire les établissements d'enseignement traditionnel des Musulmans et des communautés
juives.

L'enseignement traditionnel des Musulmans était
assuré dans les *mektebs* où les élèves ânonnent le Coran [25]
et les *medresseh* qui formaient un nombre restreint
d'étudiants. Avant la révolution ce système a été ébranlé
par les novateurs, *Djadids*. Le décret du 23 janvier 1918
sur la liberté de conscience interdit de mêler enseignement général et éducation religieuse [26]. Plus que l'interdiction c'est la confiscation des biens *waqfs* – biens de
mainmorte, publics ou privés –, dont les revenus ser-
vaient entre autres à l'entretien des écoles, réalisée
progressivement entre 1922 et 1925, qui va réduire
l'enseignement coranique, sans pour autant le supprimer
jusqu'en 1930 [27]. Malgré sa volonté d'arracher la jeunesse
à l'influence des clercs de l'Islam, le pouvoir soviétique
patiente, tant la résistance populaire à la sécularisation
de l'éducation est forte.

L'enseignement dispensé aux enfants juifs dans les *kheders* est attaqué par une voie plus juridique, l'interdiction de donner une éducation religieuse aux enfants de moins de dix-huit ans [28]. Au nom de ce principe un grand nombre de *kheders* sont fermés en 1922-1923, surtout en Biélorussie [29]. La résistance des Juifs n'a pas été considérable dans la mesure où les sections juives vont prendre en main le problème de l'éducation et essayer de concilier les exigences du changement et celles d'une judéité sauvegardée. On reviendra plus loin sur ce problème.

En marge des problèmes généraux des relations à l'intérieur de la famille et entre générations, le droit soviétique s'est attaqué aux situations particulières, sociales et morales de certaines régions. Ainsi le code criminel de la RSFSR s'enrichit-il en 1928 d'un chapitre consacré « aux crimes liés aux survivances d'un ordre tribal » qui n'existent guère en Russie. Mais l'initiative russe contraint les Républiques concernées à incorporer des dispositions similaires dans leurs codes criminels. Si généralement l'initiative de la lutte contre les traditions vient du centre, parfois c'est la législation des Républiques fédérées qui inspire la loi fédérale. Il en va ainsi de l'homosexualité. En 1929, dans le silence des textes fédéraux, le code criminel uzbek est le seul à criminaliser l'homosexualité impliquant des mineurs. En 1934, le problème est étendu à la fédération et les dispositions adoptées sont reprises intégralement – définition des délits et pénalités – dans tous les codes républicains. Seuls les codes uzbeks et tadjiks échappent à cette uniformité instaurée dès 1929.

Cependant, si la réforme du droit place les fidélités aux traditions dans l'illégalité, elle ne les empêche pas pour autant de survivre, fût-ce dans une semi-clandestinité. C'est pourquoi la loi sera renforcée par la pression sociale qu'organise le pouvoir.

« *Les masses* » *contre la tradition*

En 1926-1927 le pouvoir soviétique va utiliser l'*action de masse* pour accorder droit et réalité. Ce terme recouvre un ensemble de pressions populaires organisées soit sous forme de manifestations spontanées, soit à travers des organisations particulières pour combattre les infractions au droit, qu'elles soient ou non explicites.

Ces actions visent d'abord les femmes car c'est là que les résistances sociales sont les plus fortes, là aussi qu'elles engagent le plus l'avenir. Ceci explique des mises en scène dramatiques : les femmes dévoilées de force dans les rues par une foule qui s'indigne d'une survivance vestimentaire contraire aux lois. De tels gestes se comptent par centaines dans les rues des villes musulmanes à partir de 1926 [30]. Gestes en apparence spontanés, mais en réalité soigneusement préparés. Des gestes « spontanés » du même ordre brisent en même temps d'autres tabous. Des « masses indignées » font irruption dans des cérémonies nuptiales pour arracher à un vieillard une jeune fille négociée par ses parents [31].

Mais le pouvoir soviétique met aussi sur pied des organisations mobilisant les cibles et agents potentiels du changement : femmes et jeunes.

Pour arracher les femmes à une société qui se défend en les enfermant, le parti communiste crée partout au début des années vingt des sections féminines, *jenotdel*, dont le domaine d'action est très étendu [32]. Ces sections ont pour fonction d'embrigader les femmes dans le parti, de les aider à entrer dans l'administration ou à leur trouver un emploi. Sur les lieux de travail, le *jenotdel* choisit les femmes les plus aptes à une activité militante et les y prépare. Ces élues, *delegatki*, supposées investies de la confiance d'autres femmes, participent à une assemblée, *delegatskoe sobranie*, où se discutent les problèmes propres à la mobilisation sociale ou à la condition féminine. Elles sont aussi envoyées dans tous les lieux où les femmes sont impliquées (lutte contre la prostitution, avortement), et assistent les femmes pour obtenir des pensions alimentaires ou une reconnaissance de paternité. En Arménie où le *jenotdel* agit sous le nom de *kinbajin*, les *delegatki* forcent les portes des foyers traditionnels, s'informent de la situation des femmes qui s'y trouvent, des relations mari-femme, père-enfants[33]. Si en Asie centrale la société traditionnelle écarte par la pression les femmes de ces activités, ailleurs elles ont, du moins en milieu urbain, un effet désagrégateur sur les relations familiales[34].

Le parti n'est pas seul à mobiliser les femmes. En 1923, l'État soviétique crée une Commission spéciale pour l'amélioration des conditions de vie des femmes avec des commissions dans chaque République ou région[35]. Comme les *jenotdel,* ces commissions doivent contrôler, sur place, dans chaque famille, que l'égalité juridique des sexes entre dans les faits et signalent aux autorités tous les manquements à la loi[36]. Elles peuvent à tout moment faire intrusion dans la vie privée des individus. En même temps, parce qu'elles sont chargées d'apprendre aux femmes l'hygiène familiale, les soins à donner aux enfants, elles sont parfois écoutées. Dans les villes, voire dans les campagnes, leurs missions temporaires sont doublées de clubs féminins permanents qui ont une certaine audience parce qu'ils respectent la ségrégation des sexes à laquelle sont si attachés de nombreux peuples soviétiques, même si cette ségrégation a pour but final de miner l'autorité masculine.

Ces institutions subsisteront avec des fortunes inégales jusqu'à la fin des années vingt. Les *jenotdel* disparaissent en 1929, les Commissions pour l'amélioration des conditions de vie des femmes, peu efficaces jusqu'en 1926 parce que dépourvues d'un budget autonome, sont ensuite dotées de facilités budgétaires considérables qui renforcent l'ampleur des « pressions de masse » qui s'exercent alors sur les structures traditionnelles.

La mobilisation de la jeunesse est un autre chapitre de la politique de « pressions des masses ». Le *Komsomol* (Jeunesse communiste) en est l'instrument privilégié car il regroupe les adolescents de quatorze à vingt ans, donc très influençables. Staline a, en 1924, souligné l'importance des tâches : « Le *Komsomol* est une réserve de paysans et d'ouvriers où le parti va puiser ses troupes. Mais c'est aussi un instrument aux mains du parti pour assurer son influence sur la jeunesse [37]. »

Le *Komsomol* pour accomplir ses tâches doit s'enraciner dans les groupes nationaux les plus traditionnels et surtout à la campagne où la résistance des structures anciennes de la société atteint son degré maximum. Il doit faire face à des situations très différentes.

Tandis que les organisations de jeunesse se développent dans les Républiques slaves, en Asie centrale et au Caucase, leur croissance est lente, limitée aux villes et elles échouent complètement à attirer l'élément féminin. Si en Asie centrale on compte en 1921 310 organisations de *Komsomols* et 20 000 membres, les autorités constatent en peu de temps qu'il s'agit surtout de jeunes Russes, tandis que les indigènes invoquent leur méconnaissance du russe pour rester à l'écart [38]. A partir de 1924 les appels du parti à la création d'organisations nationales et villageoises et le développement de l'éducation modifient la situation. En 1927, on compte plus de 36 000 *Komsomols* chez les Uzbeks, 10 000 chez les Kirghiz, 7 000 chez les Turkmènes tant dans les villages qu'en milieu urbain [39].

Le recrutement à tout prix des adolescents dans le *Komsomol* a souvent des résultats désastreux. En Arménie, le recrutement massif dans les villes au début des années vingt impose une purge en 1923 des « fanatiques religieux » et des ivrognes. La promotion de 1924-1925 est aux quatre cinquièmes d'origine paysanne. Ce changement se paie d'une baisse du niveau culturel : en 1926, la moitié des *Komsomols* sont des illettrés [40]. Et en dépit des pressions, à la fin des années vingt on n'y compte que 10 % de filles au Caucase, à peine 5 % en Asie centrale et encore s'agit-il en général des enfants des dirigeants du parti. Pour vaincre l'hostilité à un recrutement féminin dans les territoires les plus ségrégationnistes, des organisations féminines du *Komsomol* sont créées en milieu rural [41].

La mobilisation des jeunes est complétée par la création, en 1922, de l'organisation des pionniers, et en 1924 des Octobristes. Mais le rôle de ces organisations annexes reste limité car la société traditionnelle qui laisse échapper ses adolescents est encore apte à préserver les jeunes enfants de l'emprise extérieure.

Les *Komsomols* ont une fonction pédagogique qui double celle du parti. Ils doivent propager partout la nouvelle légalité, participer à la propagande antireligieuse, à la lutte pour l'émancipation des femmes. Souvent, dans les villages où le parti est absent, ils le remplacent et accomplissent ses tâches. Mais surtout, ils doivent traquer et dénoncer les manquements à la légalité, les excès du pouvoir marital, de l'autorité parentale, ou encore dans les établissements scolaires veiller à ce que les enseignants défendent bien l'ordre nouveau.

Plus que les organisations féminines, ils sont à l'origine des manifestations publiques contre les femmes voilées et contre les « superstitions religieuses ». Les *Komsomols* juifs ont tenu la vedette dans les parodies antireligieuses qui ridiculisent le judaïsme en Ukraine dès 1922 [42]. Leur virulence est telle que le parti doit les rappeler à l'ordre. En Asie centrale, ils s'attaquent davantage aux structures familiales qu'à la religion et par ailleurs ils ont participé à l'alphabétisation de la campagne. Au Caucase chrétien, c'est la lutte antireligieuse qui est l'aspect essentiel des activités des organisations de jeunes.

Le changement social, surtout s'il doit être rapide, passe par une phase de destruction. La révolution juridique en a été un élément décisif. Le grand juriste de cette période, Pachoukanis, écrit que la construction de la société socialiste implique une éradication « de l'esprit déjà mort des doctrines juridiques bourgeoises ». Le rôle de la loi est double. Elle doit briser l'édifice social antérieur et par là même un mode de vie auquel les nations s'attachent pour se définir; puis elle doit insérer les hommes privés de leurs particularismes dans un système uniformisé.

Cette conception du changement social appuyée sur une idéologie égalitaire s'est heurtée très tôt à une difficulté imprévue. Le modèle juridique soviétique tout en étant en principe pan-national a été inspiré dans des domaines fondamentaux – relations familiales, relations entre générations – par l'évolution alors en cours dans la partie européenne de l'Union. Sans doute la société paysanne russe ou ukrainienne diffère-t-elle de la société urbaine aux structures familiales distendues, mais on peut admettre l'existence d'un modèle social slave – fût-il rural – fondamentalement différent des modèles périphériques. Or le système normatif que le pouvoir soviétique propose est le produit combiné d'une tradition et d'une révolution européenne et slave, totalement étrangère aux peuples dominés par l'Islam, le judaïsme, des structures tribales ou claniques, etc.

Cela explique deux particularités de la révolution culturelle des années vingt, l'une chronologique, l'autre spatiale. Après la révolution sociale violente du communisme de guerre, le pouvoir soviétique adopte – dans le milieu slave et là seulement – une stratégie de changement graduel. Au même moment, il doit maintenir parmi les nations par trop irréductibles culturellement une stratégie de changement rapide, au moins en ce qui concerne la suppression des différences, afin que l'écart entre civilisations ne se creuse pas à l'excès. Le communisme de guerre – compris comme révolution de la société –, arrêté en pays slave en 1921, ne prendra fin ailleurs qu'en 1929. Ce décalage chronologique est très important pour la compréhension des sociétés non russes.

La seconde particularité est spatiale. Elle concerne la juxtaposition dans un bref espace temporel de huit années, 1921-1929, de politiques variant considérablement sur le plan local. Il est significatif que la paix sociale russe des années 1921-1929 ait pour corollaire en Asie centrale une politique nommée *Khudjum*, ce qui signifie attaque « tous azimuts » contre l'ordre social hérité du passé. Cette inégalité des politiques au nom d'une idéologie égalitaire a considérablement affaibli l'impact de l'idéologie elle-même; elle a conforté les réactions locales à la révolution culturelle et les tendances nationales.

Des groupes sociaux ou nationaux se détachent alors tout entiers de l'ordre soviétique et le rejettent. La révolution des mœurs, qui devait affaiblir les tenants d'un ordre révolu, mobilise autour d'eux des mécontentements qui prennent souvent une coloration nationale et ont des effets très destructeurs. Au lieu de briser l'ordre social existant, la révolution culturelle sape avant tout l'ordre soviétique. En 1921, Lénine pensait qu'il fallait changer les mentalités pour construire un nouvel ordre économique. En 1929, ses successeurs reviennent à l'approche « économique » et brutale du communisme de guerre. Ils comptent sur la révolution économique pour changer les mentalités.

Le tournant de 1929 est pour l'URSS d'autant plus brutal qu'il met fin aux années d'accalmie de la NEP. Mais pour les peuples non russes qui viennent d'être soumis à la pression de la révolution culturelle, c'est une tempête qui succède à une tempête d'un autre type. La mémoire collective de ces peuples retiendra une vision historique qui leur est propre, qui ne correspond pas à la chronologie générale de l'Union soviétique. La retraite et la pause de l'époque de la NEP ne concernent que certains peuples de l'URSS. Pour d'autres, ces années ont été dominées par une lutte dramatique pour sauver une culture politique qui se confond avec leur identité nationale.

2

Cultures nationales
et culture prolétarienne

Tous les révolutionnaires ont rêvé de faire table rase de l'héritage intellectuel légué par leurs prédécesseurs et de créer une nouvelle manière d'exprimer des idées nouvelles. Pour les bolcheviks, dans le contexte de la Russie, le rêve se complique puisqu'il leur faut concilier l'universalisme dont ils sont porteurs et le patrimoine culturel des nations.

Sur ce terrain ils vont d'emblée rencontrer deux problèmes. Quel statut donner aux nations? Quelle place donner aux cultures nationales dans la culture universelle qui est la leur. Quel statut? *Nation* ou *nationalité*? Staline a donné la définition de la nation, *natsija*, dès 1913. C'est celle qui répond aux quatre critères : unité de langue, de territoire, de vie économique, de formation psychique. A la possession de ces quatre critères sont liés des droits politiques que des facteurs complémentaires (nombre et géographie) permettent de définir avec une plus grande précision. Mais tous les groupes ethniques ne peuvent pour des raisons diverses accéder à ce statut.

Ce sont alors des nationalités, *narodnost'*, à qui le système soviétique garantit le respect de leur culture, donc de leur langue et d'institutions particulières. Pourtant, le sort des nationalités n'est pas supposé être figé. La *Grande Encyclopédie soviétique* analyse avec soin la dynamique de ces groupes : « Toutes les nationalités ne sont pas destinées à se consolider en nations. Certaines, soit en raison de leur retard, soit parce qu'elles ne remplissent pas certaines conditions, ne peuvent constituer une communauté territoriale et économique stable. Elles sont alors condamnées à adopter progressivement la langue de la nation avec laquelle elles se trouvent en relations économiques et territoriales et à se fondre petit à petit dans cette dernière [1]. »

Il paraît simple ainsi, de prime abord, d'assigner aux groupes ethniques de l'URSS leur place et leurs droits dans l'ensemble soviétique. Le recours à des critères précis, définis de longue date, n'est-il pas une garantie que les droits de tous seront respectés, que la volonté égalitaire présidera à toutes les organisations ? Ces définitions théoriques des droits nationaux ne résolvent pas pour autant une question difficile, celle de la limite des cultures nationales, de leur coexistence avec une idéologie commune. On doit aussi à Staline d'avoir explicité comment le projet commun des bolcheviks et les droits nationaux se fondraient dans un compromis culturel [2]. « Qu'est-ce que la culture nationale ? Comment la concilier avec la culture prolétarienne ? N'y a-t-il pas là une contradiction insurmontable ? Évidemment non. Nous édifions une culture prolétarienne. Cela est parfaitement exact. Mais il est également exact que la culture prolétarienne, socialiste par son contenu, emprunte diverses formes et use de différents moyens d'expression chez les différents peuples entraînés dans l'édification socialiste, selon la diversité de la langue, des conditions d'existence, etc. Prolétarienne par son contenu, nationale par sa forme, telle est la culture commune à toute l'humanité, vers laquelle marche le socialisme. La culture prolétarienne n'abolit pas la culture nationale; elle lui donne un contenu. Et inversement, la culture nationale n'abolit pas la culture prolétarienne, elle lui donne une forme. »

La promotion des cultures nationales : des voies multiples

Quand Staline affirme qu'il n'y a pas de tension entre les cultures nationales et la culture prolétarienne, il a raison si l'on retient la langue comme aspect principal des cultures nationales. Mais la multiplicité des groupes ethniques et des langues dans l'ancien Empire complique considérablement la mise en pratique de la théorie de Staline.

Faut-il retenir comme langues nationales toutes les langues utilisées jusqu'alors? S'agit-il des seules langues écrites? Ou aussi de certains dialectes? Que faire des groupes ethniques dispersés? Leur reconnaître le droit d'user malgré tout de leur langue – et c'est l'autonomie culturelle extraterritoriale rejetée jusqu'alors –, ou bien lier langue et territoire? Que faire des groupes peu nombreux mais qui utilisent pourtant des langues écrites? Par exemple des Koubatchis du Daghestan, qui ne sont que 2 579 au recensement de 1926, concentrés dans un village et parlant une langue ibéro-caucausienne transcrite en caractères arabes?

A ces problèmes techniques, s'ajoutent des problèmes politiques. Dans le morcellement linguistique de l'Empire, des regroupements s'esquissaient au début du XXᵉ siècle. Certains d'importance. Les Musulmans de l'Empire tsariste ont largement communiqué grâce au tatar, langue unificatrice [3]. Dans les années précédant la révolution, l'Asie centrale cherche son unité politique autour de la langue turque djagataï [4]. Au Caucase, si morcelé, les partisans de l'unité prônent tantôt l'usage de l'arabe, tantôt celui de l'azeri ou du koumyk [5]. Des peuples bouddhistes nourrissent en 1919 un rêve d'unité mongole et cherchent à le fonder sur des liens linguistiques [6]. Des petits peuples d'origine finnoise, privés d'écriture, tels les Mordves ou les Oudmourtes veulent se rattacher à un projet unitaire panfinnois.

Sans doute ces diverses tentatives ne sont-elles pas de même importance et n'ont-elles pas les mêmes chances de succès. Mais le pouvoir doit choisir entre des projets globaux qui visent à réunir des grandes entités sur une base culturelle commune et le développement égalitaire de toute langue qui a des chances de survie. La première solution correspond aux vœux de nombreuses nations et tient compte d'évolutions amorcées déjà dans certains cas. La seconde correspond à la volonté constamment affirmée de nations anciennement consolidées tels les Ukrainiens, les Géorgiens, les Arméniens pour qui l'usage de leur langue est un droit politique fondamental. A favoriser des projets linguistiques fédérateurs, on alarmerait ces peuples. Il n'est cependant pas possible d'avoir plusieurs politiques culturelles, car c'est là que l'égalité doit être la plus complète.

De la théorie, le problème des cultures nationales glisse rapidement sur le plan des difficultés techniques et des priorités politiques. Le choix fondamental – respect de toutes les langues, ou respect des courants unificateurs – se fait dès 1920. Les bolcheviks décident que chaque nationalité sera dotée d'une langue et des institutions culturelles qui l'accompagnent – établissements d'enseignement, éditions. Ce qui dès l'abord soulève le problème de l'écriture pour les nationalités parlant une langue non écrite. Que faire à leur égard? Fixer leur langue par l'écriture? ou favoriser le bilinguisme? Et dans ce dernier cas, au bénéfice de quelle langue? D'une langue commune tel le russe? ou de la langue écrite de la formation territoriale où vit la nationalité concernée?

La pratique des années 1920-1929 témoigne qu'il existe un léger écart entre le nombre total de nationalités (169), et celles qui disposent d'une langue [7].

La consolidation des grandes nations

La décision de donner à chaque nation le droit d'user de sa langue satisfait Ukrainiens, Géorgiens, Arméniens, et à un moindre degré Biélorusses, qui vivent sur un territoire national où leur culture est de longue date développée. Mais que faire des minorités qui sont dans leurs frontières? En septembre 1920, l'usage de l'ukrainien devient obligatoire pour les établissements d'enseignement et l'administration. Et l'édition en langue ukrainienne progresse.

Il en va de même en Arménie, malgré la réforme de

l'orthographe de 1922 qui fait coexister deux systèmes [8]. Partout on forge des mots nationaux pour traduire des concepts politiques ou des expressions techniques ou scientifiques, afin d'éviter le recours aux mots russes. Pour accéder aux postes administratifs ou politiques, il faut connaître la langue de la République. Exigence qui n'est pas toujours respectée, ainsi dans les grandes villes d'Ukraine faut-il tenir compte d'importantes minorités russes et juives [9] Mais en Biélorussie l'enracinement est plus malaisé à imposer. Créée en 1921, agrandie par décret du 3 mars 1924 de territoires peuplés de près de trois millions de Biélorusses, la Biélorussie n'a pas d'unité de culture. Les villes, peu nombreuses et développées, sont surtout peuplées de Juifs (entre 45 et 50 % à Minsk et Vitebsk en 1926) et l'intelligentsia nationale doit définir ce qui est biélorusse par opposition à la langue et à la culture russes. Elle proposera même de changer le nom de la nation en *Krivichy* (du nom d'un peuple slave ayant vécu sur le territoire dix siècles auparavant), afin de supprimer le mot *russe*. Il lui faut créer une langue, enrichir son vocabulaire de termes éloignés du russe, souvent au détriment d'un vocabulaire commun [10]. Le développement culturel implique l'opposition à la Russie que le pouvoir soviétique doit tolérer car cette élite nationaliste est la seule réserve de cadres nationaux. Condamner le nationalisme culturel des Biélorusses serait la fin de la politique d'enracinement.

Ainsi la reconnaissance du droit des nations à développer leur propre culture aboutit-elle à des résultats assez voisins dans des situations très différentes. Partout où les éléments essentiels de cette culture existent : langue, folklore, histoire nationale, la politique culturelle a entraîné un progrès général de la langue et par là même un progrès du sentiment national. En Biélorussie même, où la « biélorussification » est à l'origine assez artificielle, on constate la montée d'une conscience nationale.

A chaque nation sa langue

En 1917 certains peuples dispersés de l'Empire cherchent à réaliser leur unité autour d'un centre culturel c'est-à-dire d'une langue commune. Unité pratiquement réalisée par les Musulmans de la région Volga-Oural; quête d'une langue unificatrice par ceux de l'Asie centrale et du Caucase; tentative d'unité mongole des peuples bouddhistes. Quels que soient le succès de ces recherches et le développement culturel des peuples concernés, l'unification culturelle conduit à une unité politique autour d'un passé commun et d'une communauté religieuse, islam ou bouddhisme.

L'expérience unitaire la plus poussée en 1920 est celle des Tatars-Bachkirs qui veulent ressusciter dans l'État de l'*Idel-Oural*, le prestigieux Khanat de Kazan [11]. Leur projet repose sur une donnée réelle : l'usage étendu du tatar, langue politique et de culture. En 1918, les bolcheviks, fidèles à l'idée d'autodétermination, acceptent l'union tataro-bachkir, mais un an plus tard, ils y voient l'amorce d'un grand État turc.

Pour briser le turquisme dissimulé derrière ce projet, Lénine et Staline vont décider que chaque nation doit avoir une langue. Cela va de soi pour les Tatars, mais non pour les Bachkirs, qui n'ont pas alors de langue littéraire. Le bachkir, langue parlée, est érigé en langue littéraire écrite, et par l'éducation le pouvoir s'efforce de réduire l'aire d'utilisation du tatar et de créer une nation bachkir convaincue de sa spécificité.

La réduction de l'influence tatare passe aussi par la promotion au rang de nationalités de petits groupes de la Volga tels les Kriachens et les Nagaïbaks, turcs christianisés dotés alors de langues littéraires à partir de dialectes utilisés auparavant conjointement avec le tatar.

Inaugurée en Tatarie, cette politique sera appliquée sur une plus grande échelle et avec une plus grande assurance en Asie centrale. Là la situation est plus difficile qu'en pays tataro-bachkir : plus de groupes ethniques, plus nombreux et situés à une frontière stratégique. Dans l'Asie centrale du début des années vingt, deux tendances coexistent : rêve d'une unité turkestanaise autour d'une langue unique, le turc djagataï; formation progressive de trois entités politico-sociologiques – les nomades des steppes (Kazakhs et Kirghiz), les sédentaires des ex-émirats de Boukhara, Khiva et Kokand, les Turkmènes [12].

Les bolcheviks condamnent également ces deux projets. L'Asie centrale aura des frontières ethnico-culturelles qui brisent les unités existantes. Les territoires politiques créés en 1925 – Républiques socialistes soviétiques (RSS), Républiques socialistes soviétiques autonomes (RSSA), Régions autonomes (RA) – coïncideront tantôt avec des nations ayant une réalité culturelle, tantôt non et, dans ce cas, le pouvoir devra la créer.

Il en va ainsi du peuple kirghiz, administrativement séparé des Kazakhs avec lesquels il se confondait jusqu'alors culturellement. L'union des deux peuples inquiète d'autant plus qu'elle fut renforcée durant la guerre par la grande révolte des nomades contre la conscription [13]. La nation kazakh est seule autorisée à utiliser sa langue, tandis que le parler kirghiz est doté en 1922 d'une écriture. La promotion des Kirghiz au rang de nation est remarquable car en 1925, près du tiers du groupe national est anéanti (répression tsariste et famine subie en Chine par ceux qui y ont cherché abri en 1917). Malgré sa faiblesse numérique et culturelle, la nation kirghiz va s'épanouir. Contrairement aux Bachkirs qui s'émancipent très lentement de la culture tatare, les Kirghiz cherchent dès 1925 à se donner une tradition culturelle propre en recourant à un folklore épique riche [14].

Le pouvoir divise de même le groupe uzbeko-tadjik en consolidant deux nations distinctes. Séparation naturelle en un sens, car les Tadjiks sont iranophones, héritiers d'une vieille civilisation et de tradition sédentaire. Les Uzbeks sont turcophones, mi-sédentaires, mi-nomades, récemment sédentarisés. Malgré ces différences réelles leur séparation est artificielle. Le tadjik était jusqu'à la révolution la langue politique et culturelle des Uzbeks. En

tentant de promouvoir le djagataï, ceux-ci veulent réconcilier parler populaire et langue officielle dans un élan
panturc. Mais les progrès du djagataï sont très lents.
L'imbrication des ethnies dans la région s'oppose aussi, à
moins de déplacer des populations, à la création de
Républiques nationales homogènes.

La séparation est cependant faite et complétée par des
subdivisions nationales permettant de tenir compte de
l'imbrication des groupes ethniques. Le djagataï cède la
place en 1923 à la langue littéraire uzbek nouvellement
formée [15] et des établissements culturels uzbeks seront
maintenus en territoire tadjik pour sauvegarder les droits
culturels des minorités turcophones de la République
autonome.

En 1924, une autre nation est forgée plus ou moins de
toutes pièces. Les tribus kara-kalpaks, difficilement distin-
guables des tribus kazakhs et uzbeks dont elles partageaient
l'aire de nomadisme et les traditions, acquièrent le statut
de nationalité dans une région autonome enclavée dans la
République kazakh. Par la suite, cette région sera rattachée à la RSS d'Uzbekistan. Ces glissements témoignent
de la difficulté à cerner cette nationalité. Transformer le
dialecte des Kara-Kalpaks en langue littéraire ne sera pas
plus aisé. A la différence du kirghiz qui s'imposera
d'emblée, le kara-kalpak progressera très lentement, toujours concurrencé par la langue de la République où les
Kara-Kalpaks sont intégrés.

L'histoire des Turkmènes est bien plus simple. Dispersées et inassimilables jusqu'au début du XIXe siècle, les
tribus turkmènes s'engagent d'elles-mêmes dans une
unification linguistique [16], autour de deux dialectes tri-
baux dont va se dégager, dès 1921, une langue écrite
commune. Évolution sous-tendue par la volonté d'affirmer l'identité nationale des Turkmènes en cours de
sédentarisation, face aux Turcs et aux tribus voisines de
l'Iran. Volonté intérieure qui coïncide avec les intérêts du
pouvoir soviétique.

La politique culturelle du pouvoir soviétique en Asie
centrale a eu deux finalités : briser l'unification poten-
tielle de la région autour d'idéaux turco-musulmans, mais

aussi préparer, pour l'avenir, sa transformation sociale. L'exemple turkmène, comme celui des Kazakhs-Kirghiz, illustre ce dessein qui ne vise pas seulement le contrôle politique de l'Asie centrale, mais aussi le projet social, la sédentarisation des peuples nomades.

Le pouvoir soviétique s'est aussi attaché à préserver les droits de groupes ethniques restreints même s'ils n'ont pas d'assise territoriale. C'est le cas des Ouigours (peuple turc), Doungane (d'origine arabo-persane, musulmans et de langue chinoise), dotés d'établissements culturels [17]. Les Arabes au contraire, bien que recensés aussi comme *nationalité* [18], n'ont pas eu d'écoles; mais les recensements successifs témoignent de la survie de leur langue, du moins en tant que langue parlée.

Le Caucase est un cas limite par sa complexité. Malgré son unité nominale, le Caucase du Nord est, en 1920, une inextricable mosaïque de groupes ethniques sans tradition nationale ni culturelle, dominés par les fidélités tribales ou claniques. Les bolcheviks ne veulent pas ajouter à la confusion, mais simplifier en unifiant. Le souci d'arracher le Caucase aux rivalités séculaires explique la création en 1919 de deux Républiques, elles-mêmes mosaïques de nations : la République des Montagnards et celle du Daghestan.

La première explose presque aussitôt et laisse place à huit nations (Kabardes, Balkars, Tchétchènes, Ingouches, Karatchaïs, Adyghés, Tcherkesses, Ossètes), regroupées dans sept formations politico-territoriales (les Kabardes et Balkars sont réunis en 1922) rattachées à la RSFSR. Mais cette simplicité n'est qu'apparente : dans la Région autonome des Adyghés, ce sont les Tcherkesses qui dominent en droit; et la nation ossète est divisée en deux formations territoriales, dont l'une, l'Ossétie méridionale, est rattachée à la Géorgie [19]. La multiplicité et l'imbrication des langues ne le cèdent pas à la complexité des divisions administratives. Les langues littéraires se multiplient, dialectes soudain ennoblis par l'écriture. Il en va ainsi du kabarde, du balkar, du tchétchène, de l'ingouch, du tcherkesse, du karatchaï et des deux langues différentes de la nation ossète, le digor et l'iron, créées à partir de deux dialectes dont l'aire d'utilisation correspond à peu près à la séparation administrative. En 1939, le digor disparaîtra et tous les Ossètes utiliseront la même langue.

Mais en 1925, on voit combien le pouvoir soviétique tâtonne dans la complexité caucasienne. Il est fidèle à sa doctrine en dotant chaque nationalité reconnue d'une langue. Il la trahit lorsqu'il répartit les Ossètes en deux groupes linguistiques. Il l'interprète dans le cas des Karatchaï et des Balkars qui malgré leur séparation territoriale ont l'habitude d'user de la même langue, et à qui il assigne des langues distinctes.

Au Daghestan, la situation est à la fois plus difficile encore et plus simple. Plus difficile parce que trente-cinq groupes au minimum y coexistent [20], rattachés à quatre groupes linguistiques – ibéro-caucasien, turc, iranien, sémite – et soumis à des influences divergentes : arabe, turque, russe. Enfin, l'hétérogénéité des conditions socio-politiques et des mœurs complique encore le tableau. Mais la situation est aussi plus simple qu'ailleurs, car des projets d'unification se sont multipliés au Daghestan à la fin du XIXe siècle : arabe, azeri, koumyk. Dans les trois cas, c'est la langue qui est l'instrument de l'unification. Le pouvoir soviétique reconnaît dès l'origine l'extrême complexité du cas daghestanais et des tendances qui s'y sont manifestées. Aussi a-t-il adopté là des solutions exceptionnelles; il a donné à la République un nom géographique [21] et non celui d'une nation. En outre, contrairement à la République des Montagnards, l'unité daghestanaise sera préservée en dépit des difficultés et les bolcheviks reprendront à leur compte les projets prérévolutionnaires avant d'imposer une solution du type centro-asiatique, diversité linguistico-culturelle mais non politique. Au Daghestan en effet, l'histoire et la réalité humaine font qu'unité ou diversité n'ont qu'un seul support – la langue.

Dans un premier temps, le pouvoir soviétique tente d'unifier le Daghestan autour de l'arabe, ainsi que le proposent les nationalistes conservateurs de la région, essentiellement le clergé. En 1920, un alphabet arabe simplifié est appliqué à certaines langues (avar, dargin, lak). En 1923, Staline adresse un message au congrès du clergé musulman à Kakhib rédigé en arabe. A cette époque d'ailleurs, un commissariat du peuple pour le droit *Chariat, Narkomchariat,* existe dans la République. Cependant l'arabe est trop lié à l'Islam pour que le pouvoir soviétique puisse le conserver dès lors qu'il commence à combattre l'Islam. Aussi en 1923, abandonne-t-il la solution arabe au profit d'une langue turque, azéri ou koumyk. En 1917, au premier congrès des Montagnards du Caucase, tenu à Vladikavkaz, les congressistes avaient décidé que le koumyk serait la langue de l'enseignement secondaire [22]. Pressés par Moscou de remplacer l'arabe par une langue turque les dirigeants du Daghestan optent pour l'azéri. Pourquoi ce choix au lieu du koumyk préféré en 1917? Parce que les communistes locaux pour sortir de leur isolement doivent renoncer aux langues utilisées seulement au Caucase, ce qui est le cas du koumyk [23]. Comme l'arabe, l'azéri les rattache à un univers plus vaste, celui des Turcs. Pour Moscou l'azéri a eu la vertu d'éliminer l'arabe. Mais en 1928 il lui faut briser les tendances panturques et l'unité, qui progressent au Caucase grâce à l'azéri. D'où un tournant politique qui dote le Daghestan de onze langues officielles au lieu d'une, réparties en quatre groupes : slave (russe), turc (azéri, koumyk, nogaï), ibéro-caucasien (avar, dargin, lezg, lak, tchétchèn, tabasaran), iranien (tati). Certaines langues : tchétchèn, lezg, tabasaran, nogaï et tati n'étaient que parlées et ont dû être dotées d'alphabets. Dans certains cas, devenues langues littéraires, elles se sont substituées aux langues utilisées précédemment. On le voit chez les Nogaïs qui utilisaient alternativement le nogaï pour l'usage local et le tatar de Kazan comme langue de relations intertribale [24].

La dernière tentative unitaire concerne des peuples bouddhistes : Bouriates, Mongols et Kalmyks qui ont nourri un temps un rêve panmongol, inquiétant pour Moscou. Les Bouriates ont posé d'emblée un problème au régime soviétique. Les hasards de l'histoire les avaient répartis des deux côtés du lac Baïkal et placés au cœur de l'intervention japonaise au lendemain de la révolution.

Les Japonais ont joué alors la carte d'un grand Empire mongol, dans un congrès panmongol réuni à leur initiative à Tchita en 1919 et qui attira de nombreux Bouriates. Ceux-ci y réclamèrent l'expulsion des Russes de la région du Baïkal et prétendirent demander à la conférence de la Paix sa garantie pour le projet de Grand Empire mongol.

Contre ce rêve, Staline favorise le rassemblement des Bouriates dans une République autonome créée en 1923, qui leur sera, il l'espère, un centre d'attraction. Pourtant les Bouriates, loin de savoir gré au pouvoir soviétique de leur réunion dans un État national, continuent à militer pour l'unité mongole et se tournent vers les Khalka-Mongols de la Mongolie extérieure. Pour se rapprocher d'eux, des intellectuels de la République modifient la langue bouriate, en adaptent le vocabulaire et la syntaxe au khalka-mongol dont ils veulent faire dans une étape ultime la langue commune de tous les Mongols. Ils en appellent aussi aux Kalmyks dont Lénine a reconnu en juin 1919 le droit à une existence autonome[25]. En 1927, ils réunissent à Moscou le Ier congrès des bouddhistes soviétiques qui témoigne qu'il y a en URSS un bouddhisme syncrétiste coopérant avec le communisme, maintenant les lamasseries sous forme de coopératives où survivent un clergé régulier et des traditions religieuses[26].

Mais le pouvoir soviétique qui a toléré un moment ce mouvement rompt avec le bouddhisme en 1928 et condamne les survivances d'une religion qui « oblitère la conscience des classes laborieuses[27] ». En 1929 l'usage du bouriate mêlé de khalka-mongol est interdit et remplacé par un dialecte bouriate méridional érigé en langue littéraire[28]. La politique de division du groupe mongol est facilitée par l'évolution parallèle de la Mongolie extérieure : attaque contre le bouddhisme, « démongolisation » de la langue par un changement d'alphabet. Au début des années trente, les caractères verticaux mongols font place aux caractères latins. Ainsi partout, en même temps, s'estompent les signes du particularisme mongol.

La réduction du nationalisme culturel des Bouriates,

l'isolement des Kalmyks par le changement économique une fois réalisés, reste à détruire un dernier bastion du mongolisme, le Tannou-Touva. Touva (Ouriankhaï de son nom mongol), peuplé de 64 000 habitants en 1913, 70 000 en 1926, est passé sous protectorat russe en 1913. En 1921, Tchitchérine nie que l'État soviétique ait des prétentions sur ce territoire [29]. Les réticences du pouvoir soviétique à assurer la continuité de l'Empire tsariste en territoire touva s'expliquent par la volonté de ne pas étendre encore leurs possessions mongoles. Culturellement Touva appartient au monde mongol. N'ayant ni langue littéraire ni culture, mais attachés au bouddhisme, les habitants de Touva utilisent le mongol comme langue religieuse et de communication et leurs responsables politiques tentent un rapprochement avec la Mongolie extérieure, première étape pour eux de la création d'un grand État mongol. En 1925, le pouvoir soviétique modifie sa position. Sans renier l'indépendance formelle de Touva qui durera près de vingt ans encore, il entreprend d'établir un contrôle de fait sur la vie politique et la culture touva afin d'en extirper le bouddhisme et la langue mongole, éléments fondamentaux du projet unitaire mongol. Il est aidé par un lama qui élabore en 1928 un alphabet latin adapté au dialecte touva. Mais cette tentative novatrice heurte la conscience religieuse des masses attachées au mongol qui représente pour elles le bouddhisme, religion d'État de la petite République. Exemple inquiétant pour les peuples voisins, pense-t-on à Moscou. C'est pourquoi, en 1929, le gouvernement soviétique, s'appuyant sur le parti communiste dont il a favorisé l'existence à Touva, y encourage un coup d'État.

L'heure de l'alignement culturel de Touva sur les peuples mongols incorporés à l'URSS est venue. Comme en URSS, la nécessité de consolider à Touva la nation en la dotant d'une langue est un leitmotiv de la direction communiste. La langue touva remplace le mongol; l'écriture latine chasse l'écriture mongole [30]. Ce touva littéraire élaboré par des linguistes russes va s'imposer assez rapidement. Le journal du parti, *Ounen,* publié depuis 1925 en mongol, aura pendant plusieurs mois une édition bilingue puis sera imprimé dans la seule langue touva. Touva est un cas extrême. Dans ce territoire juridiquement indépendant, le pouvoir soviétique n'a pas toléré la survivance d'un centre mongol. Seule la Mongolie extérieure, parce que patrie officielle des Mongols, a le droit d'utiliser la langue mongole, mais celle-ci cesse en 1929 d'être le trait commun des peuples qui ont partagé la même foi et voulu ressusciter une même histoire.

Des nations en quête de patrimoine culturel

Si les peuples musulmans ou bouddhistes peuvent fonder leurs volontés unitaires sur des éléments communs réels – religion, passé historique, traditions sociales, langues –, il n'en va pas de même des Tchouvaches ou des peuples d'origine finno-ougrienne dont les chances unitaires sont beaucoup plus ténues. Cependant, dans le climat politique enfiévré des années vingt, où l'affirmation des droits nationaux entraîne une quête permanente d'identité nationale, ces peuples aussi se cherchent des parentés, des communautés d'histoire et de culture.

Les peuples finno-ougriens vivant sur le territoire soviétique se tournent ainsi vers la Finlande indépendante. Ils s'affirment finnois – surtout les deux plus évolués, Maris et Oudmourtes – et cherchent leur existence culturelle dans une direction panfinnoise. Les Maris ont le plus haut degré de conscience nationale. Chrétiens en majorité, plus rarement musulmans, ils ont adopté toutes les religions révélées sous la forme d'un syncrétisme faisant une place considérable à l'héritage païen et à des sectes dont l'hostilité au progrès va poser des problèmes considérables pour la politique économique soviétique. Leur nationalisme à coloration antirusse a incité Moscou à créer une province autonome des Maris en 1920, regroupant près des deux tiers des Maris de Russie. La langue ne pose guère de problèmes, même si les Maris sont divisés en deux groupes linguistiques, car elle est écrite, dès avant la révolution, en caractères cyrilliques.

Autre peuple finnois doté d'une forte personnalité nationale, les Votiaks, qui après 1928 seront nommés Oudmourtes. Installés sur les bords de la Kama en formation concentrée, transcrivant aussi avant la révolution leur langue en caractères cyrilliques, ils se tournent avec nostalgie vers la Finlande indépendante en 1920. La région autonome, créée en 1921, est justifiée par la concentration du groupe, l'existence d'une langue écrite et le désir de l'empêcher d'évoluer vers une unité finnoise dont les éléments sont encore inexistants.

Les Mordves et les Komis, moins évolués, menacent moins de s'attacher aux idées d'un nationalisme panfinnois que les Maris et les Oudmourtes. Cependant, la politique de consolidation nationale leur est appliquée comme aux autres peuples finnois pour des raisons sociologiques et économiques. Les Mordves ont, en 1917, un sentiment national très diffus et subissent largement l'influence culturelle russe. Divisés en deux groupes linguistiques d'égale importance, ils recourent dès cette époque à la langue russe pour communiquer entre eux et avec le monde extérieur [31]. Cette russification culturelle progressive a incité Moscou à les ignorer en tant que groupe national jusqu'en 1928. Les Mordves, comparant leur statut à celui des peuples d'origine voisine tels les Maris, n'avaient pas compris qu'on leur refuse l'autonomie, et développèrent de vives réactions nationales. Craignant qu'elles ne les rapprochent d'autres peuples finnois, mieux dotés politiquement, craignant aussi que leur mécontentement ne se coule dans le moule de la religion populaire mordve du XIXᵉ siècle qui annonçait un millénium d'où les Russes seraient exclus et où les Mordves conquerraient une indépendance totale, Moscou décida en 1928 de reconnaître la personnalité nationale mordve autour de l'un de ses parlers.

Les Komis ou Zyrians, enfin, groupe peu nombreux dispersé sur un territoire étendu, prétendent être les héritiers de l'État médiéval de Biarma qu'ils veulent ressusciter sous la forme d'un grand État komi incluant leurs cousins et voisins permiaks, les Oudmourtes et éventuellement les Nents. Ils se tournent vers la Scandinavie qu'ils tiennent pour leur centre historique et culturel. Ces prétentions inquiètent d'autant plus Moscou que l'on y pressent l'importance économique du territoire des Komis. Pour ces derniers, les ressources cachées de leur sous-sol sont leur bien propre, la condition de leur développement, et ils contestent aux Russes le droit d'y accéder [32]. En 1929, le recensement des richesses minières de la région de la Petchora conduit Moscou à restructurer la carte ethnographique de la région pour isoler les Komis et les affaiblir politiquement.

Les Tchouvaches, turcophones mais christianisés, ont été par là isolés des autres peuples turcs de Russie. Leur nationalisme leur inspire en 1917 la volonté de ressusciter le lointain Empire des Bolgars dont ils s'affirment les héritiers. Ils veulent être reconnus comme nation bolgare et non tchouvache. Ces exigences sont d'autant plus mal vues à Moscou qu'avant 1917 leur langue était transcrite en caractères cyrilliques adaptés et que l'usage du russe était répandu parmi eux [33]. Le nationalisme bolgar est en rupture avec cette tradition. La reconnaissance d'une nation tchouvache par Moscou consacre les progrès de la russification et brise l'identification à un monde disparu.

La nostalgie du passé, la quête de ce passé comme fondement de la nation moderne se retrouvent chez des peuples turcs de Sibérie, tels les Oirots, attachés à une religion messianique et anticolonialiste, le bourkhanisme [34]. Cette religion qui prône la résurrection de l'Empire de Gengis Khan a nourri le mouvement national oirot post-révolutionnaire et l'idée d'un grand État altaïque regroupant les Oirots, les Khakasses (autre peuple turc de Sibérie) et les Touvas, annexant la partie de l'Altaï située en Mongolie et la Djoungarie alors chinoise. L'idée du grand Altaï ou encore du Karakorum, pétrie de nostalgies gengiskhanides, est en partie acceptée en 1921 par le commissariat aux Nationalités qui envisage la création d'une région oirot-khakasse [35]. Mais un an plus tard, fidèle à son refus des regroupements, le pouvoir soviétique décide de consacrer séparément la personnalité des nationalités oirote et khakasse. En 1929, Moscou donne même un statut national aux Chors, troisième groupe turc de la région, dont le dialecte est transcrit en cyrillique depuis 1927. Malgré des tentatives multiples pour la fixer, la langue des Chors disparaîtra faute d'être utilisée.

Le cas des peuples finnois, des Tchouvaches et des Oirots éclaire les projets et les craintes de Moscou. Les volontés nationales conduisent à chercher le rattachement à un passé prestigieux et ouvert vers d'autres peuples. Les bolcheviks y ont répondu par la division des nations, leur consolidation sur une base étroite et souvent artificielle, même lorsque les groupes nationaux concernés ne menacent pas de créer des entités politiques très larges. Entre le projet panfinnois ou encore la résurrection du royaume bolgar et l'unité panturque, la distance est grande. La même politique pourtant a été imposée aux uns et aux autres.

Nations et cultures inventées

En Extrême-Orient et dans le Grand Nord c'est le mode de vie – souvent tribal – qui unit peuples ou tribus, et les parlers, exception faite du yakoute, ne sont que des langues vernaculaires d'une utilisation limitée à la tribu. C'est ici que le pouvoir soviétique a été le plus inventif, puisqu'il a véritablement transformé des tribus en nationalités dotées de langues littéraires artificiellement créées mais dont certaines se sont imposées.

Seule exception à ces créations, le peuple yakoute qui a en 1917 une conscience nationale développée, notamment grâce aux missionnaires orthodoxes qui ont doté au XIXᵉ siècle sa langue d'un alphabet. Le pouvoir soviétique s'est défié des Yakoutes dès le début [36] pour leur nationalisme, pour leurs origines turques qui les poussent à turciser leur culture [37] et pour le rôle intégrateur qu'ils pourraient jouer auprès d'autres tribus. C'est pourquoi une République autonome fondée en 1922 rassemble les

Yakoutes autour de leur langue, mais des districts nationaux à l'intérieur de la Yakoutie protègent les droits des
minorités paléo-asiatiques (Tchouktchis et Ioukagirs) et
mandchoue (Evens).

Ces derniers peuples représentent l'aspect extrême de
la politique culturelle soviétique, celle qui a promu
quelques dizaines de milliers d'aborigènes au rang de
nationalités disposant d'une langue littéraire propre. En
1922, sous l'influence de linguistes et d'ethnologues
russes, diverses institutions sont mises sur pied pour
protéger – et non détruire ou assimiler – les aborigènes du
Grand Nord et de l'Extrême-Orient [38]. Un comité spécial
du *Narkomnats,* divisé en deux départements géographiques et plusieurs sections fonctionnelles, est chargé en
1923 de la protection de ces peuples; deux ans plus tard,
un institut spécialisé est fondé à Leningrad.

Les promoteurs de ces établissements font prévaloir,
par curiosité scientifique, l'idée que le pouvoir doit
respecter la personnalité des aborigènes, leur mode de vie
et leurs institutions. Cette doctrine vaut aux aborigènes
un traitement doublement favorisé : leur promotion au
rang de nationalité (de *narod,* peuple, ils deviennent
natsional'nost'); le maintien de leurs institutions politiques tribales qui échappent au droit commun soviétique
jusqu'au début des années trente. Ce statut privilégié
s'étend à leurs langues, puisqu'ils conservent jusqu'en
1931 des parlers non écrits, souvent des dessins, échap-
pant ainsi aux consolidations forcées de langues choisies
par le pouvoir soviétique et aux expériences alphabéti-
ques parfois contradictoires.

Cette politique a été appliquée en Extrême-Orient à
quelques dizaines de milliers d'aborigènes se rattachant à
deux grands groupes : paléo-asiatique (Aléoutiens, Ainos,
Esquimos, Kamtchadals, Koriaks, Nivkis et Tchouktchis)
et mandchou (Evens [39], Nanaïs, Toungouses, Oudèges).

Dans le Grand Nord, les deux principaux peuples
concernés sont les Evenks-Toungouses et les Nents (ou
Samoyèdes). Les Evenks (quelques milliers) ont développé une idéologie nationale, rêvant d'un avenir radieux
où ils domineraient leurs conquérants, ce qui les incline

peu à coopérer avec le pouvoir soviétique dont ils
attendent l'effondrement. L'indépendance institution-
nelle et la promotion de leur folklore au rang de culture
développent ces tendances. Les Nents au contraire recon-
naissent à Moscou le mérite de les sauver de l'absorption
par les Komis qui les revendiquent.

Sans doute le retard des petits peuples d'Extrême-
Orient et du Grand Nord, leur éloignement et leur
dispersion ne favorisent-ils pas leur transformation en
nationalités intellectuellement très dynamiques. La politique soviétique, qui repousse l'alternative de la russification, a permis de sauvegarder leur personnalité, leur
folklore, qui étaient voués à la disparition dans une
société en mutation. Leur survie en tant que groupes
particuliers, dotés d'une conscience nationale qui pro-
longe les fidélités d'un monde tribal disparu, va au-delà
du simple folklore. Dès la fin des années vingt, un bilan
de l'expérience culturelle soviétique peut être tenté. Les
petits groupes nationaux font appel à la culture russe
parce qu'elle complète leurs cultures nationales limitées,
mais cet appel est spontané et non imposé.

La révolution des écritures (1926-1931)

L'URSS n'est pas seulement caractérisée en 1925-1926
par la multiplicité des langues, mais par celle des systèmes
de transcription : cyrillique, latin, arabe, mongol, géorgien, arménien, hébreu, système mixtes, tout y existe et
oppose des barrières au développement d'une culture
commune.

Dès 1921 la nécessité de simplifier et unifier les
systèmes de transcription des diverses langues de Russie
est patente. Comment alphabétiser lorsqu'il existe tant
d'écritures et qu'il faut d'urgence former de nouveaux
cadres pour ces tâches? En pays musulman, l'alphabet
arabe interdit de recourir à des instituteurs russes et livre
l'éducation à l'intelligentsia nationale, souvent conserva-

trice. Pénurie de cadres, pénurie de cadres idéologique-
ment sûrs, pénurie de moyens aussi. L'impression de
matériel pédagogique et de propagande dans d'innombrables alphabets est coûteuse, compliquée et difficile à
contrôler. Le système bute sur des difficultés qui freinent
le progrès intellectuel et jouent en faveur des aspirations
différentes et non d'une idéologie commune. Toute la
politique de la table rase culturelle est ainsi remise en
question.

Pourtant l'adoption d'alphabets uniformisés est tardive.
Le pouvoir craint de heurter les susceptibilités nationales.
Il est aussi divisé sur le choix des solutions. Faut-il retenir
l'alphabet cyrillique utilisé avant 1917 par diverses petites
nationalités, voire par certains Tatars de Kazan [40]? ou
préférer l'alphabet latin qui a ses adeptes et auquel la
révolution kémalienne en Turquie a donné ses lettres de
noblesse?

En 1926, le congrès de turcologie de Bakou tranche en
faveur de l'alphabet latin. Des institutions sont chargées
de l'adapter en premier aux langues turques. Proposé en
1926, imposé en 1929, l'alphabet latin soulève pourtant
une opposition violente. Les Musulmans se sentent privés
de leur mode d'expression religieuse. Des non-croyants
même s'associent au refus d'un alphabet coupé de la
civilisation turco-musulmane. Dès 1930, les caractères
latins adaptés à chaque langue dominent en pays turc,
mais ne seront utilisés par les Bouriates qu'en 1933.

En 1931, une seconde bataille alphabétique s'engage;
elle aboutit à la création d'un alphabet latin unifié adapté
à toutes les langues du Nord et de l'Extrême-Orient. Ici
aussi il y a eu conflit car certaines langues nouvellement
créées étaient déjà transcrites en cyrillique. Le passage
d'un système alphabétique à un autre a contribué à
retarder le développement de certaines langues ou à
promouvoir directement le russe. Seuls quelques peuples
échappent à cette révolution des écritures, les Slaves, les
groupes déjà latinisés tels les Finnois et par mesure
d'exception les Géorgiens, les Arméniens et les Juifs.
Mesure d'exception liée en partie à leur très haut niveau
culturel et au fait qu'ils ont leur propre encadrement
pédagogique.

En 1931, soixante-neuf langues sont dotées d'alphabets latins, ce qui contribue à l'effort d'éducation mais ne favorise pas le progrès de la langue russe. L'absence d'une langue commune est à cette époque un frein sérieux au développement des relations entre nations de l'URSS, situation d'autant plus inquiétante que la centralisation du système politique s'accommode mal du repli des nations sur elles-mêmes.

Le « troisième front » de la révolution

L'école est en URSS nationale. Partout la *Korenizatsiia* se traduit par la mise en place d'un corps enseignant indigène. Ainsi en Arménie en 1925, plus de 80 % des instituteurs des écoles élémentaires et la totalité de ceux qui enseignent dans les écoles de sept ans et les écoles secondaires sont arméniens. Des étudiants arméniens sont formés en hâte à Moscou pour enseigner dans leur République. En Ukraine où l'enseignement en ukrainien a été si longtemps prohibé, l'obligation d'utiliser la langue nationale conduit à un développement rapide d'une élite « ukrainisée » disposant d'institutions, de publications dans sa langue, dans des proportions inférieures sans doute à l'importance du groupe ukrainien, mais qui marquent un progrès remarquable par rapport à la situation du début des années vingt. Dans les régions où « culture nationale soviétique » signifie d'abord éviction de cultures « réactionnaires » et religieuses – c'est le cas des pays d'Islam, ou de la communauté juive – le problème de l'éducation en langue nationale est compliqué de ces exigences. En effet, tandis que les Ukrainiens voient dans l'école nationale la victoire de leurs revendications, pour les Tatars ou les Uzbeks, l'enseignement dans une langue latinisée, coupée de ses origines religieuses, est un recul par rapport à la situation prérévolutionnaire. De surcroît, les cadres nationaux capables de dispenser un enseignement de masse laïcisé manquent [41].

En 1927-1928 encore, l'université de Tachkent ne compte que 350 étudiants indigènes sur un total de 5 000.

Lounatcharski, premier commissaire à l'Éducation, a dit au Xᵉ Congrès : « L'éducation sera entièrement communiste, toutes les disciplines seront imprégnées de communisme [42]. » Pour les bolcheviks, l'éducation communiste des peuples non russes est une bataille, le « troisième front » de la révolution selon Lounatcharski. Comment concilier l'école nationale et cet objectif ? Une commission commune au commissariat à l'Éducation et au *Narkomnats* a été chargée de définir un projet éducatif national-prolétarien et d'en préparer les moyens [43]. L'école doit être le lieu central de formation intellectuelle mais plus encore doit former un homme nouveau. D'où une éducation « polytechnique », insistant sur tous les aspects de la vie, théorie et activités productives. Cette conception doit abolir les différences entre travail intellectuel et travail manuel, en même temps qu'elle élèvera le niveau intellectuel général. Le projet suppose l'uniformisation du contenu de l'enseignement qui doit proposer la même vision du monde (interprétation matérialiste de tous les phénomènes naturels), les mêmes normes morales (présentation de héros historiques positifs), une idéologie commune (le marxisme-léninisme devenant discipline fondamentale dans tout l'enseignement secondaire).

L'alphabétisation des adultes est le second volet du projet éducatif. L'objectif est double, liquider l'analphabétisme et façonner les adultes par la *politgramota* (éducation politique). Un décret de 1919 ordonne que tous les illettrés de dix-huit ans apprennent à lire [44] et impose au commissariat à l'Éducation de mobiliser tous les communistes qui savent lire pour cette tâche. Un an plus tard une commission spéciale pour la liquidation de l'analphabétisme, *Likbez,* est créée. Le pouvoir soviétique considère alors que le problème de l'alphabétisation des adultes se pose de manière identique dans tout l'espace qu'il contrôle et quels que soient les peuples concernés. Dès 1922, il constate la différence des situations entre l'alphabétisation en milieu culturel favorable (Russie, Ukraine, pays chrétiens du Caucase) et là où l'analphabétisme

élevé coincïde avec la nécessité d'une éducation politique
(Musulmans), là enfin où l'on a affaire à des cultures non
écrites (peuples du Caucase, peuples du Grand Nord).
Les différences régionales tardivement découvertes font
qu'en 1923, chaque République est chargée d'élaborer
elle-même son programme de liquidation de l'analphabétisme et de le financer. Les peuples sans écriture échappent jusqu'en 1929 à cet effort qui se concentre sur les
Républiques dotées de fortes cultures nationales. Diverses
solutions y sont proposées : cours du soir dans les écoles
des villes, centre itinérants de liquidation de l'analphabétisme dans les campagnes.

Le caractère politique de ce projet se dégage du
contenu du matériel pédagogique. Un auteur soviétique
écrit que les premiers textes proposés aux analphabètes
sont des slogans tels que : « Tous les travailleurs doivent
défendre la révolution », ou encore : « Nous allons libérer
le monde. » A un degré plus avancé, les adultes déchif-
frent les discours de Lénine ou des textes semblables.
Dans de nombreuses régions de l'URSS, où traditionnellement les femmes vivaient à l'écart, le problème de la
lutte contre l'analphabétisme est compliqué par la nécessité de prévoir des lieux d'enseignement consacrés aux
femmes et où enseignent des femmes. Cela explique que
l'alphabétisation féminine ait été plus lente que celle des
hommes. En Arménie en 1928, on ne compte que 8 % de
femmes dans les cours d'alphabétisation [45].

Le développement de la presse en langue nationale a
été l'un des moyens privilégiés pour véhiculer des idées
communes. Malgré les difficultés matérielles un effort
considérable a été accompli dans tous les territoires dotés
d'une langue écrite. En Ukraine 54 % des journaux et
livres sont édités en ukrainien en 1929. En Asie centrale
19 journaux et 24 revues sont imprimés dans les diverses
langues de la région; comparés aux 11 journaux de 1923
tirant à 36 000 exemplaires, les 107 000 exemplaires de
1927 témoignent d'une croissante circulation des idées.
Sans doute le développement des imprimés s'accompa-
gne-t-il de difficultés nouvelles. Le contrôle du centre est
insuffisant. En 1927, le PCR dénonce en Asie centrale les

déviations nationales de la presse [46], ce qui vaut pour toutes les Républiques.

Les progrès culturels de la périphérie sont lents, freinés par le retard hérité du passé et le manque de moyens, mais ils contribuent à l'émergence d'une nouvelle élite nationale qui en 1929 a investi les institutions politiques et culturelles. Formée « sur le tas », plus apte à manier les slogans politiques qu'elle n'est riche de connaissances, cette élite véhicule incontestablement sinon les idées communistes, du moins une certaine culture politique, celle des institutions où elle est implantée. Il en va de même de la jeunesse scolarisée. Même si la scolarisation aux confins n'atteint pas encore toute la jeunesse, elle est un puissant moyen de socialiser l'enfance et à travers elle de peser sur la société tout entière. Les statistiques peuvent paraître décevantes (en Uzbekistan, en 1927, 128 000 enfants indigènes fréquentent quelque 2 000 écoles; en Turkménie 31 997 élèves pour les 499 écoles non professionnelles de la République [47]) par rapport à la population totale. Mais elles sont importantes à deux égards. Par l'intégration dans le système éducationnel, où les normes soviétiques communes pèsent lourdement, d'une jeune génération. Parce qu'elles représentent une réalité idéologique nouvelle, le droit à l'éducation, qui n'est plus le privilège d'une minorité, droit égal pour tous, sans que les différences nationales entrent en jeu. L'idéologie égalitaire qui sous-tend le système soviétique donne à la culture prolétarienne véhiculée par l'enseignement ses meilleures chances de s'implanter.

Une nouvelle vision de l'histoire

La culture prolétarienne telle que l'imaginent les bolcheviks en 1920 repose sur l'adhésion commune aux valeurs du marxisme. Cependant le marxisme qui nie les différences entre nations ne suffit pas à les effacer dans la pratique, surtout dans une société multi-ethnique où durablement une nation en a dominé d'autres. L'égalitarisme marxiste passe par le rejet explicite de cette domination. L'histoire joue ici un rôle essentiel parce que les peuples de l'URSS ont une longue histoire commune et qu'avant d'être unis par le marxisme et la révolution, ils ont été unis par la force. Leur avenir ne peut être construit que sur la critique et le rejet du passé, piliers de la culture prolétarienne.

Lénine admettait que pour les peuples dominés de l'Empire les termes « russe » et « oppresseur » pouvaient être interchangeables [48]. Pour détruire le chauvinisme grand-russe, créer la confiance, les dirigeants soviétiques des années vingt et la science historique se sont efforcés de définir les traits essentiels des relations passées entre nations dans une vision doctrinale rigide.

Premier trait : le système tsariste de domination est pervers parce qu'il est une manifestation du capitalisme qui opprime les hommes, qu'ils soient unis en classes sociales ou en nations. Staline a largement développé ce point de vue au Xe congrès du parti [49].

Les historiens russes, et d'abord celui qui après la révolution reconstruit une école historique accordée à l'idéologie triomphante, Pokrovski, vont au-delà de la dénonciation du capitalisme en analysant le système de domination tsariste. Système de domination totalement négatif et totalement condamnable. On trouve ici le second trait définissant le passé des nations de l'Empire. Pour Pokrovski, la politique coloniale russe, telle qu'elle s'est développée dès l'époque du grand-duché de Moscou, est une expansion permanente par l'agression et la violence [50]. Politique caractérisée par la cruauté incomparable manifestée après la conquête, et qui ne tient aucun compte des peuples dominés. Aux intentions expansionnistes de l'Empire s'ajoutent les intérêts de la caste militaire qui y voit un moyen de s'imposer, d'assouvir ses instincts de puissance, voire de mort (c'est l'exemple du général Kaufman qui ne songe, dit Pokrovski, qu'à tuer en Asie centrale[51], puis à piller méthodiquement les territoires conquis à son bénéfice).

Les défauts propres à l'Empire s'aggravent ainsi des défauts d'une classe dirigeante à qui l'Empire abandonne les territoires conquis pour payer sa fidélité. Pokrovski, partant du système colonial, débouche ainsi sur une condamnation générale du système de gouvernement tsariste, des conditions dans lesquelles il a assuré son autorité sur son armée et son administration. Il s'agit en fait d'une nouvelle variante du servage, étendue cette fois à des non-Russes. La description horrifiée des brutalités systématiques de la colonisation, voire de génocides, est une approche classique de l'histoire soviétique des années vingt. C'est ainsi que la *Grande Encyclopédie soviétique* décrit le destin des Kirghiz [52], que Galuzo évoque le destin du Turkestan [53], qu'Asfendiarov décrit l'extermination d'aborigènes de Sibérie tels les Ostiaks [54].

Ce colonialisme a été si cruel qu'il dépasse en horreur tous les autres systèmes coloniaux qui par comparaison paraissent bénins. En « diabolisant » au maximum le colonialisme russe, Pokrovski rejette l'idée que parfois la domination russe a évité aux peuples conquis des maux supérieurs. Son analyse exclut d'emblée deux arguments. Qu'un danger pire guettait certains peuples (Géorgie par exemple); que les horreurs de la colonisation ont pu être en partie compensées par des aspects civilisateurs. Il ne voit aucun signe de volonté civilisatrice dans la colonisation russe. Indéfendable au regard de l'œuvre accomplie, la colonisation russe ne se justifie pas non plus par ses implications postérieures. Que ces peuples aient par là participé à la révolution et aient été décolonisés par elle ne compense nullement le mal qui leur a été fait dans le passé, proclament Pokrovski et ses collègues [55].

La condamnation sans appel du passé, l'analyse détaillée de la dette de l'Empire russe à l'égard des peuples conquis s'accompagnent d'une glorification non moins complète de la résistance à la conquête. Si le passé russe est le mal absolu, les luttes nationales des peuples dominés, quelles qu'en aient été les formes, doivent être intégrées dans leur culture et leur patrimoine. C'est ainsi que dans son analyse de la diplomatie russe, Pokrovski souligne l'importance du rôle historique joué par l'imam

Chamil au Caucase, qu'il tient pour un homme de progrès en dépit de son fanatisme religieux et du caractère dictatorial de son pouvoir [56]. L'insistance de Pokrovski sur le rôle personnel de Chamil est d'autant plus remarquable qu'elle va à l'encontre de sa conception générale de l'histoire qui met en avant les groupes sociaux et nie l'importance des individus.

L'histoire des sociétés non russes est d'abord celle des luttes contre la domination russe, c'est le sens de l'œuvre monumentale que Mikhaïl Hruchtchevski commence à publier à Kiev dans la seconde moitié des années vingt [57]. Il y souligne la personnalité historique de l'Ukraine, ce qui la sépare de la Russie, et rejoint Pokrovski qui récuse l'idée d'une communauté des peuples slaves. Chaque peuple doit récupérer son histoire et en exclure la Russie.

Si avant la révolution rien de commun, hors la violence, n'existe entre Russes et non-Russes, la révolution a apporté un changement décisif lié à la disparition du capitalisme et de ses tares, entraînant la libération des nations autant que des hommes. Mais dans les années vingt, l'historiographie soviétique considère que ce n'est pas un simple automatisme, qu'il importe de condamner partout et tout le temps le chauvinisme grand-russe.

L'interprétation révolutionnaire de l'histoire passée des peuples de l'URSS, malgré l'accent mis sur les exactions russes et les malheurs des peuples conquis, n'était pas supposée nourrir des sentiments nationaux, ni contribuer au développement des histoires nationales. C'est, tout au contraire, une contribution à la culture prolétarienne, à la création d'une mémoire collective des peuples de l'URSS fondée sur la conviction de leur égalité. La révision historique participe ainsi de la politique de la table rase grâce à laquelle le pouvoir bolchevique entend détruire l'ancienne culture politique des peuples de l'Empire pour édifier à sa place une culture politique nouvelle acceptée de tous. Mais le plus grand tribut à cette destruction du passé a été payé par tout le peuple russe, et durablement.

L'aveu par les Russes de leurs « crimes passés » contre les nations a eu deux conséquences. Il a privé les Russes de leur histoire, les plaçant à égalité avec les peuples qui ont été privés de leurs cultures ou qui n'en ont pas encore. En se dépouillant de leur passé les Russes doivent adopter la culture commune, qui pour eux est histoire avant tout. De plus, cet aveu ne concerne pas seulement le passé, mais aussi le futur. En reconnaissant le mal fait dans le passé, les Russes renoncent à toute prétention à assumer un rôle dirigeant dans l'Union. Ils ne peuvent y revendiquer que des devoirs, et avant tout celui d'assister le développement des nations dont ils partagent le destin, de les aider à rattraper le temps perdu à l'époque coloniale. Telle est du moins l'interprétation bolchevique de cette révision dans les années vingt. La culture prolétarienne doit être l'essence de toutes les cultures nationales, de la culture russe comme des autres.

Le problème de la culture, comme celui de l'autodétermination politique, a été finalement résolu par les bolcheviks dans un sens large, la culture étant tenue pour le bien de toute une nation et non d'une seule classe politique. Au Xe congrès, Georgi Safarov affirmait que l'autodétermination nationale culturelle ne devait concerner que les travailleurs sous peine d'être vidée de son contenu socialiste, qu'il fallait maintenir une différence entre « culture des exploités » et « culture des exploiteurs [58] ». La thèse de la combinaison harmonieuse des deux cultures a été imposée au parti par Lénine et Staline et c'est ici que la contribution stalinienne est peut-être la plus décisive. Si en matière de compétences politiques Staline a été longtemps partisan de restreindre l'exercice du droit à l'autodétermination de la classe ouvrière, il est en même temps convaincu de l'importance des droits culturels nationaux. L'autodétermination est pour lui, en 1922, un compromis entre contrôle politique central et libre développement des cultures nationales.

Est-ce à dire que ce développement soit illimité? Que la balance entre *contenu prolétarien* et *forme nationale* de la culture soit équilibrée? Non, sans aucun doute. La culture a sa dynamique propre, et cette dynamique rejoint celle des institutions politiques et des structures économiques.

Les cultures nationales sont acceptées comme transition et moyen d'accès à une culture commune, uniforme de la société, celle qui porte en elle les valeurs de la classe ouvrière et de son parti. Le développement des cultures nationales tel qu'il a été conçu par les bolcheviks, et principalement des langues, n'est pas une fin en soi, c'est l'étape nécessaire vers la culture universaliste dont le marxisme veut assurer le triomphe temporel.

3

Les chemins de l'égalité économique

Pour l'État soviétique naissant, la question nationale se confond à bien des égards avec le problème paysan. Les États nationaux qui ont définitivement conquis leur indépendance en 1921 sont les plus développés économiquement, ceux où la classe ouvrière existe, où le niveau culturel des masses est le plus élevé. Tout au contraire, les nations restées dans l'orbite soviétique sont essentiellement paysannes, voire nomades. L'industrie y est en règle générale inexistante ou limitée à la transformation élémentaire des matières premières.

Comparée à sa périphérie, la Russie paysanne paraît être un État prolétarien. Une inégalité socio-politique de fait préside ainsi à la naissance de l'URSS. La Russie, centre du pouvoir, est plus avancée que les autres formations nationales. Malgré les destructions de la guerre, elle a une industrie, un prolétariat, des cadres. Le développement nécessaire de l'État soviétique, comment le réaliser ? Par la voie la plus simple, la moins coûteuse, la plus rapide, en concentrant les efforts sur ce qui existe ? Ou encore par la voie d'une égalisation des économies, qui implique une transformation radicale des structures économiques de la périphérie ? Malgré la situation de pénurie où il se débat, l'urgence des tâches, le pouvoir soviétique opte pour la seconde solution, celle qui mettra fin à l'inégalité économique des nations. Ce choix implique un traitement différent des problèmes économiques au centre et à la périphérie. Si le changement économique russe est vu dans la perspective gradualiste de la NEP, cette perspective ne s'applique pas aux nations non russes, du moins quand leur retard par rapport à la Russie est le plus grand. Le répit de la NEP en Russie a pour corollaire ailleurs une volonté de transformer rapidement les structures économiques, afin de réduire les écarts existants entre économie centrale et économies périphériques, afin d'en finir avec une économie de type colonial.

La volonté égalitaire qui domine les choix économiques du pouvoir soviétique s'accompagne pourtant de problèmes qui pèsent en faveur de solutions différentes. Maurice Dobb a mis en lumière la paralysie de l'économie russe lorsqu'elle a été privée de ses « arrières » impériaux [1]. L'Ukraine, le Donbass et le Caucase perdus, la Russie n'a plus que 10 % de ses ressources énergétiques, 50 % des cultures céréalières, 10 % des champs de betteraves à sucre. Sans le Donetz, l'Oural et la Pologne, la métallurgie et la sidérurgie n'existent plus. Sans le Turkestan et la Transcaucasie, l'industrie textile de Vladimir et Ivanovo-Voznessensk est condamnée. De la périphérie dépendent l'approvisionnement en matières premières de l'industrie russe et la possibilité d'y faire vivre une classe ouvrière. Ayant récupéré une périphérie si riche en matières premières, les bolcheviks ont été confrontés à un second problème.

Avant la révolution, l'industrie russe s'était développée grâce à la division du travail entre le centre industriel et la périphérie pourvoyeuse de matières premières. L'égalitarisme implique la fin de cette division du travail. Solution qui affaiblirait le centre et exigerait des moyens considérables pour développer la périphérie, solution peu rationnelle économiquement et politiquement.

Le pouvoir soviétique a tenté de réconcilier les deux pôles de sa politique : les exigences de l'économie, impliquant la reconstruction de l'économie russe et la division du travail, et les exigences politiques, qui passent par l'égalité économique, condition essentielle de l'unité future.

L'œuvre économique à accomplir à la périphérie en

1921 est considérable. Il faut y étendre la NEP, reconstruire et consolider une économie brisée pour créer les conditions futures d'un « bond en avant ». Mais il y faut aussi une politique spécifique répondant à trois finalités : développer rapidement les économies nationales, créer une conscience prolétarienne, réduire les différences politiques entre nations en égalisant leurs modes de vie, donc leurs conditions matérielles d'existence. « Développer économiquement un pays, une nation, un territoire, est une opération complexe qui met en jeu de nombreux facteurs, les uns économiques, et les autres non, et qui suppose réalisées un ensemble de conditions de type économique, social, culturel et politique. Le développement économique n'est pas l'affaire de quelques individus ou de groupes plus ou moins étendus [...]. Dans une économie de développement, c'est la construction permanente de l'homme par l'homme qui constitue le tout du développement [2]. »

L'intervention décisive de la « multitude » dans le processus de développement [3] pose un problème particulier à l'URSS car le développement est inséparable du problème national, puisque sa finalité est de réaliser l'égalité économique des nations pour mettre fin au sentiment de différence, donc au problème national.

Le « grand bond en avant » économique, qui est à la périphérie le corollaire de la NEP dans les années 1921-1929, n'est cependant pas une politique générale. Le pouvoir soviétique a diversifié ses efforts selon les problèmes rencontrés ou les intérêts en jeu.

Urbanisation et « indigénéisation » de la périphérie

La situation des villes à cette époque est mal connue. Depuis 1897, où l'on recense 12 969 000 habitants des villes [4], et l'estimation de 1914 qui les fait passer à 24 000 000 [5], qu'est devenue la population urbaine en 1920 ? Plus proche de 1897 que de 1914 si l'on en juge par l'exemple de Moscou et Leningrad, et par le recensement de 1926 [6]. Mais l'essentiel est ailleurs; il est dans la localisation des villes. Le recensement de 1897, les études démographiques [7] et les recensements ultérieurs [8] témoignent d'une certaine stabilité. Les villes les plus peuplées de l'Empire se trouvent en majorité dans trois régions : le Nord-Ouest (États baltes, Biélorussie, nord-ouest et centre de la future RSFSR) où l'on en trouve 15; l'Ukraine et la Moldavie avec 13 villes; la partie orientale de la Russie d'Europe avec 13 villes également. Par contre, la partie asiatique de la Russie ne compte alors que 3 grandes villes (Orenbourg, Tomsk et Irkoutsk) et la Transcaucasie, l'Asie centrale et le Kazakhstan totalisent seulement 6 villes importantes (Kokand, Namagan, Samarkande, Tiflis, Tachkent et Bakou).

Si à la périphérie caucasienne et centro-asiatique tout changement passe d'abord par l'urbanisation, en Ukraine où la civilisation urbaine a suivi à la fin du siècle le rythme de l'industrialisation, le vrai problème est celui de la composition ethnique des villes. La population russe d'Ukraine est essentiellement urbaine et prolétaire et par là même pèse davantage sur la vie politique ukrainienne que ne le laisse supposer son importance numérique (8 % au recensement de 1926). Les villes ukrainiennes sont bi- ou multinationales dans les années vingt et le groupe ukrainien y est minoritaire. L'effort d'ukrainisation des villes poursuivi par le pouvoir entraîne un progrès que l'on constate dès 1926. A Kiev, les Ukrainiens sont alors 25,4 % pour 36,2 % de Russes, 32,1 % de Juifs, 3 % de Polonais [9]. A Kharkov, on trouve au début des années trente 48 % d'Ukrainiens, 30 % de Russes et 17 % de Juifs. Si dans la région d'Odessa les Ukrainiens représentent 41 % de la population, ils tombent à 17 % dans la ville même pour 38 % de Russes et 36 % de Juifs. A Dnepropetrovsk à partir de 1926, le groupe ukrainien commence lentement à dépasser le groupe russe. Ce progrès de la population urbaine ukrainienne est la conséquence de l'ukrainisation de la classe ouvrière. Minoritaires dans l'industrie avant 1914, les Ukrainiens y égalent les Russes (41 % pour 42 % de Russes) à la veille du premier plan quinquennal [10]. Cette ukrainisation crée des frustrations, notamment de la population juive dont le rôle économique décroît.

En 1926, les Juifs, qui sont 5,4 % de la population ukrainienne mais 22 % de la population urbaine de la République, ne comptent plus que pour 8,7 % de la classe ouvrière d'Ukraine [11]. Cela explique que le slogan d'ukrainisation soit durement ressenti par eux. Iouri Larine déclare au IIIe congrès des Soviets de l'URSS en 1925 que l'ukrainisation s'est exercée à l'encontre des Juifs, Russes et Polonais et conclut : « Cette politique – correcte dans son principe – brime les minorités isolées des Républiques, exactement comme les grands groupes périphériques étaient jadis brimés par la politique tsariste. »

L'indigénéisation de la population urbaine, réussie en Ukraine où les conditions économiques favorisent la migration des campagnes vers les villes, n'a pu être réalisée en Biélorussie en raison de sa faiblesse industrielle liée à l'absence de richesses naturelles. Deux villes de Biélorussie seulement figurent dans le groupe des 50 grandes villes recensées en 1897 (Vitebsk et Minsk). En 1939 encore, la Biélorussie ne compte que 5 villes de plus de 50 000 habitants sur les 174 de l'URSS [12]. La stagnation de la vie urbaine va de pair avec la faiblesse de l'élément national dans les villes qui restent dominées par la communauté juive.

En 1926, la population de Biélorussie compte 8,2 % de Juifs, mais ils constituent 40,2 % de la population urbaine de la République et un cinquième de son prolétariat. La population juive est supérieure aux Biélorusses à Minsk : 43,6 % pour 40 %; à Vitebsk : 45 % pour 30 %; à Gomel : 40 % pour 22 %. La seule ville où elle ne soit pas majoritaire est Mogilev. Des conflits sociaux-nationaux surgissent en Biélorussie entre paysans biélorusses et ouvriers juifs [13]. Le nationalisme biélorusse est largement teinté d'antisémitisme, car la stagnation économique interdit de pratiquer ici une politique d'indigénéisation.

Si d'une manière générale le pouvoir soviétique incite les nationalités à prendre en main leur développement urbain, dans certains cas, il joue des villes pour affaiblir le

sentiment national. Cela est surtout vrai pour des groupes
nationaux de moyenne importance mais qui vivent dans
des régions statégiquement décisives. C'est le cas des
Oudmourtes installés sur les bords de la Kama. Ce peuple
concentré, démographiquement dynamique, doté d'une
forte personnalité nationale, vit au cœur d'une région où
la sidérurgie et la métallurgie ont été développées bien
avant la révolution. Le pouvoir soviétique veut développer une vie urbaine en Oudmourtie, mais il craint le
sentiment national dans une région économique importante pour l'URSS. Les Oudmourtes, dotés d'un statut
national, auront pour centre administratif et politique au
lieu de Glazov (ville de 5 000 habitants qui les a toujours
rassemblés) Ijevsk, un centre industriel dominé par le
prolétariat russe et qu'ils tiennent pour une enclave
étrangère dans leur région. Le développement d'Ijevsk
(plus de 100 000 habitants en 1930) sera présenté comme
symbole du progrès économique d'une nation qui en
réalité reste paysanne et attachée à ses traditions [14].

Une même volonté de concilier urbanisation et freinage
des tendances nationales, ajoutée à des considérations très
politiques, explique le sort des Allemands de la Volga.
Jusqu'en 1920 l'Allemagne est le lieu privilégié de la
révolution mondiale. Le pouvoir soviétique traite les
Allemands de la Volga en avant-garde de cette révolution
espérée. Ils sont d'abord regroupés – c'est le symbole – en
Commune des travailleurs [15] et dotés en 1924 d'une
République autonome. Bien que la population de la
République soit majoritairement allemande (66 % contre
20 % de Russes et 12 % d'Ukrainiens [16]) et essentiellement
rurale, le pouvoir y encourage l'urbanisation mais déplace
la vie urbaine – par un changement de capitale - d'un centre
de peuplement et de culture allemande, Marxstaadt, vers
une ville russe, Pokrovsk. Ce que le pouvoir combat ici, c'est
le dynamisme culturel allemand. Pokrovsk (devenue en
1930 Engels) a un peuplement russe (44 %) et ukrainien
(42 %) qui passe de 33 000 habitants en 1926 à plus de 50 000
en 1930. Pourtant, Pokrovsk-Engels, où la proportion
d'Allemands ne croît pas, devient rapidement un véritable
centre de culture germanique.

Si en Ukraine l'urbanisation et l'ukrainisation du prolétariat ont été accomplies par les Ukrainiens, si pour des
groupes nationaux particuliers, le pouvoir soviétique a
cherché une voie moyenne entre urbanisation et indigénéisation des villes, à la périphérie coloniale il a poussé à
l'urbanisation des nationaux et à la création d'industries
nationales. On le voit au Turkestan où il a hérité de
l'Empire une situation coloniale. Les entreprises d'importance y appartiennent à des Russes, elles transforment des
matières premières destinées aux industries de Russie, la
main-d'œuvre y est indigène à 75 %, mais les Russes
occupent les emplois spécialisés et assurent l'encadrement [17]. En 1921, le pouvoir soviétique, enfin maître de la
situation, affirme sa volonté de rompre avec le colonialisme économique en Asie centrale [18], notamment « par
un transfert de l'industrie en Orient pour rapprocher au
maximum les usines des ressources énergétiques et des
matières premières ». En pratique, il lui faut d'abord
remettre en état de marche les entreprises arrêtées durant
les années de guerre et reconstituer un potentiel industriel pratiquement détruit. En 1927 cet effort est à peu
près accompli [19] et de nouvelles usines sont construites
dans la vallée de la Ferghana (deux raffineries de pétrole,
des usines textiles et de chaussures) ainsi qu'à Samarkande, Marghilan et Boukhara (tissage de la soie). Les
principales villes sont dotées de stations hydroélectriques
qui, en 1928, produiront 46 millions de kilowattheures.
Au Kazakhstan, dont le développement fait l'objet d'une
politique particulière, l'évolution économique suit le
modèle de l'Asie centrale tout entière. A partir de 1923,
c'est la remise en route d'une industrie fondée sur
d'importantes ressources naturelles déjà connues qui
mobilise les efforts et les moyens. En 1928, la production
des champs pétrolifères d'Emba, réduite de 50 % en 1920,
double celle de 1913 [20]. La production minière en revanche, qui conditionne la vie industrielle d'Ekibastouz,
restera arrêtée jusqu'en 1929. En 1928 encore, les industries alimentaires sont le secteur le plus important de
l'économie kazakh.

Cet effort n'influe guère sur la composition ethnique

des villes. Le recensement de 1926 montre que l'industrie de l'Asie centrale (Kazakhstan exclu) emploie 98 237 personnes dont 49 500 indigènes [21]. Mais leur part dans les secteurs importants (énergie, textiles) et dans les communications ferroviaires est faible. Pour promouvoir une main-d'œuvre indigène qualifiée et non de simples manœuvres, le pouvoir développe l'enseignement professionnel qui accueille en 1926 13 500 stagiaires dont la moitié sont indigènes [22]. Mais confinés dans des emplois subalternes, victimes des variations de l'emploi (et à partir de 1926 le chômage augmente partout en URSS), les indigènes se méfient de l'univers industriel et hésitent à s'installer dans des villes où ils sont culturellement aliénés. Le recensement de 1926 rend compte de cette attitude. L'Asie centrale et le Kazakhstan restent essentiellement des régions rurales avec un faible prolétariat indigène. Ce n'est pas en dernier ressort dans les villes mais à la campagne que le pouvoir soviétique devra s'employer à prolétariser les masses.

La prolétarisation de la campagne

Les bolcheviks, pourtant lucides sur l'importance du problème rural en Russie, n'ont pas eu jusqu'à la révolution conscience des situations particulières de la campagne non russe. S'agissant de l'Ukraine ou de la Biélorussie, ils n'ont pas tort de croire que leur programme de transformation du monde rural peut être appliqué aux autres peuples de l'Empire. Mais pour les peuples qui ne sont pas slaves et avant tout pour les peuples musulmans, problème agraire et problème national se mêlent très étroitement, ce qui incite à douter de la possibilité de « plaquer » à la périphérie musulmane un programme élaboré pour la paysannerie russe. Ici point encore de lutte de classes à la campagne, car l'ennemi de classe du paysan pauvre ou du nomade, c'est le colon russe qui s'est emparé dans le passé des meilleures terres. Sans doute des propriétaires indigènes – les *bays* – existent-ils [23] mais ils

sont intégrés à la campagne et ont avec leurs coreligion-
naires plus pauvres des liens dus à la communauté de foi
et à un même mode de vie, que n'affectent que partiellement les différences de fortune, contrairement à ce qui
se passe avec les colons russes. La différenciation est
d'abord nationale. La population nomade n'est pas moins
étrangère à la lutte de classes. Unie par ses solidarités
tribales, elle ne connaît de différences que celles qui
séparent les tribus et non des coupures sociales à l'intérieur de la tribu [24].

Il est dès lors peu étonnant que la révolution de 1917
qui a bouleversé la campagne russe n'ait pas atteint de la
même manière la campagne musulmane. Pourtant l'égalité économique entre nations, qui pour les bolcheviks est
le critère de la véritable égalité, suppose une uniformisation de la condition paysanne, une rupture des solidarités
à la campagne au profit d'une paysannerie prolétarisée
qui sera à l'origine des changements. C'est pourquoi,
alors que sur l'ensemble du territoire soviétique les
années 1921-1926 sont caractérisées par les concessions
faites à la paysannerie, en terre d'Islam le pouvoir
soviétique consacre ces années à une révolution agraire
totale. Cette révolution poursuit simultanément plusieurs
buts : liquider les oppositions coloniales qui masquent les
contradictions sociales; liquider les relations « féoda-
les [25] », c'est-à-dire introduire des relations de classe à la
campagne; sédentariser; créer un prolétariat paysan indigène.

La suppression des relations coloniales semble de
prime abord être la tâche la plus simple.

Le 4 mars 1920, un décret du gouvernement du
Turkestan ordonne le retour des terres confisquées par les
Russes aux indigènes [26]. Mais il est peu suivi d'effet, ce qui
provoque la réaction indignée de Lénine. Le 13 juin 1920,
celui-ci insiste sur la nécessité « d'enlever aux colons
installés dans les régions kirghiz les terres qu'ils se sont
appropriées [...] et de les rassembler en un fonds de terres
qui seront attribuées à des collectivités, des artels * et des

* Coopératives mettant en commun la terre, le bétail de trait, les
semences, les instruments et laissant en propriété privée la maison et
un lopin de terre.

personnes privées kirghiz ». En marge de ce texte, Lénine s'interroge : « Que faire des colons koulaks ? Les détruire ? » et plus loin, lorsqu'il recommande « l'envoi des anciens fonctionnaires tsaristes du Turkestan dans des camps de concentration russes », il ajoute, encore en marge : « Quelle proportion de koulaks faut-il envoyer, un sur dix [27] » ? Le 29 juin, une résolution du parti exige l'application immédiate des décisions gouvernementales [28].

Quelques mois plus tard, on peut évaluer les résultats. Près de 285 000 hectares sont répartis entre 13 000 foyers [29]. Mais les bolcheviks sont prudents; craignant les réactions nationales à la campagne, ils évitent de lier ces mesures à une intervention dans les relations sociales des indigènes. Alors que le Ve congrès du parti du Turkestan réuni en 1920 décide d'uniformiser la dimension de la propriété terrienne [30], les terres confisquées sont remises directement aux chefs de tribus dépossédées dans le passé en leur laissant la liberté d'organiser leur répartition [31]. Cette réforme, effectuée aux dépens des seuls Russes, et le refus du pouvoir central d'imposer aux indigènes des décisions quelconques ont eu un effet politique certain à la périphérie. La paysannerie indigène jusqu'alors violemment antirusse, du moins dans les districts peuplés de colons, n'a plus de motifs de frustration. Le régime soviétique propose de lui-même une image où la volonté égalitaire a remplacé la défense des intérêts russes. Sans doute ne s'agit-il pas d'un changement radical de l'opinion. Mais aussi mal informée qu'elle soit, la paysannerie est très impressionnée par ce tournant politique qui contribue un temps à affaiblir l'aide que les Basmatchis trouvent à la campagne.

Si la confiscation des terres de colons atteint l'un de ses objectifs – supprimer les rancœurs nationales –, elle manque l'autre, la sédentarisation des nomades. Malgré une augmentation du nombre des paysans sédentaires parmi les Turkmènes, la population nomade de l'Asie centrale reste importante au début des années vingt. Si, sur 100 foyers turkmènes, 75 sont déjà sédentarisés, en territoire kazakh, on compte à la veille de la réforme 6 foyers sédentaires pour 76 foyers nomades ou semi-nomades et 18 foyers russes; parmi les Kirghiz, 28 foyers sédentaires pour 51 nomades et 21 russes [32]. Contrairement à l'attente des autorités, les terres distribuées aux nomades ne contribuent pas à les fixer ou du moins ne les fixent que partiellement. Tantôt les tribus louent les terres qui leur ont été attribuées à des paysans, tantôt elles hivernent là et dès le printemps reprennent leur errance, laissant des terres cultivables à l'abandon. L'opération est économiquement désastreuse et ne change pas les modes de vie.

Dès 1924, le pouvoir soviétique est convaincu qu'il n'y a de solution au problème du nomadisme que globale et forcée. Pour l'immédiat il s'efforce de régulariser les mouvements des nomades en limitant et contrôlant les zones de nomadisme. Et déplace ses efforts sur la population sédentaire. C'est dans cette population, plus facile à atteindre et à encadrer, que le pouvoir va tenter de créer une conscience et des conflits de classes.

Première étape de ce projet : le rassemblement d'une masse manœuvrable de paysans pauvres, dans des organisations qui tiennent à la fois du syndicat et de la coopérative, les *Kochtchis* et le *Rabzemles*. La première Union des paysans pauvres est créée en septembre 1920, à l'usage des paysans sans terre, des petits paysans criblés de dettes, des métayers, des artisans de village qui subsistent à grand-peine. Sa raison d'être est d' « organiser la lutte des classes à la campagne [33] ». Cette organisation remplace en fait un parti communiste presque inexistant et qui manque d'assises rurales. Les *Kochtchis* vont pénétrer le milieu rural, l'endoctriner et exiger en son nom des réformes. Le pouvoir s'efforce d'ailleurs de leur donner une autorité réelle en y intégrant les autorités politiques du monde rural – membre des Soviets – et en faisant place aux représentants de l'organisation dans toutes les administrations liées à la campagne et d'abord dans les *Sovnarkoms*, les Conseils républicains de l'économie nationale, le commissariat à l'Agriculture [34]. Sur place, ses membres se posent en représentants du pouvoir d'État et du parti qui en fait contrôle les *Kochtchis* très étroitement. L'organisation a un caractère de classe très marqué. Au départ, elle rassemblait tous ceux qui le souhaitaient mais dès 1923 ses règlements en interdisent l'accès aux possédants dont la liste est explicitement dressée (propriétaires fonciers, commerçants, prêteurs, serviteurs du culte et tous ceux qui leur sont apparentés [35]). Pendant plusieurs années – les *Kochtchis* existeront jusqu'en 1933 mais s'affaibliront dès 1926 –, l'Union des paysans pauvres exerce une semi-terreur à la campagne, par sa puissance et sa connaissance directe du milieu où elle opère. Accusée par le pouvoir en 1926 de se prendre pour l'État et le parti, de vouloir empiéter sur leurs compétences et jouer un rôle autonome au service d'éléments non prolétariens qui l'ont pénétrée, l'organisation des *Kochtchis* va progressivement être relayée par sa rivale, l'Union des travailleurs de la terre et des forêts ou *Rabzemles*.

Le statut de cette seconde organisation est plus précis que celui des *Kochtchis*. Il s'agit d'un véritable syndicat des paysans pauvres qui se développe surtout auprès 1924, où il compte 15 000 adhérents [36]. Plus limité dans ses ambitions que son rival – il veut organiser les seuls ouvriers agricoles –, plus limité dans ses pouvoirs, car il ne prétend pas intervenir dans la gestion de l'État, le *Rabzemles* ne semble pas en mesure de faire concurrence à la puissante union des *Kochtchis* qui à la même époque revendique plus de 260 000 adhérents. La réalité est cependant plus modeste. Nombre des adhérents du *Kochtchi* n'existent que sur le papier [37] et les paysans, fussent-ils misérables, de l'Asie centrale hésitent à se dresser contre leur village et ses autorités traditionnelles. Pourtant, même si les effectifs sont moins importants que ne l'assurent les *Kochtchis*, ils vont croître de manière régulière jusqu'en 1929 et pèseront beaucoup plus lourd que ne le suggèrent les chiffres.

Disposant d'une autorité extérieure au village, d'un pouvoir de contrôle et de moyens financiers, les paysans qui adhèrent à ces unions portent un coup mortel à l'autorité de ceux qui traditionnellement ont dirigé les villages, chefs de clan, anciens ou propriétaires plus fortunés que les autres. Jusqu'en 1924, l'autorité surimposée aux cadres traditionnels de la campagne était

russe, donc étrangère. Pour la paysannerie locale, elle
n'affaiblissait par le respect dû aux autorités traditionnelles. Au contraire, avec l'organisation d'une paysannerie
pauvre en groupes de pression à la campagne, qui se
présente en intermédiaire entre le pouvoir et la paysannerie locale, la compétence des anciens systèmes d'autorité se réduit [38]. La réforme agraire de 1925 a montré quel
rôle pouvaient jouer ces organisations de la paysannerie
pauvre en Asie centrale. Cette réforme poursuivait trois
buts : contrôler l'utilisation de l'eau, distribuer les terres,
développer la coopération.

L'eau est un problème majeur pour le développement
de la région, même si les chiffres précis manquent pour
apprécier la situation à la veille de la révolution [39]. Mais on
sait que les bolcheviks ont dû prendre en compte la
destruction du système d'irrigation (deux tiers du système
sont hors d'usage) en 1920 [40], et la survivance d'un système
de répartition des eaux qui faisait une place considérable
aux autorités traditionnelles du village [41]. C'est pourquoi
en même temps qu'il s'attache à la reconstitution du
réseau d'irrigation, qui sera achevée en 1924, le pouvoir
s'efforce de mettre sur pied un système égalitaire de
distribution de l'eau. En août 1922, l'eau devient propriété
d'État, un plan quinquennal est élaboré par le Bureau
centro-asiatique des problèmes d'irrigation et un département spécialisé est mis en place à l'échelle régionale, avec
des filiales locales [42]. En mai 1924, des règles temporaires
pour la distribution et l'utilisation des eaux sont élaborées
qui préludent à la publication de codes spécialisés. Le trait
dominant de cette nouvelle législation est le lien établi
entre travail et droit à l'eau. L'usage de l'eau est limité à
ceux qui exploitent eux-mêmes la terre et refusé aux
grands propriétaires et aux terres *waqfs* [43]. Cette réforme
est renforcée par l'aide financière apportée aux petits
paysans pour restaurer leurs propres systèmes d'irrigation
qui les relient au système général. Le contrôle de l'application de ces mesures est confié aux associations de
paysans pauvres. L'eau devient ainsi un élément décisif de
la désagrégation des anciennes règles de propriété terrienne et d'une guerre de classes à la campagne, découlant

des pouvoirs de la paysannerie enrôlée dans les *Kochtchis* ou le *Rabzemles*.

La distribution des terres est une autre étape non moins décisive de cette différenciation progressive de la société rurale. Pour les bolcheviks, il s'agit d'un problème urgent, préludant à l'établissement des relations socialistes. Le décalage entre la campagne soviétique, « où les tâches de la révolution bourgeoise ont été accomplies », et la campagne centro-asiatique restée au stade des relations semi-féodales ou claniques, impose des solutions particulières et drastiques. Réforme indispensable mais redoutable pour le pouvoir, car elle peut soulever une opposition qui nourrirait des rancœurs nationales et ressusciterait le mouvement des Basmatchis à peine rentré dans l'ombre [44]. C'est ici qu'apparaît pleinement l'utilité des organisations de paysans pauvres. La réforme que le pouvoir central n'ose imposer, c'est l'avant-garde de la paysannerie, ses éléments les plus démunis qui vont l'exiger. Le rôle joué par les *Kochtchis* est très révélateur de cette division des tâches. En 1924, ils recrutent activement de nouveaux adhérents et assaillent le gouvernement républicain d'innombrables pétitions demandant que la terre soit remise à ceux qui la travaillent. Sur place, ils recensent les terres à confisquer. En effet, l'absence d'actes écrits justifiant la propriété terrienne caractérise la situation de la campagne musulmane des années vingt; seuls ceux qui appartiennent à cette campagne sont en mesure d'évaluer l'état de la propriété. Les *Kochtchis* imposent finalement la réforme parce que les actions de masse menées au cours de l'année 1924 ont désorganisé la vie rurale. Ils procèdent alors par expropriations qui, parties des terres surpeuplées de la Ferghana, deviennent progressivement une pratique courante dans l'ensemble de l'Asie centrale. Contre les expropriations, les propriétaires menacés réagissent en se regroupant et s'armant [45]. Ainsi dans une campagne où jusqu'alors l'opposition suivait des clivages nationaux, des hostilités sociales se font jour. Mais l'évolution n'est pas uniforme. Parfois l'emprise des autorités traditionnelles sur la population reste forte, essentiellement dans les régions de sédentarisation récente ou de semi-sédentarisation. Là, la paysannerie envoie dans les Soviets locaux, voire dans les organes du parti, ses chefs traditionnels qui se trouvent alors sur un pied d'égalité avec les paysans pauvres.

Devant une situation régionale aussi complexe, les dirigeants soviétiques ont longtemps hésité à lancer une révolution dans la campagne centro-asiatique alors que la coopération avec la paysannerie était à l'ordre du jour dans l'ensemble du pays; ils ont aussi hésité sur les formes d'une telle révolution même si l'idée en était retenue. Diverses interventions de Staline suggèrent qu'il a plaidé pour que le principe de la révolution agraire soit adopté en 1925 et sous la forme qui sera reprise à l'échelle de l'URSS en 1929, c'est-à-dire comme révolution décidée d'en haut, conduite par les organes de l'État, dirigée contre les grands et moyens propriétaires et soutenue par les associations de paysans pauvres. Seul diffère le but poursuivi. Il ne s'agit pas de collectiviser mais d'exproprier des koulaks (dont le recensement sera aussi peu réaliste en Asie centrale qu'il le sera à l'échelle fédérale durant la collectivisation) au bénéfice de la paysannerie sans terre et des petits propriétaires. La réforme est adoptée dans la République turkmène en septembre 1925 et en Uzbekistan le mois suivant [46]. Elle implique la nationalisation de toutes les terres cultivables, forêts et ressources hydrauliques. Cette réforme n'est pas générale mais concerne dans une une première étape trois régions – Ferghana, Tachkent et Samarkande – où le régime soviétique considère que la lutte de classes à la campagne a suffisamment progressé et les autorités traditionnelles sont suffisamment affaiblies pour qu'une insurrection n'en soit pas le prix. Elle concerne aussi deux régions turkmènes, Merv et Poltoratsk. Les terres sont confisquées aux propriétaires en totalité s'il s'agit de gros possédants ou de biens *waqfs*, et en partie pour les autres paysans, pour la part dépassant les normes fixées. La réforme de 1925 est caractérisée par son pragmatisme. Le mode d'irrigation, le rendement sont pris en compte dans la définition de la propriété tolérée. Les confiscations ont été faites en trois étapes.

Dans un premier temps les « grandes propriétés » (50 hectares et plus) ont été enlevées à leurs propriétaires de même que l'équipement agricole et les biens dont ils disposaient. Quelques mois plus tard vint le tour de toutes les propriétés louées, supérieures à 4,6 hectares, ou de celles dont les propriétaires vivaient en ville, ou étaient absents. Enfin pour les propriétés directement exploitées toute la part supérieure à la norme (9 à 14 hectares selon les régions) fut enlevée aux propriétaires [47]. L'échelonnement des expropriations sur près de six mois permit de les réaliser sans troubles. Les paysans menacés et isolés par l'action des *Kochtchis* réagirent en essayant de dissimuler leurs possessions : ventes fictives de terres, cessations de locations, ventes de matériel agricole à bas prix. Bien que le gouvernement républicain ait interdit dès le début de 1925 toute transaction sur la terre, ces actions souvent réalisées avec la complicité des Soviets locaux ont parfois limité l'ampleur des expropriations. En Uzbekistan, la réforme eut pour effet la dépossession totale ou partielle de 25 000 foyers au bénéfice de 66 000 foyers démunis (auxquels s'ajoutèrent 13 000 bénéficiaires supplémentaires en 1929). En tout 317 400 hectares ont changé de propriétaires entre 1924 et 1929. En Turkménie, la réforme priva complètement ou partiellement de terres 18 000 foyers et bénéficia à 33 000 paysans sans terre ou petits propriétaires [48]. La propriété terrienne résultant de cette redistribution représente en moyenne 3 à 5,5 hectares selon les régions et les conditions.

En pratique, sous la pression des paysans pauvres et en l'absence d'un plan général de redistribution des terres, le pouvoir a créé des situations assez inégales et souvent défavorables aux paysans. Bien que les codes agraires des Républiques centro-asiatiques, qui reproduisent pour l'essentiel le code agraire de la RSFSR de 1922 [49], interdisent la vente des terres, les paysans essaient souvent de contourner ces dispositions pour agrandir leur propriété. Si le nombre d'ouvriers agricoles et de terres louées diminue, les propriétés trop petites pour être rentables restent très nombreuses (80% environ des foyers) [50]. Mais les bénéficiaires du partage ont été favorisés parce qu'ils ont recu avec les terres des équipements, des semences, des bêtes et des crédits.

La politique du pouvoir est de favoriser la promotion des plus pauvres. La réforme de 1925 doit être appréciée en fonction de ses finalités réelles. Elle vise moins à modifier les données économiques de la vie rurale qu'à porter la révolution sociale dans un milieu qui y avait à peu près complètement échappé. A cet égard, les résultats de la réforme ne sont pas minces. Tout d'abord, elle a permis de supprimer des modes de propriété totalement étrangers à l'ordre soviétique. Les *waqfs*, dont la nationalisation en 1918 a provoqué une crise politique telle que le pouvoir dut en 1920 faire machine arrière, disparaissent dans la double réforme de l'eau et de la terre. L'attaque n'est plus dirigée en 1925 contre une forme de propriété liée au droit musulman, mais contre l'inégalité sociale. Loin de briser les *waqfs* comme survivance d'un ordre socio-religieux, les bolcheviks mobilisent à leurs côtés des paysans musulmans qui se réclament de la volonté de justice sociale sous-tendant l'idéologie musulmane pour justifier la suppression des *waqfs* [51]. En pays turkmène, la réforme met fin à une autre forme de propriété terrienne, la propriété commune des tribus ou *karanda* [52]. Les terres sont redistribuées expressément à des individus et la propriété terrienne est liée à son exploitation par son propriétaire. Ainsi se distendent dans la population semi-sédentarisée les solidarités issues de la structure tribale et qui reposaient sur un partage des biens et des tâches.

Au vrai, la réforme est la plus difficile à porter dans les faits là où les règles de propriété tribale subsistent. En effet, la confiscation des terres est beaucoup plus délicate à réaliser s'agissant d'un groupe que d'un foyer isolé. De surcroît, la communauté de biens au sein des tribus y supprime les sentiments d'inégalité. Toute la tribu est unie contre le pouvoir pour préserver sa puissance commune face au pouvoir et face aux autres tribus. Néanmoins, la réforme introduit dans cette société communautaire l'aspiration à la propriété privée et par là même sape son existence. A partir de 1927, les progrès de la réforme agraire en zones tribales s'accélèrent [53]. La suppression des formes de propriété particulières au monde centro-asiatique n'est d'ailleurs pas le seul résultat de la réforme agraire.

Une autre conséquence en est le développement des antagonismes sociaux à la campagne, et donc la division du monde rural en groupes hostiles. Outre le rôle joué par les unions de paysans pauvres, le pouvoir soviétique s'est efforcé d'associer à la réforme en cours, dans chaque village, des paysans étrangers aux organisations communistes. Cette association s'est faite au sein de commissions *ad hoc,* nommées en pays uzbek Comités d'aide aux paysans, et en pays turkmène Commissions de réforme. Dans les deux cas, ces organes s'inspirent étroitement des *kombedys* (Comités des pauvres) de la période du communisme de guerre. Tandis que les *Kochtchis* font de la propagande pour la réforme, ces *kombedys* locaux participent aux expropriations et dénoncent aux autorités les transactions clandestines, les biens dissimulés, l'état des fortunes [54]. Si l'activité des *kombedys* est généralement dirigée contre les possédants, leur tâche première, quand subsistent des structures communautaires tribales, est de susciter une opposition entre la paysannerie propriétaire et la tribu. Le pouvoir cherche aussi à affaiblir les structures tribales en transférant les terres d'une tribu à l'autre, en renforçant certaines tribus (sous couvert de redistribution à des individus) afin de dresser les tribus les unes contre les autres. Faible lorsqu'il s'agit d'opposer les membres d'un même groupe [55] le pouvoir contourne le problème en multipliant les conflits intertribaux. Quelle que soit la voie suivie, sa première préoccupation est de détruire les anciens systèmes d'autorité et les solidarités qui assurent la cohésion de la société rurale de l'Asie centrale.

Cependant, parce que cette réforme est conçue par un pouvoir étranger à une société particulière, par un pouvoir qui tient le paysan en suspicion, on y trouve certains éléments de la révolution paysanne de 1929 – essentiellement le refus de tenir compte des volontés sociales et l'intervention brutale du prolétariat urbain dans un processus qui lui est étranger. Le refus de tenir compte des réactions sociales apparaît dans la poursuite systématique de la réforme en dépit des oppositions rencontrées. Si en 1921 le pouvoir soviétique a décidé d'opérer une retraite (la NEP) dans tout l'espace qu'il contrôle, en 1925-1927 l'opposition de la majeure partie de la paysannerie centro-asiatique à la transformation opérée d'en haut ne modifie à aucun moment la politique en cours. L'utilisation massive d'éléments urbains pour mener à bien la réforme appartient aussi à la « manière » de la collectivisation à venir. Préparée par une commission spéciale créée auprès des *Sovnarkoms* républicains, la réforme est appliquée sur place par des commissions locales qui émanent du parti et sont composées de membres urbains du parti. Sans doute ces commissions font-elles appel à l'aide des *kochtchis* et des *kombedys,* mais elles conservent toute l'autorité pour mener à bien expropriations et distributions de terres. Aux yeux des paysans, elles ne sont pas autre chose que des émanations de la société urbaine s'ingérant dans le monde rural. Ces ingérences provoqueront une hostilité profonde des paysans à l'égard des citadins, sentiment qui ressemble à une véritable haine de classe [56]. En 1929, ce sentiment se développe partout, même dans la région de Tachkent, où traditionnellement la frontière entre ville et campagne, entre monde rural et citadin est difficile à fixer.

Troisième aspect de cette révolution du monde rural : la tentative de développer la coopération parmi les sédentaires et surtout parmi les nomades afin de substituer aux solidarités tribales un type plus élaboré de solidarités. Dans ce domaine, les réalisations soviétiques ne sont guère concluantes.

Dans l'URSS des années vingt, on a beaucoup débattu de l'orientation de la coopération et l'Asie centrale a posé à cet égard des problèmes particulièrement complexes. L'avenir de la coopération y passait par un choix radical entre coopératives de consommation et coopératives de crédit. Compte tenu de l'importance de la culture du coton dans l'économie régionale et du rôle du crédit dans ce type de culture, il n'est pas étonnant que la coopération ait privilégié le crédit, d'autant que les coopératives de crédit s'y étaient développées dès 1914. Dans une étude officielle consacrée en 1926 à l'état de la coopération en Asie centrale [57] on recensait non ses progrès mais les obstacles qu'elle y rencontrait et qui étaient essentiellement de deux ordres. Les différences entre sédentaires, nomades et semi-nomades, paralysant l'élaboration d'une politique cohérente, et la force des traditions, par exemple l'importance du *bazar* dans la vie sociale qui représente un univers où l'on peut difficilement insérer des coopératives de consommation [58]. Ceci explique que les coopératives dans les régions d'exploitation cotonnière aient été essentiellement des coopératives de crédit dont le nombre n'a guère changé par rapport à l'avant-guerre (un millier environ) [59]. Dans les régions nomades, les coopératives mises en place ont assuré principalement la commercialisation du bétail et des produits laitiers. Enfin des coopératives de consommation ont été encouragées dans les villages après 1925 et leur nombre est passé de 80 à 216 en 1926. Une tentative timide d'organiser des coopératives d'artisans fut freinée par la méfiance du pouvoir à l'égard de cette catégorie professionnelle qu'il n'arrivait pas à recenser et encore moins à contrôler. En 1929, l'échec de la politique de coopération est patent dans la région. Mais la transformation des relations sociales à la campagne a suivi d'autres voies. Nulle part plus qu'en Asie centrale les réformes des années vingt, années de paix sociale dans l'ensemble de l'URSS, n'ont autant ressemblé à une révolution radicale des structures et des mentalités.

La colonisation juive : un essai d'intégration socio-économique

D'une manière constante, la politique nationale soviétique des années vingt en milieu national tend à réduire la différence ville-campagne en prolétarisant cette dernière.

La communauté juive y fait exception. Communauté nationale d'un type particulier, sans territoire, concentrée dans certains États nationaux, remarquable par son niveau culturel, elle se rassemble dans des villes et des agglomérations, tandis que 10 % seulement de ses membres vivent dans des villages, et encore s'agit-il souvent d'artisans [60]. Quand on examine la structure professionnelle de la communauté, on constate combien elle diffère des autres groupes nationaux de l'URSS. En 1926, 14 % de Juifs sont recensés comme ouvriers et 9 % comme paysans. Les autres ont des activités commerciales, artisanales ou administratives. L'ouvriérisme et l'égalitarisme, qui dominent l'idéologie soviétique des années vingt, s'accommodent mal d'une telle situation. Sous peine d'être isolée du reste de la société, comme elle l'a été avant la révolution, la communauté juive doit s'intégrer au monde des travailleurs. [61]

Ceux qui la dirigent – les cadres de la *Evsektsića* – sont préoccupés par un double souci. D'une part, ils veulent arracher les Juifs à leur monde intellectuel et les lier à la communauté ouvrière et paysanne. Mais en même temps ils veulent que cette intégration n'affecte pas l'identité nationale d'un groupe plus faible que les autres, parce que sans assise territoriale. A cet égard, l'intégration dans le milieu ouvrier, logique en raison du niveau culturel et des qualifications professionnelles des Juifs, est redoutable; elle risque d'entraîner leur dispersion. C'est pourquoi la transformation des Juifs en paysans s'impose. La colonisation juive décidée en 1924 par le Comité central du PCR est moins une expérience économique qu'une tentative d'intégration sociale à finalité nationale. Un Comité pour l'intégration des Juifs à la vie rurale, *Komzem,* est créé, il prévoit dans une première étape l'installation à la campagne de 100 000 familles juives.

Aidé par les autorités qui leur attribuent des terres et des crédits pour s'équiper et les exemptent d'impôts pour la période d'installation, aidé aussi par des dons extérieurs (le *Joint Distribution Committee* soutient la colonisation), l'exode des Juifs vers la campagne réussit. En 1928, la

population rurale juive compte plus de 200 000 personnes [62]. Les colons s'organisent en *artels*, ou en *communes* *, même si en 1926 une tendance vers la décollecti-
visation s'amorce. De son regroupement dans la campagne, de son intégration aux activités économiques privilégiées par le système, la communauté juive tire argument
pour ouvrir la question de sa reconnaissance comme
nation.

Soutenue par Kalinine, chef de l'État soviétique, la
communauté juive n'a plus qu'une étape à franchir pour
assurer son existence nationale : se fixer territorialement.
Après plusieurs explorations des possibilités d'installation
en Crimée et en Sibérie encouragées par Kalinine, puis
au Kazakhstan, le pouvoir central décide d'assigner aux
colons juifs le Birobidjan où leur installation commence
dès le début de 1928 [63].

Dans le cas juif, le pouvoir soviétique est allé à
l'encontre des deux buts qu'il poursuit systématiquement
en matière nationale : affaiblir la paysannerie, affaiblir les
nations. Pourquoi dès lors transformer en peuple paysan
un peuple qui n'a que peu de liens avec la terre ?
Pourquoi en lui donnant des assises rurales lui permettre
de développer des aspirations nationales ? Plusieurs causes
expliquent cette politique si éloignée de la politique
générale. En premier lieu, l'égalitarisme qui domine la
politique soviétique des années vingt. La communauté
juive doit avoir un statut économique et social analogue à
celui des autres groupes nationaux. Son enracinement
dans le monde des travailleurs manuels doit mettre fin à
une situation exceptionnelle qui est à l'origine, pensent
les bolcheviks, des sentiments antisémites, particulièrement en Ukraine et en Biélorussie. La volonté d'intégrer
socialement les Juifs est commune, dans les années vingt,
aux dirigeants de l'État soviétique – les prises de position
de Kalinine traduisent cet état d'esprit – et aux dirigeants
de la communauté. La nécessité de lui reconnaître un
statut national à part entière, c'est-à-dire en la dotant
d'un territoire, découle de l'expérience du passé, mais

* Tout y est mis à la disposition de la communauté.

aussi du présent. Le sort fait aux Juifs dans le passé a déjà imposé leur reconnaissance comme groupe national, malgré les déclarations initiales des bolcheviks.

La période de colonisation dans leurs lieux de vie traditionnels a montré qu'il ne suffit pas d'installer les Juifs à la campagne pour les intégrer. En Ukraine, les paysans ukrainiens sont hostiles à leur présence et multiplient les manifestations antisémites [64]. Au Xe congrès des Soviets d'Ukraine, Tchoubar, président du *Sovnarkom* républicain, doit, pour apaiser les esprits, affirmer solennellement que les paysans juifs ne jouissent d'aucun privilège particulier et ne s'apprêtent pas à dominer la campagne [65]. Pour les colons eux-mêmes la situation est difficile. Ils sont privés d'établissements culturels et la population titulaire de la République – une fois encore, c'est en Ukraine que la situation est la plus tendue – s'oppose à l'installation d'écoles juives à la campagne qui donnerait à l'établissement des fermes juives l'allure d'une colonisation définitive du territoire national. Leur isolement culturel décourage les colons et les incite soit à quitter la terre, soit à rêver d'un départ pour la Palestine où se développe la colonisation juive.

Ces difficultés à intégrer les Juifs à d'autres communautés nationales, la volonté de faire échec au projet sioniste et, peut-être surtout, le souci de régler équitablement tous les problèmes nationaux expliquent la tentative soviétique de fixer territorialement les paysans juifs sur un territoire qui leur soit propre. On prête à Staline cette phrase : « Le tsar n'a pas donné de terres aux Juifs. Kerenski non plus. Mais nous, nous l'avons fait [66]. »

Les intentions égalitaires et généreuses rencontrent d'ailleurs au Birobidjan les intérêts de l'État soviétique. Il veut, en 1927, peupler rapidement une zone vulnérable, menacée par les volontés expansionnistes chinoises. Des conditions climatiques défavorables à l'agriculture et un éloignement qui rend difficile le développement d'une vie culturelle normale expliquent l'opposition à cette solution de nombreux Juifs attirés par la perspective d'une installation en Crimée [67]. Mais les raisons stratégiques, la crainte de provoquer dans des territoires déjà peuplés comme la Crimée des réactions antijuives expliquent que le pouvoir ait maintenu son projet en dépit des critiques qu'il suscite. En fait, ce projet condamne à mort la colonisation juive et l'enracinement des Juifs dans un foyer national. Mais l'échec ne doit pas conduire à sous-estimer l'importance de la tentative d'implantation de Juifs à la campagne.

Les oubliés du progrès

Les peuples musulmans ou les Juifs sont loin d'être les seuls à poser des problèmes d'intégration socio-économique. Les aborigènes des confins sont tout aussi étrangers à une société qui se donne pour but le changement radical des structures et des esprits. Mais leur problème est d'une autre nature. Les aborigènes constituent des petits groupes dispersés, que la colonisation a en général ignorés. Par leur dispersion, la variété de leurs coutumes, leur isolement, ils semblent moins inquiétants que des groupes compacts, unis par des traditions liées à des civilisations importantes. Ces peuples vivent pour la plupart en tribus, organisées selon un système d'autorité qui leur est propre et influencées souvent, là où les missions chrétiennes n'ont pas pénétré, par les chamanes – qui assurent une médiation entre les esprits et leurs compatriotes [68].

Dans les premières années de leur pouvoir, les bolcheviks optent pour une politique de non-intervention dans la vie politique et les coutumes économiques des peuples du Nord et de l'Extrême-Orient. En particulier ils s'abstiennent d'y apporter des changements économiques, estimant qu'un progrès culturel doit précéder toute tentative de réforme. Les institutions tribales sont reconnues par le pouvoir, qui promeut les assemblées tribales au rang de Soviets locaux. Durant cette période, les seules tentatives de rapprochement avec les aborigènes sont d'ordre sanitaire ou vétérinaire. L'installation de centres médicaux est la première étape de la pénétration russe dans le Nord [69].

A partir de 1926, l'attitude du pouvoir se modifie subtilement dans deux directions : introduction timide de la lutte de classes, tentative de contrôler la vie économique des aborigènes. L'idée de la lutte de classes est simplement suggérée dans l'attitude hostile que les représentants du pouvoir adoptent envers les chamanes. Cette hostilité prend pour prétexte l'influence négative des chamanes sur les aborigènes, qui les écarte du progrès. Au début des années vingt, en effet, les efforts sanitaires sont ignorés de la population qui refuse de se rendre dans les « points médicaux » nouvellement créés. A tort ou à raison, les chamanes sont accusés de nourrir sa méfiance, de même qu'ils sont accusés d'encourager des pratiques superstitieuses « antiéconomiques » (telle l'interdiction de faire commerce de rennes vivants, ou de pêcher dans certaines conditions, ou encore de pêcher les morses). C'est alors que s'engage la double campagne de pénétration dans les pratiques et les croyances des aborigènes. Les chamanes sont accusés d'être des koulaks, attachés à exploiter la crédulité des aborigènes et vivant d'elle. Ces attaques, démenties par les faits – les chamanes appartiennent souvent à la fraction la plus pauvre de la population –, n'ont pas miné leur influence. A la fin de la décennie, ils sont toujours aussi écoutés des aborigènes et ils mettront leur autorité au service d'une lutte acharnée contre la collectivisation [70]. La première intervention des autorités soviétiques dans la vie quotidienne des aborigènes aura eu pour résultat principal de mobiliser ceux qui détiennent l'autorité morale dans ces régions éloignées contre toute initiative extérieure. Par ailleurs, les quelques tentatives faites pour organiser et développer l'élevage des rennes – le troupeau soviétique passe de 1 750 000 rennes, en 1923, à 2 200 000 en 1926 [71] – se heurtent à l'hostilité des peuples pour qui cet animal a souvent un caractère semi-sacré. En 1926, quelques essais de commercialisation des rennes rencontrent de telles oppositions locales que le pouvoir bat en retraite.

Dès ce moment, il décide que l'intégration des aborigènes se fera dans le cadre des mesures de changement général et non en vertu d'une politique spécifique difficile à appliquer. Les aborigènes ont gagné ainsi quelques années de répit où le pouvoir se contente de conclure à l'impossibilité de les assimiler. La prudence des autorités soviétiques à l'égard des peuples les plus différents par leur degré d'évolution a probablement sauvé les aborigènes d'une possible destruction. Le professeur Tan Bogoraz, auquel on doit la première définition d'une politique soviétique à leur égard, prônait fermement un tel retrait, soulignant que l'introduction du progrès risquait fort d'être payée de l'extinction de ces peuples.

Le bilan de la politique d'égalisation des conditions de vie des nations non russes est à la fois modeste et très important. Modeste par son champ d'application. En 1920-1921, le pouvoir soviétique divise – dans la pratique, sinon de manière explicitée – les nations en trois groupes. Celles dont les conditions de vie sont plus ou moins semblables, et qui relèvent d'une politique commune, la NEP à cette époque. On peut placer ici les Républiques slaves d'Ukraine et de Biélorussie, les Républiques de Transcaucasie et les groupes nationaux inclus dans la RSFSR. Pour ces peuples, le pouvoir soviétique estime que l'égalité politique et culturelle a répondu à leurs aspirations nationales, que sans doute la NEP doit se traduire par un progrès des villes et une reconstruction économique, mais c'est là un problème commun à toute l'Union. Sans doute le soulèvement géorgien de 1924 témoigne-t-il que la reconnaissance politique des nations ne suffit pas à apaiser les passions nationales. Le nationalisme géorgien se nourrit de l'opposition au projet de spécialisation agraire de la Géorgie – production de thé et d'agrumes – qui place la République dans la dépendance étroite de la fédération et semble recréer un statut de domination malgré les assurances égalitaires. En 1924, le pouvoir voit dans le soulèvement géorgien une survivance du nationalisme de la République indépendante et ne reconsidère pas pour autant sa politique.

Un second groupe est constitué par les peuples dont les structures socio-économiques accusent le caractère national et rendent difficile une intégration future à l'économie de l'URSS. L'Asie centrale en est l'illustration. Soumise à un système de domination coloniale, elle a préservé, malgré les changements survenus en 1917, un mode de vie, des structures qui la rattachent au monde des colonies et la placent en position d'inégalité dans l'univers soviétique. Un changement radical s'impose non seulement pour les besoins de la politique nationale soviétique, mais aussi pour que les rapports coloniaux ne subsistent pas. La révolution agraire qui s'accomplit en Asie centrale dans les années vingt est ici la véritable révolution, bien plus importante que l'arrivée des bolcheviks au pouvoir. Elle arrache les peuples de la région à leur monde particulier et les place sur un pied d'égalité avec les peuples européens de la fédération. Sans doute cette volonté égalitaire accompagne-t-elle un souci de maintenir l'Asie centrale dans son rôle traditionnel de producteur de coton. Comme en Géorgie, le pouvoir soviétique veut imposer une spécialisation économique à la région. Mais dans les années vingt, cette spécialisation, la division socialiste du travail n'en sont qu'à leurs débuts, car il faut reconstruire d'abord. Surtout, reste la vision finale de nations égales, réconciliées, ayant dépassé une spécialisation qui est davantage ajustement des capacités régionales que domination d'une région (et non d'une nation) sur l'autre.

Dernier groupe, celui des peuples que le pouvoir ne peut classer aisément dans ses catégories. Aux deux extrêmes se trouvent les Juifs et les aborigènes. Aux uns et aux autres, le pouvoir soviétique donne un statut national par volonté d'équité, mais sans savoir comment adapter le statut à la réalité. Malgré tout ce qui les sépare, les uns et les autres ont en commun la volonté du pouvoir soviétique d'en faire des nations et de les adapter à un modèle économique qui les rende semblables aux autres. A travers les diverses approches de l'inégalité socio-économique, le pouvoir soviétique poursuit inlassablement le même but, éliminer les différences dans la vie des groupes et les couler dans un moule unique.

Ici encore, la définition stalinienne du double contenu des cultures s'impose à l'esprit. L'uniformisation des conditions de vie économiques des nations, partant de leurs structures sociales, modèleront un type social nouveau et identique et se rapprocheront uniformément des normes socialistes. C'est le contenu prolétarien des cultures nationales, envisagées dans leur acception la plus large.

CONCLUSION

VARIATIONS SUR LE PASSÉ? MONDE NOUVEAU?

Comment évaluer l'œuvre nationale des bolcheviks? Révolutionnaire, inédite dans le projet et les formes comme ils l'assurent? Ou bien n'est-elle qu'une variante de « la prison des peuples » dans la tradition historique russe?

Comme l'Empire, le système politique issu de la révolution s'est dès 1920 appuyé sur l'État. Mais l'État impérial a été un *État-nation*, celui de la nation russe dont le gouvernement a continûment resserré l'emprise politique et économique sur les peuples conquis. Sans doute les dirigeants russes n'avaient-ils pas pour dessein de détruire les nations. Mais ils étaient convaincus que les nations dominées devaient suivre un même chemin, naturel, inéluctable, qui les intègre dans l'Empire de manière toujours croissante. Le contrôle de peuples différents s'est progressivement mué en unification politique qui, au moins pour les plus faibles, a conduit à leur russification culturelle.

L'État soviétique a choisi la voie contraire. En 1921, ce que les bolcheviks édifient, ce n'est pas un *État-nation*, mais un *État sociologique*. Sa finalité est l'harmonie de la société et des structures politiques autour d'une nouvelle culture, celle des classes jadis dominées et non d'un groupe national dominant. Comme leurs prédécesseurs socialistes ont cru aux vertus unificatrices de la conscience ouvrière, les bolcheviks croient qu'une société transformée, dotée de structures économiques socialistes résoudra ses problèmes nationaux. C'est pourquoi ils mettent l'accent, d'un côté, sur la mise en place des éléments sociaux et économiques permettant de passer au socialisme et, de l'autre, sur l'égalitarisme culturel.

Sans doute ne faut-il pas pousser à l'extrême cette vision angélique. La politique nationale des bolcheviks avait deux pôles : l'idéologie égalitaire, le projet unitaire; elle a deux exigences tout autant polarisées : maintenir l'égalité entre les nations, renforcer l'État soviétique, c'est-à-dire ses contrôles sur les nations. En théorie, l'équilibre entre l'idéologie égalitaire et les contrôles doit pouvoir être atteint, puisque l'idéologie égalitaire soustend tout le système. La pratique politique a pourtant été dominée par des exigences qui ont détruit ce fragile équilibre. La pénurie de cadres et de moyens, l'urgence des problèmes, tout incitait les bolcheviks à développer le domaine d'intervention de l'État, partant l'État lui-même, qui très tôt devient Léviathan. Ils avaient hérité de la *culture militaire* du communisme de guerre, indispensable en période de périls, mais aussi de certains traits de l'Empire tsariste relevés par le grand historien Klioutchevski : structure militarisée de l'État, caractère ultra-autoritaire de l'administration, domaine d'intervention illimité d'une autorité suprême aux pouvoirs illimités [1]. Sans doute ces traits se sont-ils estompés dans le cours de l'histoire, mais ils constituent une tradition politique qui a façonné les esprits en Russie et qui est une part de l'héritage culturel des bolcheviks [2]. Avant la révolution, évoluant en premier lieu dans la société européenne, ces derniers en avaient adopté les idées; mais, après 1921, confrontés à la réalité : retard, isolement, hostilité extérieure, comment auraient-ils pu éviter que cette part de leur culture politique ne remonte à la surface? S'il est par trop simpliste de relier sans nuance la tradition politique russe à l'idéologie des bolcheviks, il est tout aussi faux de considérer que la volonté de faire table rase de toute la culture politique antérieure qui prévaut en 1917 reste intacte dans les années qui suivent. Confrontés à une réalité nationale, les bolcheviks y répondent *aussi* et non pas seulement en faisant appel à la culture politique nationale.

Le problème national, qui a joué un rôle décisif dans la révolution et pesé lourdement sur les choix politiques après 1917, a aussi marqué le projet de modernisation, ou encore d'européanisation, d'occidentalisation, d'industrialisation. Quel que soit le terme utilisé il recouvre une donnée fondamentale de l'histoire russe à certaines périodes et le rêve poursuivi par les bolcheviks sous des formes variant avec le temps. Il recouvre aussi trois tâches fondamentales [3] : révolution politique, réforme agraire pour utiliser rationnellement les ressources de l'agriculture dans la grande transformation de l'économie, création ou consolidation de l'État national. La question nationale en Russie, l'idéologie égalitaire qui préside à sa solution en 1921, ont donné à toute l'œuvre de modernisation des traits particuliers, qui interdisent de regarder l'histoire soviétique comme histoire d'une société univoque et uniforme.

La révolution politique, en premier lieu, a été double, interne, et extérieure. La révolution russe est une révolution intérieure, œuvre d'une élite nationale qui, à la faveur d'une guerre, a porté un coup décisif à un système politique déjà fortement ébranlé. Les valeurs que cette élite propose à la société ne lui sont pas étrangères. Le changement, le progrès matériel et culturel sont des idéaux qui avaient été proposés aux masses russes dans le passé par ceux qui, enfin, s'emparent du pouvoir mais aussi parfois par ceux qu'ils en ont éliminés. L'arrachement de la Russie à l'*aziatchina*, son occidentalisation, Pierre le Grand déjà les avait tentés.

A la périphérie nationale la révolution politique a un tout autre caractère. Les élites nationales et les masses combattent alors pour leur indépendance, l'épanouissement de leur personnalité nationale, ce qui suppose la souveraineté politique et le développement de la culture nationale (langues, coutumes, droit particulier, etc.). En 1921, l'imposition du système soviétique aux nations non russes représente une révolution extérieure qui implique la suppression des élites et des valeurs traditionnelles au profit des élites et des valeurs soviétiques. Sans doute la modernisation ne s'accommode-t-elle pas du maintien de la tradition. Cependant la violence idéologique n'a pas seulement atteint les nations les plus éloignées du modèle culturel russe, mais aussi les autres. La société ukrainienne ou la société géorgienne avaient suivi, avant 1917, à peu près le même chemin que la société russe; elles étaient prêtes pour une révolution socialiste : mais l'adoption du modèle soviétique en 1921 va pour elles de pair avec la perte de leur indépendance nationale. Le caractère extérieur du processus révolutionnaire pour près de la moitié de la société soviétique aura des conséquences graves et durables pour l'avenir, dont les inquiétudes exprimées par M. Gorbatchev rendent compte.

La réforme agraire a été marquée par la même dualité que la révolution politique, même si le nombre de nations soumises à une réforme agraire à deux degrés est plus réduit. La ligne de clivage ne sépare pas ici Russes et non-Russes, mais les sociétés les plus avancées de l'État soviétique et les sociétés traditionnelles qui mêlent mode de propriété, mode de production et traditions religieuses, voire superstitieuses.

Mais c'est surtout avec la construction de l'État national que l'ambiguïté du projet soviétique éclate. L'État soviétique combine, en 1921, trois situations. Il est en effet héritier d'un État national anciennement constitué, la Russie, dont l'espace est défini et dont il faut simplement consolider les frontières. Il est aussi le fédérateur d'États plus ou moins anciens selon les cas (Géorgie, Arménie...), pour qui révolution et modernisation sont synonymes d'existences nationales propres. Il est enfin, potentiellement, un nouvel État, en quête d'une solution originale qui combinerait autorité, centralisation, système de valeurs commun, et les volontés de renaissance nationale des nations qu'il intègre. Par vocation, l'État soviétique ne pouvait s'engager dans la voie suivie par son prédécesseur et reconstruire un État-nation. Il avait à inventer une construction nationale inédite où les nations se fondraient dans un ensemble nouveau : la communauté soviétique. Y est-il parvenu ? Si longtemps le pouvoir central y a répondu positivement contre des nations qui mettaient en doute la réussite du projet novateur, le discours sceptique de M. Gorbatchev suggère que de la périphérie le doute a fini par gagner le centre. On y admet que les illusions de Lénine sur le lien entre progrès culturel, changement matériel et affaiblissement de la conscience nationale n'ont pas encore été confirmées par l'histoire. Faut-il en accuser seulement la brutalité stalinienne, l'approche « russificatrice » du problème national, qu'il substitue dans les années trente, et plus encore après la Seconde Guerre mondiale, au discours égalitaire de Lénine? Sans aucun doute le stalinisme, par son hostilité ouverte aux nations, par la suprématie officiellement reconnue de la nation russe (qui se traduit dans le mythe du « frère aîné » des peuples de l'URSS), n'a pas peu contribué à stimuler les fidélités nationales. Mais au-delà des avatars du stalinisme, force est de constater que contrairement aux certitudes de Karl Deutsch, qui lie étroitement modernisation et érosion du nationalisme, l'expérience des sociétés en voie de modernisation, et pas seulement celle de l'URSS, témoigne que la modernisation entraîne un affermissement du sentiment national et qu'il s'agit là non d'une étape de transition, mais selon toute apparence d'un phénomène durable. Si l'État soviétique n'est pas, sans aucun doute, l'Empire sous une autre forme, il en retrouve, près de trois quarts de siècle après l'avoir remplacé, une difficulté décisive, l'opposition entre la conscience d'une communauté de destin et les volontés nationales.

NOTES

INTRODUCTION

1. Rapport au plénum du 27 janvier 1987, *Pravda*, 28 janvier 1987, et l'article de l'académicien Iu. Bromlei dans *Kommunist*, n° 8, 1986, pp. 78-86.

2. *Cf.* dans *Literaturnaia gazeta*, les articles d'A. Guliaga, 7 mai 1986, et de l'académicien D. Likhatchev, 4 juillet 1986, sur la nécessité de republier ces historiens.

3. Texte dans *Mir Islama*, 1913, T. II, n° IV, pp. 260-264.

Première Partie

Chapitre 1

1. Sur la pensée de Marx-Engels, *Cf.* BLOOM (S), *The World of Nations*, Columbia Un. Press, 1941; BOERSNER, *The Bolsheviks and The National and Colonial Question*, Genève, Paris, 1957; DAVIS (H.B), *Nationalism and Socialism Marxist and Labor Theories of Nationalism to 1917*, New York, Londres, 1967; HAUPT (G), LOWY (M), WEILL (C), *Les Marxistes et la question nationale*, 1848-1914, Paris, 1974; HAUPT (G) et WEILL (C), « Marx et Engels devant le problème des Nations », *Économies et sociétés*, t. VIII, n° 10, octobre 1974, pp. 1461-1469.

2. Avant Marx, Robespierre avait déjà développé cette seconde idée : « Dans les États aristocratiques, le mot patrie n'a pas de sens, sinon pour les familles patriciennes qui se sont emparées de la souveraineté. » Robespierre, *Discours et rapports*, Paris, Velay, 1908, p. 308.

3. « Le congrès se déclare pleinement favorable à la pleine autonomie de toutes les nations. » L'imprécision de la pensée de l'Internationale sur la question nationale apparaît clairement dans la rédaction du texte qui l'évoque. Le texte anglais utilise le terme *autonomy* (*cf.* *International socialist workers and trade union congress*, Londres, 1896).

4. HAUPT (G.), *Les Marxistes et la question nationale*, *op. cit.*, p. 25.

5. KAUTSKY (K.), « Die Moderne Nationalität », *Neue Zeit*, V, 1887, p. 392, 405 et 442-551; en russe KAUTSKI (K.), *Natsionalizm nachego vremeni*, Saint-Pétersbourg, 1905, 48 p.

6. KAUTSKY (K.) , dans HAUPT et LOWY, *op. cit.*, pp. 121-122.

7. SYNOPTICUS, *Staat und Nation*, Vienne, 1899, 393 p.

8. *Staat und Nation*, extrait de la traduction française dans HAUPT et al., *Les Marxistes et la question nationale*, p. 215.

9. *Ibid.*, p. 222.

10. SRINGER (R.), *Der Kampf des Österreichischen Nationen um den Staat*, Vienne, 1902, IV, 252 p.

11. BAUER (O.) *Die Nationalitätenfrage und die Sozialdemokratie*, Vienne, 1907, 576 p.

12. Sur Otto BAUER, *cf.* l'étude de BOURDET (Y.), *Otto Bauer et la révolution*, Paris, 1968.

13. BAUER (O.), *Die Nationalitätenfrage und die Sozialdemokratie*, *op. cit.*, p. 109. DEUTSCH (K.), dans *Nationalism and Social Communication*, Cambridge, 1966, p. 20, a insisté sur certaines incohérences du concept de Bauer.

14. HAUPT (G.) et al., *Les Marxistes et la question nationale*, *op. cit.*, p. 49.

15. *Die Nationalitätenfrage und die Sozialdemokratie*, *op. cit.*, cf. dans traduction française de HAUPT (G.) et al., *op. cit.*, pp. 270-271.

16. SCHLESINGER (R.) *Federalism in Central and Eastern Europe* (édition de 1970), pp. 210-212.

17. HAUPT et al.

18. *Ibid.*, p. 271.

19. LADREIT de LACHARRIÈRE (J.), *L'Idée fédérale en Russie de Riourik à Staline*, Paris, 1945, p. 30.

20. BAKOUNINE (M.), *Confession* (1857), Paris, 1932, pp. 302-303; HERZEN (A.), *Izbrannye filosofskie proizvedeniia*, Moscou, 1948, t. II, p. 139.

21. ANDERSON (T.), *Russian Political Thought*, An Introduction, New York, 1967, pp. 159-170.

22. HRUCHEVSKY, *Histoire de l'Ukraine*, *op. cit.*, p. 183.

23. PORTAL (R.), *Russes et Ukrainiens*, Paris, 1970, p. 42, HRU-CHEVSKY *op. cit.*, p. 184.

24. SYDORUK (P.), *Ideology of Cyrillo-Methodians and its origins*. Winnipeg, 1951, pp. 11-19.

25. KOSTOMAROV (M.), « *Mysl' o federativnom natchale v drevnei Rusi* » *Osnova*. 1861, 1er fascicule, p. 72 *sq.*

26. KARAMZINE, *Istoriia gosudarstva Rossii*, Saint-Pétersbourg, 1892, vol. V, pp. 230-235.

27. Lettre à Herzen du 15 janvier 1860 reprise dans *Le Monde slave*, 1918, t. II, p. 550.

28. DRAGOMANOV (M.J.), *Essai d'un programme politique et social ukrainien*, Genève, 1884, p. 18, *sq*. WASILEWSKI (L.), *Kwestia Ukrainska jako Zagadnienie miedzynarodowe*, Varsovie, 1934, p. 76; SEIN (A.), « Die Ukrainische Frage », *Die Neue Zeit*, 26-1916, p. 807.

29. LADREIT de LACHARRIÈRE (J.), *L'Idée fédérale en Russie de Riourik à Staline*, *op. cit.*, p. 96.

30. *Ibid.*

31. JAŠČENKO (A.), *Tchto takoe federativnaia respublika i jelatel'na li ona dlia Rossii*, Moscou, 1917, p. 18; WASILEWSKI (L.), *Kwestia Ukrainska jako Zagadnienie miedzynarodowe*, *op. cit.*, p. 26.

32. FELDMAN (J.), *Geschichte der politischen Ideen in Polen seit dessen Teilungen, 1795-1914*, Munich, 1917, pp. 310-355.

33. WASILEWSKI (L.), *Politika narodow osciowa Rosji*, Cracovie, 1916, p. 32 *sq*.

34. URATADZE, *Vospominaniia gruzinskogo Social-Demokrata*, Stanford, 1968, p. 15.

35. *Ibid.*, pp. 96-99.

36. *Ibid.*, p. 224.

37. BAUER (O.), *Natsional'nyi vopros i social demokratiia*, Saint-Pétersbourg, 1909, LIX, 600 p.; CHPRINGER (R.), *Gosudarstvo i natsiia*, Odessa, 1908, 36 p., *Natsional'naia problema*, Saint-Pétersbourg, 1909, XXV, 293 p. Cf. URATADZE, *Vospominaniia...*, *op. cit.*, p. 98; sur les discussions au Caucase, on consultera aussi utilement : JORDANIA (N.), *Moia jizn'*, Stanford, 1968, 130 p., et l'introduction de HAIMSON à l'ouvrage d'URATADZE, *op. cit.*, p. VIII.

38. MATOSSIAN (M.), « Two Marxist Approaches to Nationalism », *The American Slavic and East European review*, avril 1957, pp. 489-500 et TER-MINASSIAN (A.), « Le Mouvement révolutionnaire arménien », *Cahiers du monde russe et soviétique*, avril 1973, pp. 536-563.

Chapitre 2

1. LÉNINE, *Polnoe sobranie sotchinenii* (5ᵉ édition des œuvres complètes), Moscou, plus loin, indiqué : *Polnoe*, t. 30, p. 107.

2. PLEKHANOV (G.), *Sotchineniia*, Moscou, 1923, t. 12, p. 239.

3. BRUTSKUS (B.D.), *Statistika evreiskogo naseleniia*, Saint-Pétersbourg, 1909, vol. III, pp. 3 et 8.

4. *Ibid.*, table I.

5. *Sbornik materialov ob ekonimitcheskom polojenii evreiskogo naseleniia*, Saint-Pétersbourg, 1904, t. I, p. 198 *sq*. PATKIN (A.), *The Origin of the Russian Jewish Labor Movement*, Melbourne, 1947, pp. 130-132.

6. *Ibid.*, et GEZLER (I.), *Martov : a Political Biography of a Russian Social Democrat*, Cambridge, Un. Press, 1967, pp. 28-29; sur l'attitude de Martov à l'égard du judaïsme et de l'assimilation, cf. aussi : HAIMSON (L.), *The Russian Marxist and the Origins of Bolshevism*, Cambridge, 1955, p. 64.

7. A. Kremer a été l'un des fondateurs du Bund. Cf. GITELMAN (Z.), *Jewish nationality and Soviet politics*, Princeton, 1972, p. 24.

8. *Encyclopaedia Judaica*, Berlin, 1928, t. IV, col. 1 208.

9. *Ibid.*

10. MEDEM (V.), *Social demokratiia i natsional'nyi vopros*, Saint-Pétersbourg, 1906.

11. PLEKHANOV (G.), *Sotchineniia*, t. XIII, pp. 165-168.

12. SCHWARTZ (S.), *The Jews in the Soviet Union*, op. cit., p. 25.

13. PIPES (R.), *The Formation of the Soviet Union*, p. 34; BURMIS-TROVA (T.) (*Natsional' nyi vopros i rabotchee dvijenie v Rossii, op. cit.*, t. III, p. 87) dit : « Les mencheviks du bureau du CC du PSDOR à l'étranger vendaient (*torgovali*) les principes de l'internationalisme. »

14. URATADZE (G.), *Vospominaniia gruzinskogo social demokrata*, op. cit., p. 152.

15. PLEKHANOV (G.), *Sotchineniia*, t. XIX, p. 525.

16. URATADZE (G.), op. cit., p. 97.

17. LÉNINE *Polnoe...* t. 1, p. 129-346.

18. *Ibid.*, t. 7, p. 240; t.2, p. 433.

19. *Ibid.*

20. *Ibid.*, t. 7, p. 233.

21. *Op. cit.*, p. 103.

22. *Polnoe*, t. 7, p. 300.

23. *Ibid.*, t. 24, pp. 174-178.

24. KAIHANIDI (A.), *Leninskaia teoriia i programma po natsional' nomu voprosu*, Minsk, 1962, 271 p.; LÉNINE, *Polnoe...* t. 24, p. 129.

25. *Ibid.*, p. 130, cf. aussi t. 23, p. 318.

26. *Ibid.*, t. 24, pp. 118 et 130.

27. URATADZE (G.), *Vospominaniia gruzinskogo social-demokrata*, op. cit., p. 213.

28. CHAUMIAN (S.), *Izbrannye proizvedeniia*, t. I, pp. 132-161 et « O natsional'no-kul' turnoi avtonomii », Tiflis, 1914, in *Izbrannye... op. cit.*, p. 457.

29. *Protokoly pervogo s'ezda partii socialistov revoljucionerov*, Saint-Pétersbourg, 1906, pp. 361-362 et 168-173.

30. SAVIN (B.), Natsional'nyi vopros i partiia SR, *Socialist revoliutsioner*, III, 1911, pp. 95-146.

31. TCHERNOV (V.), Edinoobrazie ili Chablon, *Socialist revoliutsioner*, III, 1911, p. 147-160.

32. URATADZE (G.), *op. cit.*, p. 251, et la réaction de LÉNINE dans *Polnoe...* t. 22, pp. 223-230; LÉNINE, *Polnoe...*, t. 15, p. 368.

33. PIPES, *The Formation of the Soviet Union, op. cit.*, p. 37 et BURMISTROVA, *op. cit.*, t. III, pp. 60-64.

34. *Leninski sbornik*, t. 30, p. 52, *sq.*

35. BURMISTROVA, *op. cit.*, t. III.

36. ARSENIDZE (R.), Iz vospominanii o Staline, *Novyi jurnal*, 72, juin 1963, pp. 218-236.

37. LÉNINE, *Polnoe...* t. 48, pp. 160-163.

38. HAUPT (G.), *Le Congrès manqué*, Paris, 1965, p. 103.

39. STALINE, « Marksizm i natsional'noi vopros », *Sotchineniia*, t. 2, pp. 295-367.

40. STALINE, *Sotchineniia*, t. 2, p. 315.

41. *Ibid.*, p. 317.

42. *Ibid.*, p. 312.

43. *Ibid.*, p. 314.

44. *Ibid.*

45. BURMISTROVA, *op. cit.*, p. 137, en parle sans évoquer même le travail de Staline *sauf* p. 99, parmi divers articles; cf. aussi LÉNINE, *Polnoe...*, t. 48, p. 162.

46. Sans citer Staline BURMISTROVA, *op. cit.*, pp. 137-138, reprend exactement le même jugement.

47. STALINE, *Sotchineniia*, *op. cit.*, p. 338.

48. LÉNINE, *Polnoe...*, t. 25, p. 72 et t. 23, p. 124.

49. STALINE, *Sotchineniia*, *op. cit.*, p. 338.

50. *Ibid.*, t. 2, p. 286.

51. DJILAS (M.) dans *Conversations with Stalin*, New York, 1962, p. 157, dit que Staline lui a assuré n'avoir été dans cet ouvrage que l'interprète de la pensée de Lénine.

52. LÉNINE, *Polnoe...*, t. 24, pp. 57-59.

53. *Ibid.*, t. 25 pp. 255- 320.

54. *Ibid.*, t. 25, p. 275.

55. *Ibid.*, t. 24.

56. *Ibid.*, t. 23, p. 318 *sq.*

57. *Ibid.*, t. 24, p. 123.

58. *Ibid.*, t. 7, pp. 117-122.

59. *Ibid.*, t. 25, pp. 308-310.

60. *Ibid.*, t. 48, p. 233.

61. *Ibid*, p. 235.

DEUXIÈME PARTIE

Chapitre 1

1. BURMISTROVA, *Natsional'nyi vopros i rabotchee dvijenie v Rossii*, t. III, p. 165.

2. *Alfavitnyi ukazatel' k sobraniiu uzakonenii i rasporiajenii pravitel'stva za pervoe polugodie 1907 goda*, Saint-Pétersbourg, 1907, pp. 1301-1304.

3. GABRYS, *Vers l'indépendance lituanienne*, Lausanne, 1920, p. 85.

4. DALLIN (A.), « The Future of Poland », *Russian Diplomacy and Eastern Europe*, 1914, 1917, 1963, p. 177.

5. SENN, (A.), *The Russian Revolution in Switzerland*, *op. cit.*, pp. 48-49. Cf. la contribution de Dmowski dans MILIOUKOV (P.), STRUVE (P.), *Russian Realities and Problems*, Cambridge, 1917, 208 p.

6. NEUBOCH (H.), « Das Polen Museum in Rapperswill », *Zeitschrift für Ostforschung*, 13, pp. 721-728.

7. LECZYK (M.), *Komitet Narodowy Polski a Ententa i stany Zjednoczone*, 1917-1919, Varsovie, 1966, pp. 29-30.

8. SENN, *op. cit.*, p. 56.

9. *Golos*, 21, 24 et 25 novembre 1914.

10. LÉNINE, *Polnoe...*, t. 49, p. 50.

11. Cité par SENN (A.), *op. cit.*, p. 59.

12. DMOWSKI (R.), *Polityka polska i odbudowanie panstwa*, Varsovie, 1926, p. 169.

13. *Ibid.*, p. 165.

14. ZALEWSKI traitait Dmowski de « contre-révolutionnaire polonais », *Naše Slovo*, 2 février 1916.

15. Le recensement de 1910 dénombrait sur 8 458 personnes venues de la Russie d'Europe, 4 607 de langue russe. *Die Ergebnisse der Eidgenossischen Volkszahlung vom 1 dezember 1910*, Bern, 1915, 2 vol., vol. I, p. 65 *sq*.

16. SENN, *The Russian Revolution in Switzerland*, *op. cit.*, pp. 60-74.

17. LÉNINE, *Polnoe...*, t. 27, p. 48-51; ZEMAN (Z.A.), *Germany and the Revolution in Russia 1915-1918*, Londres, 1958, p. 6, *sq*.

18. STEPANKOWSKI (W.) publia en Angleterre avant la guerre un petit livre, *The Russian Plot to Seize Galicia*. Il eut durant la guerre une position ambiguë entre l'Entente dont il se proclamait le partisan et les Empires centraux dont il dépendit financièrement.

19. GABRYS (J.). Installé à Paris depuis 1907 où il fonde l'Union des nationalités et son organe les *Annales des nationalités*, et crée à Paris avec l'aide financière de la communauté lituanienne catholique des États-Unis un Bureau lituanien.

20. Cf. GABRYS, *Vers l'indépendance lituanienne*, *op. cit.*, et *Le Problème des nationalités et la paix durable*, Lausanne, 1917, 185 p.

21. *Basler Nachrichten*, 21 septembre 1915.

22. Sur Parvus cf. ZEMAN (Z.A.) et SCHARLAU (W.), *The Merchant of Revolution*, Londres, 1965, pp. 145-150 et SOLJENITSYNE, *Lénine à Zurich*, Paris, 1976, pp. 102 et 107.

23. ZEMAN et SCHARLAU, *op. cit.*, pp. 157-158.

24. GABRYS, *Vers l'indépendance lituanienne*, *op. cit.*, p. 203.

25. Carte ethnographique de l'Europe, Lausanne, 1918, + 21 pages de textes.

26. GABRYS, *op. cit.*, p. 67.

27. MILIOUKOV, « Dnevnik Milioukova », *Krasnyi Arkhiv*, t. 54-55, pp. 3-48.

28. *Manchester Guardian*, 3 juin 1916.

29. « Dnevnik Milioukova », *op. cit.*, p.45.

30. *Annales des nationalités*, fasc. 4, juillet-août 1916 et *Annales des nationalités*, IIIᵉ conférence des nationalités, documents préliminaires, Lausanne, 1916.

31. DALLIN, *The Future of Poland, op. cit.*, p. 60, *sq.*

32. FILASIEWIZ (S.), *La Question polonaise pendant la guerre*, Paris, 1928, p. 358.

33. GABRYS, *Vers l'indépendance lituanienne, op. cit.*, p. 302.

34. DMOWSKI, *Polityka Pol'ska..., op. cit.*

35. *Ibid.*, p. 242.

36. Commentaire repris par le *Berner Tagwacht*, 29 décembre 1916.

37. Cité par SENN, *The Russian Revolution in Switzerland, op. cit.*, p. 196.

38. FERRO (M.), *La Révolution de 1917*, p. 41.

39. FILASIEWIZ (S.), *La Question polonaise pendant la guerre, op. cit.*, p. 277.

40. DALLIN, « The Future of Poland », *Russian diplomacy and Eastern Europe 1914-1917*, New York, 1963, p. 68.

41. *Bulletin des nationalités de Russie*, n° 1, 1917.

42. GABRYS, *Vers l'indépendance lituanienne, op. cit.*, p. 296, et *Le Problème des nationalités et la paix durable*, p. 142, et RIVAS (M.-C.), *La Lituanie sous le joug allemand 1915-1918*, Lausanne, 1918.

43. RENOUVIN (P.), DUROSELLE (J.-B.), *Introduction à l'histoire des relations internationales*, Paris, 1970 (3ᵉ édition), p. 187.

44. *Ibid.*, pp. 178-179 et 187.

Chapitre 2

1. HAUPT (G.), « Guerre et révolution chez Lénine », *Revue française de science politique*, 2 avril 1971, pp. 256-281 et LÉNINE, *Polnoe...*, t. 26, pp. 13-23.

2. LÉNINE, *Sotchineniia* (3ᵉ éd.), t. 16, p. 378.

3. KRUPSKAYA (N.), *Memories of Lenin*, Londres, 1942, p. 213.

4. LÉNINE, *Polnoe...*, t. 26, p. 6.

5. GANKIN, FISCHER, *The Bolsheviks and the World War*, Stanford, 1940, p. 133.

6. *Polnoe...*, t. 26, pp. 201-205, 209, 265 et 195-200.

7. *Ibid.*, pp. 13-23.

8. *Ibid.*, pp. 282, 285, et 383-385.

9. *Ibid.*, pp. 106-110 et GANKIN, FISCHER, *op. cit.*, p. 394 *sq.*

10. *Partiia bol'chevikov v gody mirovoi voiny, sverjenie monarhii v Rossii*, Moscou, 1963, p. 158.

11. Le bundiste LITVAK (A.), *In Zurich and in Geneva during the First World Reminiscences*, New York (1945), p. 246, note qu'il demanda alors à Lénine s'il se rendait compte qu'il proposait de couper la Russie de toutes ses routes économiques vitales.

12. *Polnoe...*, t. 26, pp. 106-116.

13. Textes dans GANKIN, FISCHER, *The Bolsheviks and the World War, op. cit.*, pp. 211-215, 219-221, 223-239.

14. *Ibid.*, p. 221.

15. Textes dans *Ibid*, p. 507 *sq.*

16. *Ibid.*, p. 511.

17. *Ibid.*, p. 513.

18. LÉNINE, *Polnoe...*, t. 27, pp. 252-266.

19. *Ibid.*, pp. 260-261.

20. *Ibid.*, t. 23, pp. 314-322 et 444-448.

21. *Ibid.*, t. 24, pp. 57-59 et 11-13.

22. *Ibid.*, pp. 223-229.

23. *Ibid.*, p. 58.

24. *Ibid.*, t. 48, p. 233.

25. *Ibid.*, t. 7, pp. 233-234.

26. *Ibid.*, t. 24, p. 143 *sq.*

27. « Pis'mo k chaumianu », *Polnoe*, t. 48, p. 233.

28. *Polnoe...*, t. 24, p. 123 *sq.*

29. *Polnoe...*, t. 24, p. 145.

30. *Ibid.*, t. 27, p. 260.

Chapitre 3

1. PIPES (R.), *The Formation of the Soviet Union, op. cit.*, pp. 50-240.

2. CARR (E.H.), *The Bolshevik Revolution. op. cit.*, t. I, p. 292.

3. *Dekrety Sovetskoi vlasti*, t. III, Moscou, 1964, pp. 257-260. Cette absence d'initiative bolchevique en Pologne transparaît nettement à travers l'ouvrage de MANU et CHEVITCH et al..., *Lenine i Pol'cha. Problemy, kontakty, otkliki*, Moscou, 1970, 420 p.

4. *Sobranie Uzakonenii*, 1917-1918, décret du 29 août 1918.

5. *Dekrety Sovetskoi Vlasti*, t. IV, Moscou, 1968, pp. 15-18 (résolution du VCIK du 13 novembre 1918).

6. *Dokumenty Vnechnei politiki SSSR*, t. I, Moscou, 1957, p. 7.

7. LÉNINE, *Polnoe...*, vol 35, p. 304.

8. *Ibid.*, pp. 286-290.

9. *Ibid.*, vol. 36, p. 22.

10. KUUSINEN (O.V.), *Revoliutsiia v Finlandii*, Petrograd, 1919, p. 12 *sq.* KATALA (S.D.), *Terror burjuazii v Finlandii*, Petrograd, 1919, premier chapitre.

11. STALINE, *Sotchneniia*, t. IV, p. 178.

12. *Dekrety Sovetskoi Vlasti*, t. IV, *op. cit.*, pp. 157-158.

13. *Ibid.* (articles 2, 3, 4 du décret du Sovnarkom) et appel du Soviet de la République « à tous les travailleurs », *Jizn' natsional'nostei*, 8 décembre 1918.

14. *Jizn' natsional'nostei*, 22 décembre 1918.

15. *Dekrety Sovetskoi Vlasti*, t. IV, Moscou, 1968, p. 242. Cf. aussi DRIZUL (A), *V.I. Lenin i revoliutsionnaia Latvia*, Riga, 1970, 240 p., et SOSNOV. (V.), *Lenin i Latychskaia revoliutsionnaia Sotsial demokratiia*, Riga, 1970, 160 p.

16. CARR (E.), *The Bolshevik Revolution, op. cit.*, p. 318.

17. *Ibid.*

18. TROTSKI, *Ma vie*, Paris, 1930, t. III, pp. 169-170.

19. LÉNINE, *Polnoe...*, t. 51, p. 238; FROSSARD (L.O.) *De Jaurès à Lénine, Souvenirs d'un militant*, Paris, 1930, p. 130.

20. VAITKIAVITCHIUS (B.) et al., *Bor'ba za sovetskuiu vlast' v Litve v 1918-1920 gg* – sbornik dokumentov, Vilno, 1967, pp. 48-53.

21. *Dekrety Sovetskoi Vlasti*, t. IV, *op. cit.*, pp. 243-245.

22. *Ibid.*, pp. 335-336. Dans la résolution du VCIK du 31 janvier 1919 sur l'indépendance de la Biélorussie, l'union de la Biélorussie avec la Lituanie figurait.

23. *S'ezdy Sovetov v dokumentah, 1917-1936*, Moscou, 1960, t. II, pp. 232-233.

24. Notamment à la conférence d'avril 1917, cf. *Polnoe...*, t. 31, pp. 432-438.

25. *Ibid.*, t. 35, pp. 268-290.

26. DIMANCHTAIN (S.), *Revoliutsiia i natsional' nyi vopros*, Moscou, 1927, t. III, pp. 196-197.

27. PORTAL (R.), *Russes et Ukrainiens, op. cit.*, p. 106.

28. Résolution du congrès des Soviets d'Ukraine sur l'autodétermination : *S'ezdy sovetov v dokumentah, 1917-1936*, Moscou, 1960, t. III, p. 17.

29. *Obrazovanie SSSR, Sbornik dokumentov, 1917-1924*, Moscou, Leningrad, 1949, pp. 74-75.

30. RESHETAR (J.) jr., *The Ukrainian Revolution, 1917-1920*, Princeton, 1952, p. 115, et KURITSYN (V.M.), *Gosudarstvennoe Strodrudnitchestvo Mejdu Ukrainskoi SSR i RSFSR v 1917-1922 g*, Moscou, 1957, pp. 38-39.

31. PORTAL, *Russes et Ukrainiens, op. cit.*, p. 74. Cf. aussi ADAMS (A.E.), *Bolsheviks in the Ukraine*, Yale Un. Press, 440 p.

32. RESHETAR, *The Ukrainian Revolution, op. cit.*, pp. 170-174.

33. Vinitchenko a soutenu que le général d'Anselme était très favorable à cet appel, mais les archives françaises des Affaires étrangères témoignent au contraire de la réticence du commandement français. Cf : dossiers Z-619-11, et Z-617-1.

34. Sur l'ensemble de l'activité de Rakovski, on se reportera à la thèse de CONTE (F.) *Christian Rakovski, 1873-1941*, Lille, Paris, 1975, 2 t. Sur ce point particulier, t. I, pp. 207-208, et BORYS (Ju), *The Russian Communist Party and the Sovetization of Ukraine*, Stockholm, 1960, p. 40.

35. POPOV, Otcherki istorii kommunistitcheskoi partii Ukrainy. Simferopol, 1929, p. 174 *sq.*

36. *Ibid.*, pp. 9-11 et BORYS (Ju), *The Russian Communist Party...*, *op. cit.*, pp. 146-149 et KURITSYN, *Gosudarstvennoe sotrudnitchestvo...*, *op. cit.*, pp. 35-36.

37. RAVITCH-TCHERKASSKI (M.) *Istoriia kommunistitcheskoi partii Ukrainy*, Karkhov 1923, pp. 57-62 et KURITSYN, *Gosudarstvennoe sotrudnitchestvo...*, *op. cit.*, p. 37.

38. ANTONOV-OVSEENKO, *Zapiski o grajdanskoi revoliutsii*, Moscou, 1924-1933, t. 3.

39. POPOV, *Otcherki istorii kommunistitcheskoi partii Ukrainy*, *op. cit.*, p. 180.

40. STALINE, *Sotchineniia*, t. 4, p. 175.

41. *Ibid.*, p. 180.

42. Cité par CARR, *The Bolshevik Revolution*, *op. cit.*, p. 306.

43. Pour la constitution de la République du 10 mars 1919 cf. *S'ezdy sovetov v dokumentah*, t. 2, pp. 52-58; CONTE (F.), *Christian Rakovski*, *op. cit.*, p. 221, et surtout BORYS (Ju), *The Russian Communist Party...*, *op. cit.*, pp. 206-211, qui a fait l'étude la plus détaillée de cet épisode.

44. *Protokoly VIII Konferentsii RKP*, Moscou 1919, p. 95. Sur l'attitude de Lénine, voir *Pravda* du 26 janvier 1919; Lénine écrit à propos de la prise d'Orenbourg : « Maintenant, nous allons obtenir d'Ukraine des quantités de blé suffisantes et même davantage » et dans l'éditorial de la *Pravda* du 1ᵉʳ février 1919 intitulé « Le blé et le charbon », il reprend le même thème.

45. LÉNINE, *Polnoe...*, t. 38, pp. 182-184.

46. *Ibid.*, p. 162.

47. *KPSS v rezoliutsiiah*, t. 2. Moscou, 1970, pp. 73-74.

48. LÉNINE, *Polnoe...*, t. 38, pp. 400-401.

49. *Dekrety Sovetskoi Vlasti*, t. 5, Moscou, 1971, pp. 259-261.

50. POPOV, *Otcherki istorii kommunistitcheskoi partii Ukrainy*, p. 240 *sq.*

51. VAKAR (N.), *Bielorussia*, Harvard Un. Press., 1956, p. 75. Sur la Biélorussie, VAKAR (N.) a publié une très utile bibliographie, *A bibliographical Guide to Bielorussia*, Harvard Un. Press, 1956, XIV,

63 p. Cf. aussi MECHKOV, *Otcherki istorii kommunistitcheskoi partii Bielorussii*, Minsk, 1968, 508 p. AGURSKII (S.), *Otcherki po istorii revoliutsionnogo dvijeniia v Bielorussii*, Minsk, 1928, 262 p.

52. Sur ces subdivisions, voir SOBOLEVSKI (A.), « Belorusskoe naretchiie » *Jurnal ministerstva narodnogo prosvechtcheniia*, t. V-VI, 1887, pp. 137-147.

53. KNORIN, *Zametki k istorii diktatury proletariata v Bielorussii*, Minsk, 1934, pp. 30-34.

54. DIMANCHTAIN. *Revoliutsiia i natsional'nyi vopros, op. cit.*, pp. 271-276.

55. VAKAR (N.), *Bielorussia, op. cit.*, p. 109.

56. *Dekrety Sovetskoi Vlasti*, t. 4, *op. cit.*, pp. 335-336.

57. *S'ezdy sovetov v dokumentah*, 1917-1936, t. 2, Moscou, 1960, p. 232.

58. *Ibid.*, pp. 233-237.

59. *Obrazovanie SSSR Sbornik dokumentov*, 1917-1924, Moscou, Leningrad, 1949, p. 125.

60. *S'ezdy sovetov v dokumentah*, t. 2, *op. cit.*, pp. 248-253.

61. ANANOV (I.), *Sud'ba Armenii*, Moscou, 1918, p. 5. Sur la dispersion du peuple arménien, cf. PIPES, *The Formation of the Soviet Union, op. cit.*, pp. 15-16 sur la situation générale au Caucase, et *Narody Dagestana*, Moscou, 1955, pour la situation particulière du Daghestan et du Terek. Sur le jugement des bolcheviks concernant la situation au Caucase, cf. DIMANCHTAIN et JORDANIA (N.), *Za dva goda*, Tiflis, 1920, pp. 111-119.

62. PIPES (R.), *The Formation of the Soviet Union, op. cit.*, p. 103, cf. aussi STALINE, *Sotchineniia*, t. 4, p. 53.

63. *Obrazovanie zakavkazskogo pravitel'stva*, 336 p. *Dokumenty i materialy po vnechnei politiki zakavkaziia i Gruzii*, Tiflis, 1919, 411 p.

64. *Ibid.*, pp. 8-10.

65. CHAUMIAN (S.), *Izbrannye proizvedeniia*, Moscou, 1958, t. 2 (1917-1918), pp. 153-155; JVANIIA (G.K.), *Velikii oktiabr'i bor'ba bol'chevikov zakavkaziia za sovetskuiu vlast'*, Tbilissi, 1967, p. 150 *sq.* KAZEMZADEH (F.), *The Struggle for Transcaucasia*, 1917-1921, New York, Oxford, 1951, p. 65 *sq.*

66. *Dokumenty i materialy po vnechnei politiki zakavkaziia, op. cit.*, pp. 339-342.

67. PIPES, *The Formation of the Soviet Union, op. cit.*, p. 219, souligne que Lénine a retardé la reconnaissance de la Géorgie, de telle sorte qu'en novembre 1918, elle n'est pas acquise.

68. Noë JORDANIA, chef du gouvernement depuis juin 1918, a toujours minimisé ce choix géorgien, arguant que la Géorgie n'avait pas d'alternative.

69. Divers documents sont rassemblés dans le carton Z-619-11 du ministère des Affaires étrangères français sur ce point. Ils témoignent d'une divergence nette entre les positions anglaises (cf. notamment le

rapport Chardigny, 17 juin 1919, et le télégramme de Nabokov, chargé des affaires russes à Londres, à Sazonov du 27 février 1919 qui dit : pour l'Angleterre, le sort du Caucase sera réglé à la conférence de la Paix) et françaises : rapports du lieutenant-colonel de Chardigny (17 juin 1919), rapport du colonel Lesieure-Desbrières, (10 juillet 1919), lettre du consul de France à Tiflis, M. Nicolas, au ministre Pichon (3 juillet 1919), qui rendent compte de l'hostilité française envers la Géorgie.

70. Dossier AE-Z-619-11 sur la conférence qui réunit le 23 mai 1919 au ministère des Affaires étrangères de Géorgie le général Briggs, Gegechkori et Ramichvili. Briggs dit : « Cessez d'être fiers [...] tendez la main à Denikine et dites-lui : nous sommes avec vous pour la grande Russie. » Cf. aussi le document du 25 mai 1919 (télégramme de la Britforce de Transcaucasie à la Britforce de Constantinople).

71. KAZEMZADEH (F.), *The struggle for Transcaucasia*, 1917-1921, *op. cit.*, p. 202 *sq.*

72. Dossier Z-619-11. Télégramme de M. Pichon à Miller et Denikine. M. Clemenceau demande qu'ils insistent auprès de l'amiral Koltchak pour qu'il définisse clairement l'avenir qu'il envisage pour les nations, et pour qu'il reconnaisse définitivement l'indépendance de la Finlande et de la Pologne.

73. Dossier A.E. Z-619-11.

74. KAZEMZADEH, *The Struggle for Transcaucasia*, *op. cit.*, p. 212 *sq.*

75. STALINE, *Sotchineniia*, t. 4, p. 408.

76. *Izvestia*, 29 avril 1920, et réponse de Lénine, *Polnoe...*, t. 41, p. 119.

77. LÉNINE, *Polnoe...*, t. 41, pp. 161-168.

78. *Dokumenty vnechnei politiki SSSR*, Moscou, 1959, t. 3, pp. 346-349, *jizn' natsional'nostei*, 8 décembre 1920, et LÉNINE, *Polnoe...*, t. 42, p. 54.

79. KAZEMZADEH, *The Struggle for Transcaucasia*, *op. cit.*, p. 204. *Traité conclu le 7 mai 1920 entre la République démocratique de Géorgie et la République socialiste fédérative russe*, Paris, 1922.

80. *S'ezdy sovetov v dokumentah*, Moscou, 1959, t. 1, pp. 30-31 (cf. article 6 de la résolution du 15 janvier 1918.

81. SAIDACHEVA (M.A.), *Lenin i socialistitcheskoe stroitel'stvo v Tatarii* 1918-1923, Moscou, 1969, p. 328.

82. LÉNINE, *Polnoe...*, t. 38, pp. 156-162.

83. PIPES, *The Formation of the Soviet Union, op. cit.*, p. 167.

84. *Jizn' natsional'nostei*, 18 juin 1919.

85. TOGAN (Z.V.), *Bugünkü Türkili (Turkistan) Ve Yakin Tarihi*, Istanbul, 1942-1947, p. 408.

86. *Ibid.*, pp. 412-414.

87. SAFAROV, *Kolonial'naia revoliutsia, opyt Turkestana*, Moscou, 1921, 148 p.; *Bol'chaia sovetskaia entsiklopediia*, t. 4, 1927, p. 35 et le

commentaire qu'en fait Lénine en 1921, *Leninskii sbornik*, t. 36, Moscou, 1959, pp. 320-321.

88. SAFAROV, *Kolonial'naia revoliutsiia, opyt Turkestana, op. cit.*, p. 10.

89. HAYIT (B.), *Die Nationalen Regierungen von Kokand und Alash Orda*, Munster, 1950, 111 p.

90. CHTEINBERG, *Otcherki po istorii Turmenii*, Moscou, 1934, p. 154.

91. CARRÈRE D'ENCAUSSE (H.), *Réforme et révolution chez les Musulmans de l'Empire russe*, Paris, 1966, pp. 233-239, et *Voina v peskah*, Leningrad, 1955, p. 255 *sq.*

92. MURAVEISKII « Sentiabr'skii dni v Tachkente » *Proletarskaia revoliutsiia*, 10-1924, pp. 138-161.

93. *Jizn' natsional'nostei*, 1er juin 1919.

94. ABDUCHUKUROV (R.), *Oktiabr'skaia revoliutsiia raztsvet uzbekskoi sotsialistitcheskoi natsii i sblijenie ee s natsiami SSSR*, Tachkent, 1962, pp. 146-147.

95. RYSKULOV (T.), *Revoliutsiia i korennoe naselenie Turkestana : sbornik statei, dokladov, retchei*, Tachkent, 1925, p. 22.

96. *M.V. Frunze na frontah grajdanskoi voiny*, Moscou, 1941, pp. 119-120.

97. *Istoriia Uzbekskoi SSR*, Tachkent, 1956, t. 2, pp. 110-111.

98. *Pervyi s'ezd narodov Vostoka*, Petrograd, 1920, pp. 31-179.

99. TOGAN (Z.V.), *Bugünkü Türkili (Turkistan) ve Yakin Tarihi, op. cit.*, pp. 370-371 – 398-402.

100. LÉNINE, *Polnoe...*, t. 41, pp. 433-436.

101. *Ibid.*, p. 436.

TROISIÈME PARTIE

Chapitre 1

1. *Spravotchnik narodnogo komissariata po delam natsional' nostei*, Moscou, 1921, p. 5.

2. IRONIKOV (M.), *Sozdanie sovetskogo tsentral'nogo gosudarstvennogo apparata : sovet narodnyh komissarov i narodnye komissariaty*, Moscou, 1966, pp. 237-239; GORODETSKII (E.), *Rojdenie sovetskogo gosudarstva*, Moscou, 1964, p. 158; DENISOV (A.), « Narodnyi Komissariat po delam natsional' nostei », *Bolchaia Sovetskaia Entsiklopediia*, Moscou, 1931, pp. 213-214.

3. PESIKINA (E.), *Narodnyi Komissariat po delam natsional' nostei*, Moscou, 1950, p. 63.

4. *Politika sovetskoi vlasti po natsional' nym delam, op. cit.*, p. 24.

5. *Jizn' natsional' nostei*, nos 1, 9, novembre 1918.

6. PESTKOVSKII (S.), « Vospominaniia o rabote v Narkomnatse », *Proletarskaia revoliutsiia*, juin 1930, pp. 129-130.

7. Pour la création du commissariat aux Affaires juives-Evkom, cf. *Evreiskii rabotchii*, 20 juillet 1918 et 31 juillet 1918; PESTKOVSKII (S.), *art. cit.*, p. 130.

8. *Politika sovetskoi vlasti po natsional'nym delam za tri goda*, *op. cit.*, p. 79, et note du lieutenant de vaisseau ROLLIN du 8 juillet 1919, archives françaises, dossier Z 619-11 (IX).

9. *Chest' let natsional' noi politiki sovetskoi vlasti i narkomnats*, Moscou, 1924, p. 18.

10. PESIKINA (E.), *Narodnyi Komissariat po delam natsional'nostei, op. cit.*, p. 66 *sq.*

11. Sur les activités de Staline; cf. PESTKOVSKII (S.), *Vospominaniia, op. cit.*, p. 128, et TROTSKI (L.), *Stalin : an Appraisal of the Man and his Influence*, Londres, 1947, p. 245, et DIMANCHTAIN (S.), *Revoliutsiia i natsional'nyi vopros, op. cit.*, p. 34.

12. PESIKINA (E.), *op. cit.*, pp. 19-20.

13. *Jizn' natsional' nostei*, 15 juin 1919, publie un article de PEST-KOVSKII favorable aux thèses de Rosa Luxemburg.

14. PESTKOVSKII (S.), *op. cit.*, p. 124; PESIKINA, *op. cit.*, p. 89 *sq.* et *Chest' let natsional' noi politiki, op. cit.*, p. 218.

15. PESIKINA (E.), *op. cit.*, p. 67.

16. MUHARIAMOV (M.), *Oktiabr' i natsional' nyi vopros v Tatarii*, Kazan, 1958, pp. 187-195.

17. NAFIGOV (R.) « Deiatel'nost' tsentral' nogo musul'manskogo Komissariata po delam natsional' nostei v 1918 godu », *Sovetskoe Vostokovedenie*, 5-1958, pp. 116-120, spécialement p. 116.

18. *Politika sovetskoi vlasti po natsional' nym delam*, p. 81.

19. *Jizn' natsional' nostei*, 23 mai 1920.

20. LOZOVSKIJ (I.), BIBIN (I.), *Sovetskaja politika za 10 let po natsional's nomu voprosu v RSFSR*, Moscou, 1928, p. 114.

21. *Jizn' natsional' nostei*, 7 novembre 1920.

22. *Ibid.*, 31 décembre 1920.

23. *Politika sovetskoi vlasti po natsional' nym delam, op. cit.*, pp. 150-151.

24. *Chest' let natsional' noi politiki sovetskoi vlasti i narkomnats, op. cit.*, p. 52.

25. *Politika sovetskoi vlasti po natsional' nym delam, op. cit.*, p. 150.

26. *Jizn' natsional' nostei*, 13 janvier 1921.

27. *Ibid.*, n° 16 (15) 1922, p. 1. (A cette époque, la périodicité de l'organe se modifie, partant la présentation, datée.) EL'BAUM (B.), « Rol' narkomnatsa v nalajivanii pomochtch i tsentral' nyh raionov strany narodam Srednei Azii », *Trudy Instituta Istorii partii pri TSK Turkmenistana*, Achkhabad, 1971, p. 190.

NOTES

301

28. *Jizn natsional' nostei*, 13 janvier 1921.

29. *Chest let natsional' noi politiki sovetskoi vlasti i Narkomnats, op. cit.*, p. 63.

30. LANDA, *Sozdanie Narodnogo komissariata po natsional' nym delam Turkestanskoi* ASSR, Tachkent, 1956, p. 43; ICHANOV (A.), « K voprosu o pomochtchi RSFSR v ukreplenii sovetskoi gosudarstvennosti v Srednei Azii », *Trudy Sagu*, Tachkent, 1960, p. 3.

31. *Chest' let natsional' noi politiki sovetskoi vlasti*, pp. 23-24.

32. URAZAEV (Ch.), *V.I. Lenin i stroitel' stvo sovetskoi gosudarstennosti v Turkestane*, Tachkent, 1967, p. 250.

33. LANDA, *Sozdanie narodnogo Komissariata, op. cit.*, p. 99.

34. *Chest let natsional' noi politiki sovetskoi vlasti, op. cit.*, p. 53.

35. *Ibid.*, p. 54.

36. IGNAT'EV (V.), *Sovet natsional' nostei central' nogo ispolnitel' nogo komiteta, SSSR*, Moscou, 1926, p. 10, traite de cette réforme; *Jizn' natsional's nostei*, 16 (15) 1922, p. 1.

37. *Chest' let natsional' noi politiki sovetskoi vlasti, op. cit.*, pp. 148-150.

38. *Ibid.*, p. 150.

Chapitre 2

1. LÉNINE : *Polnoe...*, t. 33, pp. 123-307.

2. *Ibid.*, pp. 1-120.

3. ENGELS (F.), *L'Origine de la famille, de la propriété privée et de l'État*, Paris, 1946, p. 229, et Lettre à Bebel du 18 mars 1875, dans *Critique des programmes de Gotha et d'Erfurt*, Paris, 1950, pp. 43-51.

4. Gloses marginales de Marx, *ibid.*, pp. 16-39.

5. LÉNINE : *Polnoe...*, t. 33, p. 151.

6. *Ibid.*

7. *Dekrety sovetskoi vlasti*, Moscou, 1957, t. I, pp. 12-16.

8. CALVEZ (J. Y.), *Droit international et souveraineté en URSS*, Paris, 1953, pp. 53-54.

9. LÉNINE, *Sotchineniia* (3e éd.), t. 9, p. 60.

10. *Sobranie uzakonenii* (texte en annexe 1), 1917, n° 2, p. 18.

11. LÉNINE : *Polnoe...*, t. 33, *op. cit.*

12. Cité par LALOY (J.), *Le Socialisme de Lénine*, Paris, 1967, p. 104.

13. *Dekrety sovetskoi vlasti*, Moscou, 1957, t. I, pp. 341-343.

14. *Ibid.* (titre IV, § 3), p. 343.

15. LÉNINE : *Polnoe...*, t. 35, pp. 286-290.

16. *Ibid.*, p. 287.

17. *Ibid.*, t. 34, pp. 304-305.

18. *Ibid*, t. 36, p. 76.

19. *Ibid.*, p. 15.

20. GURVITCH (G. S.), *Istoria sovetskoi konstitutsii*, pp. 147-148.

21. *S'ezdy sovetov...v dokumentah 1917-1936*, t. I, Moscou, 1959, pp. 70-84.

22. CARR, *The Bolchevik Revolution 1917-1923*, t. I, p. 148.

23. PIPES (R.), *op. cit.*, p. 246.

24. ATNAGULOV (S.), *Bachkiriia*, Moscou, 1925, pp. 71-72 et *Politika sovetskoi vlasti po natsional'nomu voprosu*, 1920, p. 19 *sq.*

25. *Sobranie Uzakonenii*, 1920, n° 45, art. 203, n° 51, art. 222, n° 59, art. 262.

26. HAYIT (B.), *op. cit.*, p. 42.

27. *Dekrety sovetskoi vlasti*, Moscou, 1971, t. V, pp. 398-400.

28. *Ibid.*, p. 399.

29. BORISOV (T.), *Kalmykiia*, Moscou, 1926, p. 63.

30. STALINE, *Sotchineniia*, t. IV, pp. 394-397.

31. *Ibid.*, pp. 402-403.

32. *Sobranie uzakonenii*, 1921, 5 (39) et 6 (41).

33. MAGEROVSKI (D. N.), *Soiuz sovetskih sotsialistitcheskih respublik*, Moscou, 1923, et *Piat' let vlasti sovetov*, Moscou, 1922, p. 227.

34. *Sotchnineniia*, t. IV, p. 360.

35. *Jizn' natsional' nostei*, 15 février 1920, annonce la mise en place d'une commission destinée à préparer ces traités.

36. *Sobranie uzakonenii*, 1920, n° 85, p. 426.

37. *Ibid.*

38. *Ibid.*, 1921, n°1, p. 13.

39. CONTE (E.), *Christian Rakovski*, Bordeaux, 1969, multigraphie, 270 p. particulièrement pp. 139, 142, 149, 150.

40. MARKUS (V.), *L'Ukraine soviétique dans les relations internationales 1917-1923*, p. 51 *sq.* BORYS (Ju), *The Russian Communist Party and the Sovietization of Ukraine, op. cit*, pp. 293-295.

41. BELL (T.), *Pioneering days*, Londres, 1941, pp. 149-150 sur cette confusion des tâches et ROY (M.), *Memoirs*, Bombay, 1964, p. 200.

42. BODY (M.), *Contribution à l'histoire du Komintern*, Genève, 1965, p. 52.

43. *Soviet Documents on Foreign Policy*, vol. 1, 1917-1924, Londres, 1951, p. 258. Lettre de Litvinov sur la différence entre le gouvernement soviétique et le Komintern (septembre 1921).

44. *Izvestiia*, 6 avril 1921. Le traité a été signé le 16 janvier 1921.

45. *Sobranie uzakonenii*, 1921, I, p. 13.

46. *RSFSR, Sbornik deistvuiuchtchih dogovorov*, 1921, t. II, n° 41, p. 7.

47. KAZEMZADEH, *The Struggle for Transcaucasia, op. cit.*, p. 198; pour les élections de 1919, p. 186.

48. *Traité conclu le 7 mai 1920 entre la République démocratique de Géorgie et la République socialiste fédérative russe*, Paris, 1922.

49. RACINE (N.),Le Parti socialiste SFIO devant le bolchevisme, *RFSP,* n° 2, avril 1971, pp. 281-296.

50. KAZEMZADEH, *op. cit.*, p. 200 *sq.*

51. STALINE, *Sotchineniia*, t. IV, p. 382 *sq.*

52. *Ibid.*, p. 408.

53. JVANIA, *V. I. Lenin, TSK partii i bol'cheviki Zakavkaziia,* Tbilissi, 1969, pp. 260-261.

54. Article de JVANIA dans *Zaria Vostoka*, 21 avril 1961.

55. *Ibid.*, et du même *V. I. Lenin...*, *op. cit*, pp. 261-267.

56. Texte dans LÉNINE, *Polnoe...*, t. 52, p. 71.

57. JORDANIA, *Moia jizn', op. cit.*, pp. 110-112, et LANG, *A modern history of Soviet Georgia*, New York, 1962, p. 235.

58. PIPES, *op. cit.*, p. 236; TSERETELLI (I.), *Prométhée*, juin 1928, p. 11; *Prométhée*, juin 1930, pp. 12-14.

59. JVANIA, *V. I. Lenin...*, *op. cit.*, pp. 262-268.

60. LÉNINE, *Polnoe...*, t. 41, p. 22. JOUKOFF EUDIN (X) et NORTH (R.), *Soviet Russia and the East 1920-1927*, Stanford, 1957, pp. 186-188. Lettre de Tchitchérine à Mustafa Kemal, 2 juin 1920, et réponse de Mustafa Kemal, novembre 1920.

61. Sur la position de Trotski, cf. JORDANIA, *Moia jizn', op. cit.*, p. 110 *sq.* TROTSKI, *Stalin, op. cit.*, p. 268.

62. *The Trotsky papers 1917-1922*, La Haye, 1971, t. II, p. 385.

63. LÉNINE, *Polnoe...*, t. 52, p. 71.

64. Télégramme du 16 février 1921, *Documenty vnechnei politiki SSSR*, Moscou, 1959, t. 3, pp. 526-527, et télégramme du 18 février 1921, *ibid.*, pp. 527-528.

65. *Polnoe...*, t. 42, p. 367.

66. *Sobranie uzakonenii*, n° 29, 1921, p. 161, et *ibid.*, n° 35, 1921, p. 187.

67. *Ibid.*, n° 73, 1921, p. 595 et *ibid.*, p. 596.

68. Déclaration de Iakovlev, commissaire adjoint aux Affaires étrangères de la RSS d'Ukraine, cité par CONTE (F.), *op. cit.*, p. 145.

69. KLIUTCHNIKOV, SABANINE, *Mejdunarodnaia politika*, Moscou, 1928, t. III, p. 139.

70. *Kommunistitcheskaia partiia -vdohnovitel' i organizator ob' edinitel' nogo dvijeniia Ukrainskogo naroda za obrazovanie SSSR*, Kiev, 1962, p. 247.

71. *Dokumenty vnechnei politiki SSSR*, Moscou, 1961, t. V, pp. 110-111.

72. *Ibid.*, pp. 111-112; sur l'invitation des nations de l'ancien Empire, cf. archives des Affaires étrangères « papiers Millerand », XIV (dossier Vignon). Deux notes « conférence de Cannes » n°s 6 et 8 du 10 janvier 1922.

73. BENNIGSEN, QUELQUEJAY, *Le Sultangaliévisme au Tartarstan*, Paris, 1960, pp. 176-182.

74. HARMANDARIAN, *Lenin i stanovlenie zakavkazskoi federatsii*, Erivan, 1969, p. 214 *sq.*

75. Lettre aux communistes des trois Républiques du Caucase du 14 avril 1921, *Polnoe...*, t. 43, pp. 198-200.

76. Azerbaïdjan (19 mai 1921), Arménie (4 février 1922), Géorgie (2 mars 1922), *S'ezdy sovetov v dokumentah*, t. II, pp. 326-339; 373-384; 415-432.

77. Article 8 du titre I, *ibid.*, pp. 373-384.

78. Article 4 du titre I, *ibid.*, pp. 415-432; cf. aussi Résolution du Soviet de Bakou du 11 avril 1921 dans *Obrazovanie SSSR, Sbornik dokumentov 1917-1924*, Moscou, Leningrad, 1949, p. 270.

79. STALINE, *Sotchineniia*, t. 5, pp. 227-228.

80. LÉNINE, *Polnoe...*, t. 44, p. 689.

81. Cité par HARMANDARIAN, *Lenin i postanovlenie...*, *op. cit*, p. 205.

82. *Ibid.*, p. 217.

83. ORDJONIKIDZE, *Stat' i i retchi*, Moscou, 1956, t. I, p. 228.

84. *Obrazovanie SSSR, Sbornik dokumentov 1917-1924*, *op. cit.*, pp. 288-289.

85. ORDJONIKIDZE, *op. cit.*, t. I, p. 275.

86. MAHARADZE (F.), *Sovety i bor'ba za sovetskuiu vlast' v Gruzii 1917-1921*, Tbilissi, 1928, montre la montée des divergences dès le printemps 1922.

87. LÉNINE, *Polnoe...*, t. 41, p. 164.

88. *Ibid.*, p. 438.

89. *Ibid.*, t. 45, p. 330.

90. KULITCHENKO (M.), « V.I. Lenin o federatsii i ee roli v stroitel' stve sovetskogo mnogonatsional'nogo gosudarstva », *Voprosy istorii KPSS*, p. 67.

91. LÉNINE : *Polnoe...*, t. 45, p. 211 (lettre à Kamenev).

92. *Ibid.*, pp. 211-213.

93. Lettre publiée de Staline mais citée dans LÉNINE : *Polnoe...*, t. 45, p. 558, et TROTSKI, *La Révolution trahie*, pp. 160-161.

94. *Polnoe...* t. 45, p. 559; cf. aussi LEWIN (M.), *Le Dernier Combat de Lénine*, Paris, 1967, p. 64.

95. *Polnoe...*, t. 45, p. 214.

96. *KPSS v rezoliutsiiah*, Moscou, 1970, t. II, pp. 401-402.

97. Publié dans *Zaria Vostoka*, 2 novembre 1922.

98. MIASNIKOV, *Izbrannye proizvedeniia*, Erivan, 1965, pp. 423-424.

99. *XII s'ezd RKP (b)*, pp. 536-537; STALINE, *Sotchineniia*, t. 5, p. 526.

100. *Polnoe...*, t. 54, pp. 299-300.

101. Lénine est inquiet de sa composition et s'abstient lors du vote, *Polnoe...*, t. 45, p. 702.

102. KIRILOV (V.), SVERDLOV (A.), *Ordjonikidze, Biografiia*, Moscou, 1962, p. 175.

103. *Polnoe...*, t. 45, pp. 356-362.

104. LEWIN, *op. cit*, p. 97-108.

105. *Polnoe...*, t. 45, p. 356.

106. *Ibid.*, t. 54, p. 330.

107. *S'ezdy sovetov v dokumentah 1917-1936*, t. II, Moscou, 1960, pp. 148, 151-152, 152-155.

108. *Ibid.*, pp. 478-479; 482; 483-491.

109. *Ibid.*, pp. 302-303; 304-305; 305-307.

110. *Ibid.*, t. III, Moscou, 1960, pp. 16-17 et 18-22 et *Izvestiia*, 30 décembre 1929.

111. *Ibid.*, pp. 40-54.

Chapitre 3

1. SAFAROV (G.), *Kolonial'naia revoliutsiia, opyt Turkestana, op. cit.*, pp. 119-127; ANTROPOV, *Kommunistitcheskaia partiia Turkestana, pervyi kongres*, Tachkent, 1934, 85 p.

2. GUBA (T.), *Bor'ba bol'chevikov Kazahstana za pobedu Oktiabr'skoi revoliutsii*, Alma-Ata, 1957, pp. 107-108, 110.

3. *Ibid.*, p. 111.

4. *Nacha gazeta*, 22 décembre 1918.

5. ANTROPOV, *op. cit.*, p. 41.

6. VEKSEL'MAN (M.), *Dokumental'nye istotchniki po istorii ustanovleniia sovetskoi vlasti v Uzbekistane*, Moscou, 1964, p. 17.

7. BENNIGSEN, QUELQUEJAY, *Le Sultangaliévisme au Tatarstan*, *op. cit.*, pp. 114-118; dans *Jizn' natsional'nostei*, 17 novembre 1918, cf. les critiques de Staline.

8. *Ibid.*, 22 décembre 1918.

9. *Musburo RKP (b) v Turkestane*, Tachkent, 1922, p. 13.

10. *Rezoliutsii i postanovleniia s'ezdov kommunistcheskoi partii Turkestana*, Tachkent, 1934, p. 35.

11. SAFAROV, *op. cit.*, p. 96; *Musburo RKP (b) v Turkestane, op. cit*,, p. 33.

12. MURAVEISKII (S.), *Otcherki po istorii revliutsionnogo dvijeniia v Srednei Azii*, Tachkent, 1926, pp. 25-26.

13. *Musburo RKP (b) v Turkestane, op. cit.*, p. 31.

14. *Trudy 3go s'ezda kommunistitcheskoi partii Turkestana*, Tachkent, 1919, p. 71.

15. ABDUCHUKUROV, *Oktiabr'skaja revoliutsiia, op. cit.*, Tachkent, 1962, pp. 144-145.

16. *Pravda*, 12 juillet 1922.

17. RYSKULOV (T.), *Revoliutsiia i korennoe naselenie Turkestana*, Tachkent, 1922, p. 76.

18. PETERS, « Stranitsa predatel'stva », *Pravda Vostoka*, 16 et 18 décembre 1922.

19. *Istoriia kommunistitcheskih organizatsii Srednei Azii, op. cit.*, p. 380.

20. *Ibid.*, p. 388.

21. *Vserossiiskaia perepis'tchlenov RKP (b) 1922 g.*, Moscou, 1923, t. 4, p. 39.

22. Tableau constitué d'après les données combinées de *Istoriia kommunistitcheskih organizatsii Srednei Azii, op. cit.*, p. 570 sq. et *Vserossiiskaia perepis'tchlenov RKP (b) 1922 g., op. cit.*, et le rapport du VIIe congrès du PCT.

23. *Jizn natsional'nostei*, n°3 (132), 26 janvier 1922.

24. *Leninskii sbornik*, t. 24, p. 156.

25. LÉNINE, *Polnoe...*, t. 53, p. 105.

26. *Istoriia kommunistitcheskih organizatsii Srednei Azii, op. cit.*, p. 563.

27. JVANIA (G.), *Velikii oktiabr'i bor'ba bol'chevikov za Sovetskuiu vlast'*, Tbilissi, 1967, p. 276.

28. HARMANDARIAN, *Lenin i stanovlenie zakavkazskoi federatsii, op. cit.*, p. 30.

29. *Polnoe...*, t. 52, pp. 35-36; t. 53, p. 276.

30. *Ibid.*, t. 44, p. 689.

31. AHMEDOV (M.), « V. I. Lenin i obrazovanie SSSR », *Voprosy Istorii KPSS*, VI, 1962, p. 27.

32. *II s'ezd kommunistitcheskih organizatsii zakavkziia, stenootchet*, p. 38.

33. Déclaration du 12 mars 1922, *Obrazovanie SSSR, Sbornik dokumentov*, Moscou, Leningrad, 1949, pp. 288-289.

34. Constitution du 13 décembre 1922, *S'ezdy sovetov v dokumentah*, Moscou, 1960, t. 2, pp. 483-491.

35. LEWIN (M.), *op. cit.*, pp. 101-104.

36. LÉNINE, *Polnoe...*, t. 45, pp. 606-607; t. 54, p. 330.

37. *Ibid.*, t. 54, p. 214.

38. *Ibid.*, t. 54, p. 329.

39. *Bor'ba za uprotchenie sovetskoi vlasti v Gruzii; sbornik dokumentov*, pp. 145-146.

40. *Pravda*, 5 avril 1923.

41. *XII s'ezd RKP (b)*, pp. 158-161.

42. *Ibid.*, pp. 183-186.

43. STALINE, *Sotchineniia*, t. V, pp. 227-228.

44. CHARAPOV (Ja), *Natsional'nye sektsii RKP (b)*, Kazan, 1978, p. 239.

45. GITELMAN *Jewish nationality and soviet politics*, Princeton, 1972, p. 106.

46. DIMANCHTAIN, *Revoliutsiia i natsional'nyi vopros, op. cit.*, t. III, p. 34.

47. CHARAPOV, *Natsional'nye sektsii RKP (b)*, p. 75.

48. *Izvestiia*, 3 juin 1924.

49. LESAGE (M.), *Les Régimes politiques de l'URSS et de l'Europe de l'Est*, Paris, 1971, p. 207.

50. *XII s'ezd RKP (b)*, pp. 443-444.

51. STALINE, *Sotchineniia*, t. V, pp. 301-303 (discours de Staline à la conférence).

52. *Ibid.*, p. 297 et 307.

53. KAMENEV, STALINE, ZINOVIEV, *Leninism or Trotskysm*, Chicago, 1925, p. 21.

54. RIGHBY (H.), *Communist Party Membership in the USSR 1917-1967*, Princeton, 1968, p. 366.

55. MATOSSIAN (M. K.), *The Impact of Soviet Policies in Armenia*, Leiden, 1962, p. 45.

56. *Sotsial'nyi i natsional'nyi sostav VKP (b)*, Moscou, Leningrad, 1928, pp. 140-142.

57. RYSKULOV, *Revoliutsiia i korennoe naseleniie Turkestana, op. cit.*, p. 81.

QUATRIÈME PARTIE

Chapitre 1

1. *Itogi vsesoiuznoi gorodskoi perepisi 1922 g.*, Moscou, 1923. *Itogi perepisi naseleniia 1920 g.*, Moscou, 1928; LORIMER (F.), *The Population of the Soviet Union*, Genève, 1946, p. 289.

2. VOROB'EV (N. A.), *Vsesoiuznaii perepis' naseleniia 1926 g.*, Moscou, 1927; *Kommunistitcheskaia Akademiia, komissiia po izutcheniiu natsional'nogo voprosa*, Moscou, 1930.

3. LORIMER, *op. cit.*, pp. 67-70 et *Kommunistitcheskaia Akademiia, op. cit*, p. 122.

4. ASTEMIROV, « Itogi Kul'tstroitel'stva Dagestana, 15-letiiu okt-jab'ria », *Revoliutsiia i natsional'nosti*, nᵒˢ 11-12, 1932, p. 100 *sqq*.

5. *Sobranie Uzakonenii i rasporjajenii rabotchego i krest'ianskogo pravitel'stva RSFSR*, 1917, nᵒ 4, art. 50.

6. TRAININ, *Deklaratsiia prav trudiachtchegosia i ekspluatiruemogo naroda*, Moscou, 1938, p. 21.

7. SULEIMANOVA, « Istoritcheskii otcherk o sozdanii sovetskih sudov v Uzbekistane », *Sovetskoe Gosudarstvo i pravo*, 3-1949, p. 62.

8. SULEIMANOVA, « Zarojdenie sovetskogo ugolovnogo prava v Uzbekistane » *Sovetskoe Gosudarstvo i pravo*, 10-1948, p. 67.

9. SULEIMANOVA, « Istoritcheskii otcherk... », *art. cit.*, pp. 64-65.

10. LÉNINE, *Polnoe...*, t. 45, pp. 197-201, *ibid.*, pp. 427-428.

11. *Ibid.*

12. Ce jugement est fondé sur le commentaire d'AVDEENKO (N.) et KABAKOVA (I.), « Grajdanskoe protsessual'noe pravo », *40 let Sovetskogo prava*, Moscou - Leningrad, 1957, p. 653.

13. *Sobranie zakonov SSSR*, I, 203.

14. CHOHOR, « Religiozno-bytovye sudy v RSFSR », *Sovetskoe Stroitel'stvo*, nᵒˢ 8-9 (13-14), 1927, p. 108.

15. *Izvestiia*, 1ᵉʳ septembre 1922.

16. FIOLETOV, « Sudoproizvodstvo v musul'manskih sudah Srednei Azii », *Novyi Vostok*, nᵒˢ 23-24, 1928, p. 218.

17. SULEIMANOVA, *art. cit.*, p. 68.

18. VINOKUROV, *tsik vtorogo sozyva, vtoraia sessiia*, Moscou, 1924, p. 212.

19. SULEIMANOVA, *art. cit.*, p. 69.

20. FIOLETOV, « Sudy Kaziev v Sredne-Aziatskih respublikah », *Sovetskoe pravo*, 1 (25), 1927, p. 144, et SULEIMANOVA, *art. cit.*, p. 69.

21. FIOLETOV (N.), « Osnovnye voprosy sovetskogo bratchnogo prava », Tachkent, 1929, 16 p.

22. LOZOVSKI (I.), BIBIN (I.), *Sovetskaia politika za 10 let po natsional'nomu voprosu*, Moscou, 1928, pp. 316-318.

23. FIOLETOV, *art. cit.*, dans *Novyi Vostok*, p. 214.

24. CHOHOR, *art. cit.*, p. 109.

25. OSTROUMOV, *in Mir Islama*, 1913, p. 305, et CARRÈRE D'EN-CAUSSE (H.), « La Politique culturelle du pouvoir tsariste au Turkestan », *Cahiers du monde russe et soviétique*, III (juillet-septembre), 1962, pp. 376-378.

26. IAROSLAVSKI (E.), *Religion in the USSR*, Londres, 1932 (traduit du russe), pp. 19-20.

27. *Jizn' natsional'nostei*, I. 1923, p. 246.

28. MASSEL (G.), « Law, as a Instrument of Revolutionary Change in a Traditional Milieu : the Case of Soviet Central Asia », *Law and Society Review*, II, 1968, p. 179.

29. VAKAR, *Bielorussia, op. cit.*, p. 60.

30. MASSEL (G.), *The surrogate proletariat : Moslem women and revolutionary strategies in Soviet Central Asia 1919-1929*, Princeton, 1974, pp. 186-191.

31. Un tableau vivant de ces événements par un témoin, MAILLART (E.), *Turkestan Solo*, Londres 1938, 335 p.

32. « Jenskoe kommunistitcheskoe dvijenie v SSSR », *Bol'chaia sovetskaia Entsiklopediia* (1re éd.), vol. 25, p. 139.

33. MATOSSIAN (M.), *The Impact of Soviet Policies in Armenia, op. cit.*, p. 65.

34. Sur les incidences, MASSEL, *op. cit.*, et CHAGINIA (M.), *Putechestvie po Sovetskoi Armenii*, Moscou, 1951, p. 82 *sq.*

35. « Jenskoe kommunisticheskoe dvijenie v SSSR », *art. cit.*

36. PACHUKANIS, Predislovie, *Obchtchaia teoriia prava i marksizm*, Moscou, 1927 (3e éd.) (non paginé) et MATOSSIAN, *op. cit.*, p. 67.

37. STALINE, *Sotchineniia*, t. 6, pp. 65-66.

38. CASTAGNE (J.), « Le Turkestan depuis la révolution russe », *Revue du monde musulman*, juin 1922, p. 69; *Kommunistitcheskaia Akademiia, komissiia po izutcheniiu natsional'nogo voprosa, op. cit.*, p. 159; MUCHPERT (IA), FAINBERG (E.), *Komsomol i molodej natsional'nyh menchinstv*, Moscou, 1926, p. 17.

39. *Ibid.*, p. 25.

40. *Kommunistitcheskaia Akademiia, op. cit.* (note 71), p. 163.

41. MATOSSIAN, *op. cit.*, p. 74.

42. GITELMAN (Z.), *Jewish nationality and soviet politics, op. cit.*, p. 312.

Chapitre 2

1. *Bol'chaia sovetskaia Entsiklopediia*, article « *narodnost'* », vol. 24, Moscou, 1954, p. 159.

2. *Marksizm i natsional'nyi vopros, op. cit.*, p. 198.

3. « *Pan-islamizm i pan-Turkizm* », *Mir Islama*, t. II, 1913, pp. 559-562.

4. *Ibid.*

5. BENNIGSEN (A), CARRÈRE D'ENCAUSSE (H.), *Une république soviétique musulmane : le Daghestan, Cahiers du monde musulman*, Paris, 1956, p. 10.

6. ZARUBINA (I), *Spisok narodnostei SSSR*, Leningrad, 1927, p. 12.

7. *Trudy Komissii po izutcheniiu plemennogo sostava naseleniia rossii 1917-1927*, vyp. 1.3.15.

8. MATOSSIAN, *Impact of soviet policies in Armenia, op. cit.*, p. 80.

9. *Evreiskoe naselenie Rossii po dannym perepisi 1897 g. i po noveichym istotchnikam*, Petrograd, 1917, 76 p.; *Goroda i poseleniia v*

uezdah imeiuchtchih 2 000 i bolee jitelei Saint-Pétersbourg, 1905, 108 p.; *Itogi vserosiiskoi gorodskoi perepisi 1923 g., op. cit.*

10. VAKAR (N.), *Bielorussia, op. cit.*, pp. 139-140.

11. GABIDULLIN (H.), *Tatarstan za sem' let*, Kazan; 1927, p. 20 *sq.*

12. NEMTCHENKO, *Natsional'noe razmejevanie Srednei Azii*, Moscou, 1925, 28 p.

13. SOKOL (D.), *The revolt of 1916 in Central Asia*, Baltimore, 1954, 188 p., et surtout, BROIDO, «*Materialy k istorii vosstaniia Kirgiz*», *Novyi Vostok*, 6-1924, pp. 407-435.

14. *Kratkaia literaturnaia entsiklopediia*, Moscou, vol. 4 1967, article *Manas;* et RYSKULOV (T.), *Kirgizstan*, Moscou, 1935, p. 57 *sq.*

15. SAREV, *Sovetskaia literatura na novom etape*, Moscou, 1933, p. 122.

16. POTSELUEVSKII (A.) « Iazikostroitel'stvo Turkmenii i ego osnovnye problemy», *Revoliutsiia i natsional'nosti*, 67 (septembre 1935); pp. 42-50.

17. TOLSTOV et al. ed., *Narody Srednei Azii i Kazahstana*, Moscou, 1963, p. 488, *sq.*

18. *Itogi Vsesoiuznoi perepisi naseleniia 1959 g.*, Moscou, 1962, 1963, 16 vol.

19. *Revoliutsia i natsional'nosti* (35), février 1933, pp. 59-60.

20. BENNIGSEN, CARRÈRE D'ENCAUSSE, *Le Daghestan, op. cit.*

21. KOLARZ, *Russia and her colonies*, Londres, 1952, p. 196. Daghestan : pays de montagnes (*Dâgh*, montagne en turc, et *Stân*, pays en persan). Ce maintien d'un nom turco-persan est aussi caractéristique de l'embarras soviétique.

22. ASTEMIROV, « Itogi kul'tstroitel'stva Dagestana k 15 – letiiu o'ktiabria », *Revoliutsiia i natsional'nosti*, 10 novembre, 1932, p. 100 *sq.*

23. SAMURSKII, *Dagestan*, Moscou, Leningrad, 1925, p. 118, et TAHO-GODI, *Revoliutsiia i kontr-revoliutsiia v Dagestane*, Moscou, 1927, pp. 115-163.

24. SAMURSKII, *Daghestan*, p. 116.

25. *Dekrety sovetskoi vlasti*, Moscou, 1971, t. 5, pp. 398-400.

26. GERASIMOVA (K.), *Obnovlentcheskoe dvijenie buriatskogo lamaistskogo duhovenstva 1917-1930*, Oulan-Oudé, 1964, 180 p.

27. *Antireligioznik*, 7-1930, cité par KOLARZ p. 153.

28. *Za industrializatsiiu sovetskogo Vostoka*, Moscou, 1933, n° 3, pp. 218-219

29. CHOJHELOV (S.), *La R.P. Tuva*, Moscou, 1930, p. 80.

30. *Rossiia, polnoe geografitcheskoe opisanie nachego otetchestva*, Saint-Pétersbourg, 1914, vol. 5, p. 206, *sq.*

31. GURVITCH DOLGIH, *Preabrazovanie v hoziaistve i kul'ture i etnitcheskie protscessy u narodov Severa*, Moscou, 1970, 280 p.

32. *Revoliutsiia i natsional'nosti* (27) juin 1932, p. 86.

33. *Revoliutsiia i natsional'nosti*, 67, septembre 1935, pp. 58-59.

34. *Jizn' natsional'nostei*, 14-12, 1921.

35. *Jizn' natsional'nostei*, 25 février 1922.

36. *Jizn' natsional'nostei*, 13 août 1921.

37. *Revoliutsionnoi Vostok*, 27, 1934, pp. 205-206.

38. *Jizn' natsional'nostei*, 10 janvier 1922; DOLGIH (B.), *Otcherki po etnitcheskoi istorii Nentsev i entsev*, Moscou, 1970, 270 p., et BOIKO (V.), *Sotsial'naia struktura naseleniia Sibiri*, Novossibirsk, 1970, 172 p.; ONICHTCHUK (N), *Sovetskoe stroitel'stvo u malyh narodov Severa*, Tomsk, 1973, 162 p.

39. VASILEVITCH (G.), *Evenki – Istoriko – etnografitcheskie otcherki*, Leningrad, 1969, 304 p.

40. Le missionnaire Il'minskii avait déjà essayé de propager l'alphabet cyrillique au XIXe siècle à Kazan. *Cf. Jurnal ministerstva narodnogo prosvechtcheniia*, SP b, 1907, nos 9-10, p. 130, et *Samoutchitel' russkoi gramoty dlia Kirgizov*, composé par Il'minskii (SL.ND.), p. 142.

41. ULIANOV (G.) « K voprosu o podgotovke utchitel'stva natsional'nyh menchtchinstv », *Narodnoe Prosvechtchenie*, 11-12, 1924, p. 79.

42. *Desiatyi s'ezd RKP (b)*, p. 157.

43. *Jizn' natsional'nostei* (6), 15 décembre 1918, et (7) 2 mars 1919. *Vyschee obrazovanie v SSSR, statistitcheskii sbornik*, Moscou, 1961, donne des indications précises sur l'état de l'enseignement en 1913, pp. 79 et 237.

44. IVANOVA (A.), *tchto delala sovetskaia vlast' po likvidatsii negramotnosti sredi vzroslyh*, Moscou, 1949, p. 30.

45. MATOSSIAN, *op. cit.*, p. 89. En Asie centrale la résistance sociale a été si forte que même cette politique d'éducation séparée n'a pu être réalisée.

46. L'instrument en est le Sredazburo. *Rezoljutsii XII plenuma*, Tachkent, 1927, p. 20.

47. CHTEINBERG, *Otcherki po istorii Turkmenistana, op. cit.*, p. 193.

48. LÉNINE, *Polnoe*, t. 38, p. 183.

49. *Sotchineniia*, t. 5, p. 19.

50. POKROVSKII, *Russkaia Istoriia s drevneichih vremen*, Moscou, 1933, I 249.

51. POKROVSKII, *Diplomatiia i voiny tsarskoi Rossii v XIX stoletii*, Moscou, 1923, p. 331.

52. *Bol' chaia Sovetskaia Entsiklopediia* (1er éd.) t. 32, p. 377.

53. GALUZO (P.), *Turkestan, Koloniia*, Tachkent, 1935, pp. 38-41.

54. *Istoriia Kazahstana*, Alma-Ata, 1935, t. 1, p. 110.

55. POKROVSKII, *op. cit.*, (note 50), t. I, p. 250.

56. POKROVSKII, *Diplomatiia i voiny, op. cit.*, pp. 211-230.

57. Sur les problèmes rencontrés par Hruchtchevski, cf. Tillet (L.), *The Great Friendship*, Un. of North Carolina Press, 1969, pp. 37 à 40.

58. Desiatyi s'ezd RKP (b), p. 204.

Chapitre 3

1. DOBB (M.), *Soviet economic development since 1917*, New York, 1948, p. 97 *sq.*

2. CHAMBRE (H.), *Union soviétique et développement économique*, Paris, 1967, pp. 47-48.

3. Selon l'expression de PERROUX (F.), « L'Économie du XXe siècle », cité par Chambre (H.), *op. cit.*, p. 47.

4. LORIMER, *The Population of the Soviet Union*, *op. cit.*, p. 31.

5. *Ibid.*, p. 32. Cf. aussi *Goroda i poselenie v uezdah imeiuchtchi 2000 i bolee jitelei*, Saint-Pétersbourg, 1905, 108 p., et *Vsesoiuznaia gorodskaia perepis' 1923 g.* Moscou, 1925, t. 17, 20, et *Itogi...*, vol. cit., t. 4.

6. Moscou : 1 800 000 habitants en 1917; 1 120 000 en 1920. Petrograd : 2 300 000 habitants en 1917; 740 000 en 1920. Cf. Prokopovich, *Dinamika russkogo naseleniia SSSR*, cité par LORIMER.

7. *Goroda i poselenie*, *op. cit.*, (note 5); *Turkestan, tsentral'noe statistitcheskoe upravlenie otdel promychlennoi statistiki*, Tachkent, 1923, 2 vol.

8. Le recensement de 1970 notamment permet de reconstituer les groupes des villes classées par ordre d'importance en 1897. Cf. NEWTH (J.), *The 1970 Census*, « conference paper » présenté à la réunion annuelle de NASEES, 1973, pp. 6-7.

9. Cité par KOLARZ, *Russia and her colonies*, *op. cit.*, p. 127. Sur ce point, cf. aussi ARMSTRONG (J.), *Ukrainian nationalism*, Columbia Un. Press, 1963, p. 361.

10. PORTAL, *Russes et Ukrainiens*, *op. cit*, p. 80.

11. GITELMAN (Z.), *Jewish nationality and Soviet Politics*, *op. cit.*, p. 401.

12. NEWTH, *art. cit.*, pp. 6-7.

13. *Ibid.*, et VAKAR (N.), *Bielorussia*, p. 206.

14. *Revoliutsionnyi Vostok* 19-20, 1933, p. 250. *Kul'turnoe stroitel'stvo v Udmurtii*, Ijevsk, 1970, 372 p.

15. *Revoliutsiia i natsional' nosti*, 4 avril 1931, p. 19.

16. Sur l'évolution de la République, cf. archives Affaires étrangères, dossier Z. 617, 1 et 2, télégramme du 10 juillet 1928 (n° 510), *Bol'chaia sovetskaia Entsiklopediia*, 2e éd., t. 8, 1951, ignore les Allemands de la Volga et t. 49 (1957) p. 55, à Engels passe sous silence le nom de la ville. Alors que la 1re édition, vol. 41, p. 596, contient d'importantes rubriques sur ce groupe national.

17. *Turkestan, tsentral'noe statistitcheskoe upravlenie, otdel promy-*

chlennoi statistiki, op. cit., (matériaux relatifs aux données de 1920) et *Vsia Sredniaia Aziia*, Tachkent, 1926, p. 159.

18. STALINE, *Sotchineniia*, t. 5, p. 39. Lénine, *Polnoe...*, t. 21, p. 330 et t. 30, p. 35.

19. HAVIN, *Sotsialistitcheskaia industrializatsiia natsional'nyh respublik*, Moscou, 1933, p. 80 *sq.*

20. *Ibid.*

21. *Vsia Sredniaia Aziia*, p.327.

22. VALIEV (A.), *Formirovanie i razvitie sovetskoi natsional'noi intelligentsii*, Tachkent, 1966, pp. 77-82.

23. LÉNINE, *Polnoe...*, t. 30, p. 35, et VAGANOV (O.), « Zemel'naia politika tsarskogo pravitel'stva v Kazahstane », *Istoritcheskie zapiski*, 31 – 1950, pp. 75-78, et GALUZO, *Turkestan Koloniia, op. cit.*, p. 15 sq.

24. SEMENOV – TIAN CHANSKII (éd), *Rossiia, i polnoe geografitcheskoe opisanie nachego otetchestva*, vol. 19, *Turkestanskii krai*, Saint-Péterbourg, 1913, pp. 417-419.

25. DRIKKER (H.), Iz istorii bor'by za preodolenie feodal'no baiskih perejitkov v sel'skom hoziaistve Tadjikistana », *Sovetskoe Vostokovedenie*, 6 – 1956, p. 80, *sq.*

26. ALKIN, *Sredniaia Aziia*, Moscou, 1931, vol. I, pp. 357.358.

27. LÉNINE, *Polnoe...*, t. 41, pp. 433-436.

28. SAFAROV, *Kolonial'naia revoliutsiia, op. cit.*, p. 137.

29. *Sotsialistitcheskoe pereustroistvo sel'skogo hoziaistva v Uzbekistane 1917 - 1926*, Tachkent, 1962, 796 p., traite en détail de la réforme; ZEL'KINA, Zemel'naia reforma v Srednei Azii, Revoliutsionnyi Vostok, 3, 1927, pp. 133-167; GUREVITCH (A.), « Zemel'no – vodnaia reforma v Uzbekskoi SSR », *Voprosy Istorii*, 11, 1948, pp. 55-56.

30. JALILOV, *Vozniknovenie i razvitie sovestkogo zemel'nogo prava v Uzbekistane*, Tachkent, 1970, p. 272, spécialement le premier chapitre.

31. ZEL'KINA, *art. cit.*, p. 140, *sq.*

32. *Ibid.*, p. 152.

33. *Jizn'natsional'nostei* 2 – 1923, p. 37, et SANYCHEV, « O soiuzah kochtchi », *Sovetskoe Stroitel'stvo*, 4-5, 1926, p. 124, *sq. Vsia Sredniaia Aziia, op. cit.*, p. 327.

34. PARK, *Bolshevism in Turkestan*, p. 146 *sq.*, a consacré une étude approfondie à ce problème. SANYCHEV, *art. cit.* (n° 46), p. 126.

36. *Vsja Sredniaia Aziia, op. cit.*, p. 327.

37. *Jizn' natsional' nostei*, 2, 1923, p. 37.

38. HAYIT (B.), *Turkestan im XX jahrhundert*, Darmstadt, 1956, pp. 256-259.

39. SEMENOV – TIAN CHANSKII. *Rossiia, op. cit.*, p. 428, et AMINOV (A.M.), *Ekonomitcheskoe razvitie Srednei Azii* (kolonial'nyi period), Tachkent, 1959, p. 234.

40. JAMALOV (O.), éd. *Istoriia narodnogo hoziaistva Uzbekistana*, Tachkent, 1962, t. I, pp. 83-84.

41. SCHUYLER (E.), *Turkistan, Notes of a journey in Russian Turkistan*, New York, 1887, t. I, pp. 297-303, décrit le système de répartition de l'eau, qui restera inchangé jusqu'en 1917.

42. ARHIPOV (N.), *SSSR po raionam : Sredne-aziatskie respubliki*, Moscou, 1928, pp. 48-50.

43. CASTAGNE (J.), « La Réforme agraire au Turkestan », *Revue des Etudes islamiques*, II – 1928, pp. 396-397.

44. AMINOVA, *Agrarnye preobrazovaniia v Uzbekistane*, Tachkent, 1965, p. 105, *sq.*, et ALEKSEENKOV, *Krest'ianskoe vosstanie v Fergane*, Tachkent, 1927, p. 158, *sq.*

45. *Ibid.*, et DEMBO, *Zemel'nyii stroj vostoka*, Leningrad, 1927, pp. 100-102.

46. KRASKIN, *Zemel'no-vodnaia reforma v Srednei Azii, sbornik dokumentov*, Moscou, 1927, pp. 170-171.

47. *Ibid.*, p. 55.

48. *Otcherki istorii Turkmenii*, p. 118.

49. KRASKIN, *op. cit.* (n° 69), p. 169.

50. CASTAGNE (J.), « La Réforme agraire au Turkestan », p. 395.

51. KRASKIN, *op. cit.*, p. 170.

52. Les terres *Karanda* sont des terres, propriétés des familles ou des villages, dont les revenus sont consacrés aux besoins communaux. SCHUYLER, *Turkestan, op. cit.*, pp. 297-303.

53. CHTEINBERG, *Otcherki istorii Turkmenistana*, p. 138.

54. KRASKIN, *Zemel'no-vodnaia reforma v Srednei Azii, op. cit.*, pp. 55-56.

55. La solidarité face aux Russes est attestée par les récits de la lutte contre les Basmatchi. Cf. CHOKAEV (M.), « The Basmaji movement », *The Asiatic Review*, avril 1928, p. 283.

56. NURIMOV (A.), « Pervyi s'ezd kolhoznikov Udarnikov Uzbekistana » *Nautchnye Trudy Aspirantov*, Tachkent, 1962, pp. 219-229, montre p. 219 l'évolution psychologique de cette époque.

57. *Vsia Sredniaia Aziia, op. cit.*, p. 253.

58. Une thèse a été consacrée à ce sujet à Leningrad en 1969; AHADOV (S.), *Deiatel'nost' KP Uzbekistana po razvitiiu potrebitel'skoi kooperatsii v respublike.* Cf. aussi pour le Caucase musulman, KUPRAVA (A.), *Istorija kooperatsii Abhazskoi ASSR, 1921-1929*, Tbilissi, 1968, 388 p.

59. *Vsiia Sredniaia Aziia, op. cit.*, pp. 266-268.

60. ZINGER, *Evreiskoe naselenie v Sovetskom Soiuze*, Moscou, Leningrad, 1932, p. 14.

61. SCHWARTZ, *The Jews in the Soviet Union, op. cit.*, p. 164.

62. GITELMAN, *op. cit.*, p. 387.

63. LARINE (Ju), *Evreii i antisemitizm v SSSR*, Moscou, Leningrad, 1929, p. 302 *sq.*, développe les arguments des adversaires de cette localisation.

64. *Revoliutsiia i natsional'nosti*, 10, 1936, p. 51.

65. SCHWARTZ, *The Jews in the Soviet Union*, *op. cit.*, pp. 166-167.

66. Citée par GITELMAN, *op. cit.*, p. 431, cette phrase nous a été confirmée par A. EHRLICH.

67. LARINE, *op. cit.*, p. 153.

68. Sur les chamans, cf. *Kratkie soobchtcheniia instituta etnografii*, n° 25, 1957, p. 134, et les recherches de Roberte Hamayon, directeur d'études à l'EPHE (5° section) qui étudie les manifestations du chamanisme chez les Bouriates et les groupes proches, et ONICHT-CHUK (N.), *Sovetskoe stroitel'stvo u malyh narodov Severa 1917-1941*, *op. cit.*, p. 162.

69. *Jizn' natsional'nostei*, 10 janvier 1922 (les grandes lignes de la politique à suivre).

70. KOLARZ, *Les Colonies russes de l'Extrême-Orient*, *op. cit.*, p. 103.

71. *Ibid.*, p. 104.

Conclusion

1. KLJUTCHEVSKII, *Kurs russkoi istorii*, Moscou, 1937, vol. II, p. 423.

2. SZAMUELY (T.), *The Russian Tradition*, Londres, 1974, 443 p.

3. BLACK (C.), *The Dynamics of Modernization*, New York, 1966, pp. 6-9.

BIBLIOGRAPHIE

On ne reprend pas là la bibliographie qui figure dans les notes. Seuls sont donnés les sources, recueils et documents.

RECUEILS ET DOCUMENTS

I. *État*

Dekrety sovetskoj vlasti, Moscou, 1957-1975 : t. I à VII (1917-1920).

Gromyko A. A., *Dokumenty Vnechinei politiki SSSR*, Moscou, 1957-1962 : t. I à VI (1917-1923).

Istoriia Sovetskoi Konstitutsii v dokumentah, 1917-1934, Moscou, 1957, 1047 p.

S'ezdy sovetov soiuza SSR, soiuznih i avtonomnyh sovetskih sotsialistitcheskih respublik. Sbornik dokumentov v treh tomah 1917-1936 g, Moscou, 1959-1960. 3 tomes.

Sbornik deistvuiuchtchih dogovorov soglachenii i konventsii zakliutchennyh RSFSR s innostrannami gosudarstvami : t. III, Moscou, 1922.

Sobranie Uzakonenii i rasporiajenii rabotchego i krestianskogo pravitel'stva, Petrograd-Moscou, 1917-1922.

Gidulianov P.V., *Otdelenie tserkvi ot gosudarstva v SSSR* : polnyii sbornik dekretov redomstvennyh, rasporiajenii i opredelenii verhsuda RSFSR i drugih sovetskih socialistitcheskih respublik, USSR, BSSR, ZSFSR, Uzbekskoi i Turkmenskoi, 3e éd. Moscou, 1926, D, 711, 34 p.

II. *Narkomnats*

Deiatel' nost' Soveta natsional'nostei i ego prezidiuma, Moscou, 1929, 58 p.

Denisov A., *Narodnyj komissariat po delam natsional'nostei*, B.S.E. (1er éd.), XLI, Moscou 1931, 213, 214 p.

Dimanchtain S., *Revoliutsiia i natsional'nyi vopros* dokumenty i materialy, vol. III, Moscou, 1930, 467 p. (Seul le t. III existe.)

Izvestiia Peterburgskogo Komissariata po delam natsional'nostei, Petrograd, 1920, 191 p.

Lozovskii J., Bibin J., *Sovetskaia politika za 10 let po natsional'nomu voprosu v RSFSR*, Moscou, 1928, 420 p. (Recueil de documents.)

Natsional'nyi vopros i sovetskaia Rossiia, Moscou, 1921, 91 p.

Otchet narodnogo komissariata po delam natsional'nostei za 1921 g, Moscou, 1921, 50 p.

Politika sovetskoi vlasti po natsional'nym delam za tri goda 1917-1920, Moscou, 1920, 185 p.

Spravotchnik narodnogo komissariata po delam natsional'nostei, Moscou, 1921.

III. *Le parti*

Istoriia Vsesoiuznoi Kommunistitcheskoi Partii Bol'chevikov, Moscou, 1938, 352 p. (Nouvelles éditions : 1949, 1962, 1970, etc.)

KPSS v rezoliutsiah i rechenyah s'ezdov, konferentsii i plenumov. ts K, Moscou (9e éd. : 1983).

Kommunistitcheskaia Akademiia, Kommissia po izutcheniiu natsional'nogo voprosa, *Natsional'naia politika V K P (b) v tsifrah*, Moscou, 1930 112 p.

Sotsial'nyi i natsional'nyi sostav V K P (b) : Itogi vsesoiuznoi partiinoi perepisi 1927 goda, Moscou – Leningrad, I928.

Antropov P. (éd.) *Materialy i dokumenty I go s'ezda Kompartii Turkestana*, Tachkent, 1934, 85 p.

Kommunistitcheskaia partiia (b) Gruzii Otchet Tiflisskogo Komiteta mart 1923 goda – mart 1924 goda, Tiflis, 1924.

Musburo R K P (b) v Turkestane Tachkent, 1922, 63 p.
Trudy III-go s'ezda Kommunistitcheskoi partii Turkestana, Tachkent, 1919, t. XII, 318 p.

IV. *Recensements*

Pervaja vseobchtchaia perepis'naseleniia rossiiskoi imperii 1897 g, Saint-Pétersbourg, 1905, 89 vol.
Goroda i poseleniia v uezdah imeiuchtchie 2000 i bolee jitelei, Saint-Pétersbourg, 1905, 108 p.
Vsesoiuznaia gorodskaia perepis 1923 g, Moscou, 1925.
Izvestiia Komissii po izutcheniiu plemennogo sostava naseleniia SSSR (Ross. Ak. Nauk.), Petrograd, 1917-1919.
Trudy komissii po izutcheniiu plemennogo sostava naseleniia Rossii, A.K. Nauk Soiuza Sovet. Soc. Resp., 1919-1928, 15 vol.
Spisok narodnostei Soiuza Sovetskih Socialisticheskih Respublik sostavlen pod redaktsii I. I. Zarubiny, Leningrad, 1927, 50 p.
Turkestan. tsentral'noe statisticheskoe upravleniie - Otdel promychlennoi statistiki,... materialy vserossieskih perepisei, 1920 g., Tachkent, 1923.
Turkestan. tsentral'noe statistitcheskoe upravlenie Coefitsent detei chkol'nogo vozrasta kotchevogo i osedlogo naseleniia v Turkestane, Tachkent, 1924, 30 vol.
Vserossiiskaia perepis'tchlenov R K P 1922 goda, 1922-1925, t. IV, 1922.
Vyschee obrazovanie v SSSR. Statistitcheskii sbornik, Moscou, 1961.

V. *Éditions de Lénine et Staline*

Lénine. V.I., *Leninskii sbornik,* Moscou, 1924-1959, 36 vol.
Lénine V.I., *Polnoe Sobranie Sotchinenii,* Moscou, 1958-1965, 55 + 1 vol. (5e édition, la plus complète).
Lénine V.I., *Sotchineniia,* Moscou, Leningrad, 1927-1935, 31 vol. (3e édition).
Staline J., *Sotchineniia,* Moscou, 1946-1951, 13 vol.
Staline J., *Le Marxisme et la question nationale et coloniale,* Paris, 1949, 337 p.

ARCHIVES

Archives du ministère français des Affaires étrangères
   Dossiers Z 617 I
   Dossiers Z 619 II
   Papiers Millerand (XX)
Castagne J., *Archives personnelles* (notes prises par J. Castagne au Turkestan; papiers personnels, 3 cahiers).

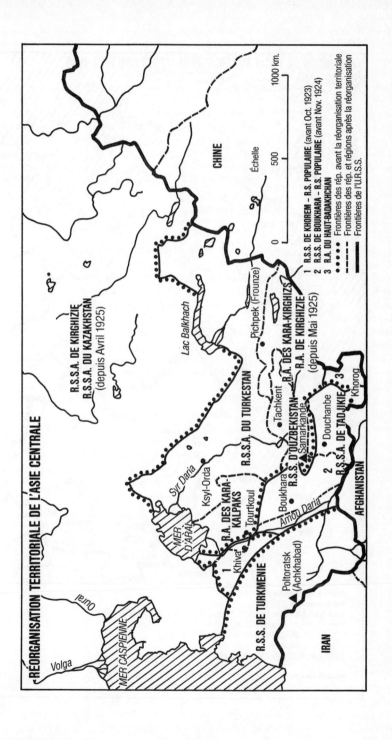

RÉORGANISATION TERRITORIALE DE L'ASIE CENTRALE

R.S.S.A. DE KIRGHIZIE
R.S.S.A. DU KAZAKSTAN
(depuis Avril 1925)

CHINE

Échelle

0   500   1000 km.

Lac Balkhach

Pichpek (Frounze)

R.A. DES KARA-KIRGHIZES
R.A. DE KIRGHIZIE
(depuis Mai 1925)

R.S.S.A. DU TURKESTAN

Tachkent

Samarkande

R.S.S. D'OUZBEKISTAN

Douchanbe

Khorog

R.A. DU HAUT-BADAKHCHAN   3

R.S.S.A. DE TADJIKIE

2

AFGHANISTAN

Syr Daria

Ksyl-Orda

R.A. DES KARA-KALPAKS

Tourtkoul

Boukhara

Amou Daria

MER D'ARAL

Khiva   1

Poltoratsk (Achkhabad)

R.S.S. DE TURKMENIE

IRAN

Volga

Oural

MER CASPIENNE

1 R.S.S. DE KHOREM – R.S. POPULAIRE (avant Oct. 1923)
2 R.S.S. DE BOUKHARA – R.S. POPULAIRE (avant Nov. 1924)
3 R.A. DU HAUT-BADAKHCHAN

•••• Frontières des rép. avant la réorganisation territoriale
---- Frontières des rép. et régions après la réorganisation
▬▬ Frontières de l'U.R.S.S.

FORMATION DE L'ÉTAT MULTINATIONAL SOVIÉTIQUE 1922-1936

PAYS-BAS
NORVÈGE
DANEMARK
Oslo
ALLEMAGNE
Copenhague
Berlin
Stockholm
TCHÉCOSLOVAQUIE
MER BALTIQUE
Helsinki
FINLANDE
MER DE BARENTS
Mourmansk
NOUVELLE ZEMBLE
Tallin
ESTONIE
MER BLANCHE
MER DE KARA
LITHUANIE
Riga
LETTONIE
Varsovie
Kaunas
Leningrad
Severnaya Dvina
POLOGNE
▲ Minsk 14-18 Déc. 1922
BIÉLORUSSIE
Petchora
ROUMANIE
▲
Kiev
▲ Moscou 23-27 Déc. 1922
Volga
Kama
Ob
BESSARABIE
UKRAINE
Kharkov 10-14 Déc. 1922
Dniepr
Don
Engels
Ijevsk
R.S.F
MER NOIRE
Volga
Oural
Tobol
Irtych
TURQUIE
GÉORGIE
Tbilissi
ARMÉNIE
Erévan ▲
MER CASPIENNE
Makhatch-Kala
KAZAKHSTAN
Nakhitcheva
AZERBAIDJAN
▲ Bakou 10-13 Déc. 1922
MER D'ARAL
TURKMÉNISTAN
Syr-Daria
Lac Balkhach
IRAN
Téhéran
Amou Daria
UZBÉKISTAN
Achkhabad
Tachkent
Alma Ata
Frounze
Douchanbe
KIRGHIZISTAN
TADJIKISTAN
CH
AFGHANISTAN

Frontières en Décembre 1922

━━━━━━ U.R.S.S.

●●●●●●● Républiques de l'Union : R.S.F.S.R. – BIÉLORUSSIE – UKRAINE

─ ─ ─ ─ Républiques populaires

▲ Capitales des républiques

● Villes

23-27 Déc. 1922 Date des congrès républicains des Soviets
qui ont décidé de la formation de l'U.R.S.S.

━━━━━ République fédérative socialiste transcaucasienne
créée le 13 Déc. 1922, entrée dans l'Union en 1936.

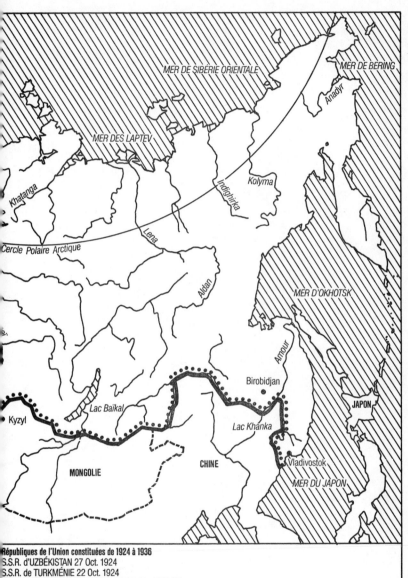

MER DE SIBÉRIE ORIENTALE

MER DE BERING

MER DES LAPTEV

Anadyr

Khatanga

Kolyma

Indighirka

Lena

Cercle Polaire Arctique

Aldan

MER D'OKHOTSK

Amour

Birobidjan

Lac Baïkal

Kyzyl

Lac Khanka

JAPON

Vladivostok

MONGOLIE

CHINE

MER DU JAPON

Républiques de l'Union constituées de 1924 à 1936
S.S.R. d'UZBÉKISTAN 27 Oct. 1924
S.S.R. de TURKMÉNIE 22 Oct. 1924
S.S.R. de TADJIKIE 16 Oct. 1929 anciennement R.S.S.A.
S.S.R. du KAZAKHSTAN 5 Déc. 1936 anciennement R.S.S.A.
S.S.R. de KIRGHIZIE 5 Déc. 1936 anciennement R.S.S.A.

Échelle
500   1000 km.

Index

* Noms en italique : concepts ou organisations.
** Noms en romain : personnes.
(Les noms de Lénine et Staline, constamment utilisés ont été exclus de l'index.)

330INDEX

Svanidze (Alexis), 162.
Sverdlov (Iakov), 147, 190, 194.
Synopticus (voir Renner).

Tchernov (V.), 47.
Tcherviakov, 166.
Tchiterine (Georgi), 124, 151, 153, 156, 157.
Tchoubar (Vlas), 271.
Tolstoï (D.A.), 15.
Troïanovski, 48.
Trotski (Lev), 47, 66, 76, 84, 98, 103, 108, 109, 153, 158, 170, 171, 203.
Turkburo (bureau turc), 185.

Turkestan (concept), 182, 185.
Turkkommissia, 182.

Union des Nationalités, 72.

Validov (Z.), 120, 149.
Vinitchenko, 104.
VCIK (Comité Exécutif Central pan-russe), 97, 109, 120, 121, 136, 172.

Waqfs, 212, 260, 263, 265.
Wilson (Président), 84.

Zakraikom, 187, 188.
Zinoviev (Grigori), 195.

INTRODUCTION

PREMIÈRE PARTIE. – LE DISCOURS

QUATRIÈME PARTIE. –
LA RÉVOLUTION CULTURELLE

Cet ouvrage a été réalisé sur
Système Cameron
par la SOCIÉTÉ NOUVELLE FIRMIN-DIDOT
Mesnil-sur-l'Estrée
pour le compte des Éditions Flammarion
le 5 octobre 1987

Imprimé en France
Dépôt légal : octobre 1987
N° d'édition : 11414 – N° d'impression : 7582